Transfer

Das Artefakt

David Reimer

Science-Fiction-Thriller

www.david-reimer-autor

DAVID REIMER

Inhaltsverzeichnis

Prolog

Mittwoch, 17. Oktober 2018, Linden St. Alexandria, Virginia, USA

Er stellte den Motor ab, zog den Schlüssel aus dem Zündschloss und ließ ihn in der rechten Tasche seiner Lederjacke verschwinden. Dann warf er einen Blick auf die andere Straßenseite. Zu seiner Zufriedenheit schien alles still zu sein. Bis auf das Eichhörnchen, das flink über die Straße zu einem Baum hechtete und hinaufkletterte, war niemand zu sehen. Er stieg aus, schloss leise die Tür und verriegelte das Auto, indem er auf den Schlüssel in seiner Tasche drückte.

Als er die erste Steinplatte des Weges des gepflegten Vorgartens betrat, flogen kreischend zwei Vögel aus einem Busch. Der Rasen war saftig grün und musste erst kürzlich vom Laub befreit worden sein. Auch die dichten Büsche vor der Veranda waren perfekte getrimmt worden, was darauf hindeutete, dass die Hauseigentümerin über einen Gärtner verfügte oder sich anderweitig Hilfe gesucht hatte. Vielleicht hatte eines der Nachbarskinder die Büsche geschnitten, denn sie selbst war, wie er wusste, wegen ihrer Arthritis dazu nicht mehr im Stande. Er wusste alles über die Dame. In der Einfahrt stand der auf sie registrierte 1987er Chevrolet Caprice Wagon geparkt, also war sie zu Hause.

1

Das Gebäude sah gepflegt aus, die hölzerne rote Hausverkleidung musste erst kürzlich gestrichen worden sein, ebenso die weißen Fensterrahmen und die Veranda. Alles Anzeichen dafür, dass sein Auftraggeber richtig mit seiner Vermutung lag, dass die alte Dame erst kürzlich zu Geld gekommen war. Als er die wenigen Treppenstufen zur Veranda hinaufstieg, bemerkte er auf einem Schaukelstuhl eine zerzauste hellbraune Katze, das ihn wachsam aus großen grünen Augen anschaute. Er betrat die Fußmatte, die Katze bleckte die Zähne und fauchte leise, aber unmissverständlich. »Aber, aber, wer wird denn gleich so feindselig sein. Ich werde dir nichts tun, wenn du mich in Ruhe lässt. Ich will mich nur mit deinem Frauchen unterhalten.«

Er drückte auf die kleine Klingel neben der Tür. Im Haus ertönte eine klischeehafte Vierklangmelodie, die unangenehm in seinen Ohren war. Als der Glockenton verstummte, wandte er den Kopf und versicherte sich ein, dass ihn niemand beobachtete. Dabei prüfte er die umliegenden Fensterscheiben – keine der Gardinen bewegte sich. Die Katze hatte sich auf den Bauch gelegt und den Kopf gesenkt. Mit einem durchdringenden Blick starrte sie ihn an, ruhig und bereit zum Angriff.

»Was hast du denn? Magst du mich nicht? Ich kann dich auch nicht leiden, aber wir beide können gleich wieder getrennte Wege gehen, wenn du mich meinen Auftrag erfüllen lässt.« Beiläufig überprüfte er, ob seine schwarzen Lederhandschuhe gut saßen. Dann forderte ein dumpfes Schlurfen von der anderen Seite der Tür seine Aufmerksamkeit. Er trat einen halben Schritt zurück, nur so weit, dass er nicht bedrohlich wirkte, dennoch schnell genug reagieren konnte, falls man ihm die Tür vor der Nase zuschlagen wollte. Eine ältere Dame, mit vollem weißem Haar

2

öffnete die Tür. Sie stützte sich auf einen Rollator und blickte ihn durch das Insektengitter aus wachen Augen an.

»Ja?«

»Guten Abend, Mrs Jackson?«

»Ja, das bin ich. Was kann ich für Sie tun?«

»Ich komme vom archäologischen Institut aus Kairo und würde mich gern über Ihren Mann unterhalten. Es geht um seine letzte Ausgrabung in Ägypten. Hätten Sie vielleicht ein paar Minuten für mich?«

Die Dame zog offensichtlich überrascht, eine Augenbraue hoch. »Richard ist nicht da. Ich fürchte, ich kann Ihnen nicht helfen.«

Es war ihm klar, dass Richard nicht da war, schließlich war er vor acht Jahren spurlos verschwunden. Er griff nach der Öse, die an dem Holzrahmen des Insektengitters befestigt war, und zog es auf. »Ich weiß, dass Ihr Mann nicht da ist. Ich würde gern mit Ihnen sprechen. Hätten Sie etwas dagegen, wenn wir drinnen weitersprechen?«

Mrs Jackson überlegte einen Moment, dann drehte sie sich mit der Gehhilfe um und schlurfte davon.

Er trat ein, achtete darauf, dass das Gitter hinter ihm beim Zufallen nicht gegen den Holzrahmen der Tür prallte, und schloss die Haustür. Der muffige Geruch von alten Möbeln und Mottenkugeln empfing ihn in der Diele. Mrs Jackson bog links in das Wohnzimmer ab, rechts von ihm befand sich das Esszimmer, das vermutlich an die Küche im hinteren Bereich des Hauses angrenzte. Eine Treppe aus dunklem Holz führte vom Flur in den ersten Stock des Hauses. An der Wand befand sich ein Treppenlift, ohne den die alte Dame wohl nicht mehr die Stufen hinauf gekommen wäre. Gut für ihn, denn diese Geräte machten ein prägnantes elektrisches Summen.

Mrs Jackson bewegte sich langsam, ihr Rollator quietschte bei jedem Schritt. An den Wänden hingen gerahmte Fotos und

3

die Räume waren mit antiken Möbelstücken ausgestattet, die von besseren Zeiten zeugten. Alles erweckte den Eindruck, als sei die Zeit hier stehengeblieben. Das Wohnzimmer war in gedämpftes Licht getaucht, und die Sonne, die durch die schweren Vorhänge sickerte, malte schmale Lichtstreifen auf den abgetretenen Teppichboden.

An der Wand gegenüber dem Sofa fiel ihm ein alter Kamin auf, dessen innere Steinverkleidung stark verrußt war. Auf dem Sims flankierten Familienfotos eine goldene Uhr, deren Ticken den Raum erfüllte. Ein bequemer Sessel stand neben dem Sofa, umgeben von Stapeln abgenutzter Bücher und Zeitschriften.

Mrs Jackson ließ sich mühsam in den Sessel sinken, dabei ächzte sie und deutete auf das Sofa. »Setzen Sie sich doch. Bitte entschuldigen Sie die Unordnung, aber ich habe nicht viele Besucher. Manchmal kommt der Nachbarsjunge herüber und hilft mir im Garten, aber ihn stört das Chaos hier nicht.«

Er nahm Platz, spürte das Nachgeben der alten Federn unter sich und lehnte sich leicht nach vorne. »Vielen Dank, Mrs Jackson. Ich schätze Ihre Zeit wirklich sehr. Die Stiftung unseres Instituts finanziert schon seit mehr als zwanzig Jahren verschiedene Projekte, unter anderem die Sicherstellung von verschiedenen Kulturgütern.«

Vier leise Glockenschläge der Kaminuhr wiesen darauf hin, dass die volle Stunde erreicht war.

»Bitte entschuldigen Sie, wo sind nur meine Manieren. Darf ich Ihnen etwas anbieten, einen Kaffee oder vielleicht einen Tee?«, sagte sie, ohne auf seine Worte einzugehen.

Er spannte seine Kiefermuskeln an und versuchte, ruhig zu bleiben. Er hatte nicht viel Zeit und wollte nur das haben, weshalb er gekommen war. Er lächelte. »Nein, danke, sehr freundlich. Wie ich Ihnen bereits sagte, bin ich wegen Ihres Mannes hier. Es geht um Dr. Jacksons letzte Expedition nach

4

Ägypten, die von unserem Institut finanziert wurde. Können Sie mir vielleicht erzählen, was Sie darüber wissen? Hat er Ihnen etwas in Briefen oder Ähnlichem davon erzählt?«

»Ich werde mir einen Tee machen, ich komme gleich wieder.« Sie lies seine Fragen unbeantwortet und machte Anstalten, aufzustehen.

Sein erster Impuls war, nach ihrem Arm zu greifen und sie zurück in den Sessel zu stoßen. Er brauchte Antworten, und zwar jetzt. Bis die klapprige Alte ihren Tee gemacht hatte, würden wertvolle Minuten verstrichen sein. Er besann sich und rutschte stattdessen auf dem Sofa nach vorne. »Mrs Jackson, ich möchte nicht unhöflich sein, aber könnten Sie mir zunächst ein paar Fragen beantworten, danach sind Sie mich schon wieder los.«

Die Dame saß auf der Kante des Sessels und hatte ihre Hände bereits auf die Griffe des Rollators gelegt. Etwas in ihrem Blick verriet ihm, dass ihr Geist schärfer war, als es ihre äußerliche Erscheinung vermuten ließ. »Junger Mann, es ist sechzehn Uhr und um diese Zeit trinke ich meinen Nachmittagstee, jeden Tag und das seit vierzig Jahren, da waren Sie wahrscheinlich noch gar nicht geboren. Sie sind zu mir gekommen und möchten etwas von mir. Dann können Sie sich auch die Zeit nehmen, mir etwas Gesellschaft zu leisten. Wissen Sie, Richard hat immer gesagt, Eile ist der Grund, warum wir unsere Wahrnehmung verlieren. Sich die Zeit zu nehmen, etwas bewusst wahrzunehmen, erfordert Geduld. Also können Sie nun mit in die Küche kommen und mir Ihre Fragen stellen oder Sie warten hier auf mich.« Sie erhob sich schwerfällig und blickte ihn an. »Sie erinnern mich an meinen Sohn, er hat ebenfalls nie Zeit, nicht mal, um mich anzurufen.« Mit diesen Worten ließ sie ihn stehen.

Er rieb sich das Kinn, wobei das glatte Leder der Handschuhe über seine Bartstoppeln kratzte. Dann stand er

5

auf, die alte Frau fest im Blick, und folgte ihr. »Sie haben recht, es tut mir leid, das war taktlos von mir.« Als er an dem Kamin vorbeiging, betrachtete er für einen Moment die Bilder. Eines zeigte Dr. Richard Jackson vor einer sandigen Ruine, der eine gut fünfzig Zentimeter große goldene Figur in den Händen hielt. Neben ihm stand ein weiterer Mann, den er sehr gut kannte. Es war Vincent Collins, der Gründer der Stiftung. Rechts von den Männern befand sich eine junge, attraktive Frau mit schulterlangem Haar, die nicht älter als dreißig sein konnte. Er kannte sie nicht, was bedeutete, dass sie kein Mitglied des Instituts war. Vielleicht gehörte sie zu Dr. Jacksons damaligem Team, was ebenfalls merkwürdig war, denn er kannte alle Mitglieder der Expedition aus den Daten, die ihm zur Verfügung standen.

»Wollten Sie mich nicht etwas über Richard fragen?«, rief Mrs Jackson aus der Küche.

Er überlegte einen Herzschlag lang, ob er das Foto aus seinem Rahmen nehmen sollte, um zu überprüfen, ob etwas auf der Rückseite vermerkt war. Doch er besann sich auf seinen ursprünglichen Auftrag, vielleicht würde er dies später noch machen.

Auf der Herdplatte stand bereits der Teekessel, und Mrs Jackson gab mit einem Löffel einige zerkleinerte schwarze Teeblätter aus einer Dose in ein Teesieb.

»Sie haben ein sehr schönes Haus«, bemerkte er, um die Stimmung aufzulockern.

»Danke, Richard und ich haben es vor fünfundvierzig Jahren gekauft. Wir mussten es damals renovieren, was viel Arbeit war, aber so hatten wir die Möglichkeit, es nach unseren Wünschen zu gestalten. Seit er nicht mehr da ist, zerfällt das Haus leider immer mehr. Von meiner Rente kann ich mir die Instandhaltung kaum leisten und nur gerade so das Nötigste an Reparaturen bezahlen. Das Geld, das Richard für uns auf

6

die Seite gelegt hat, ist so gut wie aufgebraucht. Wenn Derrick, der Junge von gegenüber, nicht wäre, würde nicht mal mehr der Rasen gemäht werden.«

»Das Haus wirkt auf mich sehr gut gepflegt, die Fassaden wurden doch erst kürzlich gestrichen, und auch der Garten sieht sehr ordentlich aus«, sagte er.

Das Wasser gluckerte im Kessel. Sie öffnete einen Schrank und holte eine verzierte Tasse heraus, ehe sie sich zu ihm umdrehte. Zwischen ihnen stand die Gehhilfe, an der bereits an einigen Stellen der Lack abgeplatzt war.

»Nun, sind Sie hier um über mein Haus zu sprechen?«

Er lächelte verlegen. »Nein, das bin ich nicht. Haben Sie vielleicht in der letzten Zeit Post bekommen von ihrem Mann oder einem anonymen Absender?«

Sie wandte sich ab, als der Kessel zu pfeifen begann, und nahm ihn von der Herdplatte. Sie legte das Teesieb in die Tasse und goss etwas heißes Wasser darüber.

»Nein, von Richard ist schon sehr, sehr lange nichts mehr bei mir angekommen. Ich habe hin und wieder in den letzten Jahren Briefe erhalten, in denen jedes Mal ein Gedicht enthalten war. Anfangs dachte ich, Richard würde sie mir schicken, um mir so eine Nachricht zu senden, dass er noch lebt. Ich hoffte, er würde bald nach Hause kommen, doch er kam nicht und die Monate und Jahre verstrichen, ohne dass ich ein Lebenszeichen von ihm erhalten habe. Ich habe die Gedichte wieder und wieder gelesen, aber ich verstehe sie nicht.« Sie nahm das Sieb aus der Tasse, legte es in die Spüle und schüttete aus einem silbernen Kännchen, das sie im Kühlschrank verstaut hatte, einen Schluck Milch in den Tee.

»Kann ich die Briefe sehen?«

Sie stellte die Tasse auf die Ablage des Rollators und schob sich an ihm vorbei zurück ins Esszimmer. »Ich bin mir sicher, dass Sie damit nichts anfangen können. Sie wollten mir Fragen

7

zu Richards Expedition stellen, oder sind Sie wegen der Briefe hier?«

Leicht über die Gehilfe gebückt ging sie langsam vor ihm, dabei zog sie das rechte Bein etwas nach, vermutlich weil sie Schmerzen in der Hüfte hatte.

»Hat Ihnen Ihr Mann vielleicht etwas von seiner letzten Expedition geschickt? Bevor er verschwunden ist, hat er eine Ausgrabung südlich der Nekropole von Sakkara geleitet. Ich denke da an Aufzeichnungen über Artefakte, Fotos von Gegenständen oder persönliche Notizen?«

»Ja, ich erinnere mich daran.« Sie erreichte den Kamin und blieb stehen. Mit einem Finger deutete sie auf das Foto, das er sich zuvor angesehen hatte. »Das hat er mir geschickt mit einem Brief. Er sagte, er habe es endlich gefunden und Mr Collins, der Mann links auf dem Bild, sei sehr stolz auf ihn.« Sie ging weiter und setzte sich in ihren Sessel.

»Wissen Sie, wer die Frau auf dem Bild ist?«

Sie stellte die Tasse mit dem Unterteller auf den Tisch vor dem Sofa. »Nein, aber ich weiß, dass dieses Bild kurz nach der Entdeckung eines Grabes oder Tempels aufgenommen wurde. Die Figur, die Mr Collins da zusammen mit Richard in der Hand hält, wurde dort gefunden. Sie ist aus purem Gold. Richard glaubte, dass er nun endlich den ersten Beweis gefunden hatte, dass die Stadt der Götter existiert.«

»Woher wissen Sie das?«

Sie trank einen Schluck. »Na, weil er es in seinem Notizbuch vermerkt hat.«

Er spürte, wie sein Puls sich beschleunigte. Also war es wahr, es gab Aufzeichnungen zu den gefundenen Artefakten. »Haben Sie das Notizbuch noch?«

Sie nickte. »Es liegt oben in seinem Arbeitszimmer in einer Schublade. Ich habe alles so gelassen wie am letzten Tag, bevor er aufgebrochen ist.«

»Darf ich es sehen? Ich würde nicht fragen, wenn es nicht wichtig wäre.«

»Sie haben mir noch gar nicht gesagt, weshalb Sie mir diese ganzen Fragen über Richard stellen. Wer sind Sie noch gleich?«

Allmählich verlor er die Geduld, die alte Schachtel sollte ihm endlich dieses Notizbuch geben. Selbstverständlich wusste er, dass Richard ihr etwas geschickt hatte, aber er konnte es sich nicht einfach holen, denn sein Auftrag lautete, herauszufinden, was Mrs Jackson wusste und alle nützlichen Informationen in Erfahrung zu bringen. »Nun, wie ich bereits sagte, bin ich vom archäologischen Institut in Kairo. Mr Collins, der Gründer der Stiftung, die einen sehr großen Teil unserer Arbeit finanziert, hat mich geschickt. Ihr Mann war auf der Suche nach etwas, was von großer Bedeutung ist, und Mr Collins bat mich, Sie zu fragen, ob sie ihm alle Informationen über seine letzte Expedition zur Verfügung stellen könnten. Denn wir vermuten, dass darin der Schlüssel versteckt liegt, um das zu finden, wonach Richard gesucht hat.«

Sie nahm einen weiteren Schluck Tee, dann stellte sie die Tasse auf dem Tisch ab und lehnte sich im Sessel zurück. »Wissen Sie, warum ich keinen Fernseher habe?« Sie gab ihm keine Zeit, zu antworten. »Ich lese, dadurch weiß ich eine Menge Dinge, von denen Sie wahrscheinlich noch nie etwas gehört haben. Ich weiß zum Beispiel, dass Ihr Mr Collins keineswegs der Samariter ist, der er vorgibt zu sein. Ich habe viel über ihn recherchiert. Wenn Sie sich umsehen, werden Sie Bücher über Archäologie, Welt- und Kulturgeschichte, Politwissenschaften und Finanzwissen finden. Nicht, weil mich das alles so brennend interessiert, nein, keineswegs. Ich verstehe auch nicht immer, worum es dabei geht, aber ich bin nicht auf den Kopf gefallen. Aber ich habe verstanden, dass Mr

9

Collins seine Finger in so vielen Angelegenheiten hat, dass niemand so recht weiß, was das wirkliche Ziel seiner Stiftung ist.« Sie faltete die Hände über dem Bauch. Sie wirkte zufrieden, so als ob sie ein aufwendiges und langwieriges Projekt abgeschlossen hätte.

»Eines hatte Richard mit Mr Collins gemeinsam: die Verbissenheit. Für Richard gab es nichts anderes, als endlich einen Beweis für seine Theorie zu finden, dass es in Ägypten einen Pharao gab, der anders war als alle anderen nach ihm. Der über Wissen verfügte, das er eigentlich nicht hätte haben dürfen. Wenn Sie mich fragen, ist das Humbug, aber er hat daran geglaubt, also habe ich es ebenfalls, zumindest in Maßen.

Mr Collins hat diese Expedition finanziert, weil er sich erhoffte, eine nicht minder große Presse zu erhalten wie damals Howard Carter, als er das Grab von Tutanchamun gefunden hatte. Vincent hat sehr eng mit Richard zusammengearbeitet, er war hier auch schon zum Essen, doch nachdem Richard spurlos verschwand, hat sich Vincent hier nicht ein einziges Mal blicken lassen. Nicht einmal angerufen hat er und nun schickt er Sie, damit er dieses verdammte Grab oder den Tempel oder was auch immer finden kann. Ich habe meinen Frieden gefunden, ich habe akzeptiert, dass er nie wieder zurückkommt. Ich hatte ein sehr erfülltes Leben und nichts, was auch geschehen mag, kann mir meine Erinnerung daran nehmen. Das Notizbuch können Sie nicht haben, ich habe beschlossen, es meinem Sohn zu schicken, er will es schon seit Jahren haben.« Sie seufzte und lehnte den Kopf gegen die Lehne. »Bitte gehen Sie jetzt, ich bin müde und würde gern etwas schlafen. Wenn es Ihnen nichts ausmacht, bleibe ich sitzen, Sie finden bestimmt allein hinaus.«

Ihr Gesicht war freundlich, doch ihr Blick war kühl.

10

Er lächelte. Es war keineswegs freundlich gedacht. Überrascht von der Wendung seines Besuchs nickte er ihr zu, als ihm klar wurde, dass das Gespräch nun beendet war. Er war fest davon überzeugt gewesen, dass er hier schneller an sein Ziel gekommen wäre. Sie hatte ihm von Geduld erzählt, also blieb er geduldig. »Danke für Ihre Zeit.« Als er sich zum Gehen abwandte, bemerkte er, dass sie bereits die Augen geschlossen hatte. Er ging zur Tür, öffnete sie und schloss sie hörbar. Aus der Jackentasche fischte er eine kleine Spritze, auf deren Nadel eine dünne schmale Kunststoffhülle saß. Er entfernte sie und zog den Kolben auf. Seine Atmung war ruhig, sein Herzschlag gleichmäßig.

Er schlich zurück ins Wohnzimmer, wo Mrs Jackson mit geschlossenen Augen in ihrem Sessel saß. Er überlegte, ob er noch irgendetwas wissen musste, was sie ihm nicht bereits gesagt hatte. Mit der Spritze in der Hand beugte er sich vor und streckte den Arm aus. Ihm war bekannt, dass sie gestern einen Allergietest gemacht hatte, was den Einstich für eine gewisse Zeit verdecken würde.

Ohne eine emotionale Regung zu verspüren, legte er der Frau eine behandschuhte Hand auf den Mund und stach zu. Sie musste sterben. Sie hatte ihn gesehen, und wenn sie etwas wusste, durfte das niemand anderes erfahren, so lautete der Auftrag. Sie riss die Lider auf und ihre blassgrünen Augen starrten ihn an. Sie schien sich nicht zu wehren, in ihrem Blick lag etwas, was er als Zufriedenheit interpretierte. Vielleicht hatte sie ihren Tod gespürt, vielleicht war sie bereit dafür gewesen. Er wusste es nicht, es war ihm egal. Er drückte den Kolben und presste die Luft, die sich in der Spritze befand, in ihre Blutbahn.

Dann zog er langsam die Kanüle heraus, setzte die Abdeckung auf und verstaute die Spritze in der Jackentasche. Die Alte zuckte und japste nach Luft. Bevor das Leben endgültig aus ihr wich, verließ er das Wohnzimmer und ging die Treppe hinauf. Er durchsuchte das Arbeitszimmer, fand rasch das Notizbuch in einer Schublade des wuchtigen Schreibtischs und wollte das Zimmer schon wieder verlassen, als ihm ein Gedanke kam.

Ihm waren die Briefe wieder eingefallen. Er musste sie haben. Falls darin Hinweise auf das Versteck des Artefakts waren, wäre dies von großem Interesse für seinen Auftraggeber. Sorgfältig untersuchte er die Regale und Ablagen, dabei ging er vorsichtig vor, nichts sollte auf einen Einbruch hindeuten. Man würde Mrs Jacksons Tod auf einen Herzinfarkt schieben, der durch eine Thrombose ausgelöst wurde – daran wollte er nichts ändern.

Nach einigen Minuten hatte er die Briefe noch immer nicht gefunden. Er hörte eine Fahrradklingel auf der Straße. Er spähte durch die geschlossenen weißen Tagesgardinen und sah einen Jungen, der mit seinem Fahrrad die Einfahrt des gegenüberliegenden Hauses hinauffuhr. Falls der Junge nach seiner Nachbarin schauen würde, musste er bereits weg sein. Eine alte Frau zu töten, war eine Sache, aber ein Kind stand nicht auf der Liste. Er stopfte das Notizbuch in seine Jackentasche, vergewisserte sich, dass alles so war wie zuvor, und eilte die Treppe hinunter.

Er ging ins Wohnzimmer und hielt der Frau seinen nackten Unterarm unter die Nase. Als er zufrieden feststellte, dass sie nicht mehr atmete, schloss er ihre Augenlider, und schnappte sich das Foto mit der goldenen Figur vom Kaminsims. Er schob die anderen Bilder zurecht, sodass keine Lücke blieb, und verließ dann eilig das Haus. Als er nach draußen trat, schrie das Mistvieh von Katze auf und flüchtete über das Geländer in den Nachbargarten. Er eilte über den Weg durch den Garten, doch es schien, als hätte niemand Notiz genommen.

Ungesehen stieg er in sein Auto und fuhr los. Zwei Straßen weiter holte er sein Handy hervor und wählte die Nummer im Speicher, die ihn zuletzt angerufen hatte. Das Freizeichen verstummte, bereits nach wenigen Sekunden.

»Auftrag erledigt, ich habe das Notizbuch. – Ja, ich habe es durchgesehen, es gibt viele Zeichnungen und detaillierte Beschreibungen von Artefakten und wo er sie gefunden hat. – Ja, es ist dabei, ich habe die Zeichnung gesehen, denke, wir haben endlich, was wir brauchen, um es zu finden. – Verstanden, ich werde es am Treffpunkt abgeben und erwarte neue Instruktionen.« Er warf das Handy auf den Beifahrersitz, bog in eine Seitenstraße ein und parkte. Dann nahm er den Bilderrahmen und betrachtete das Foto. Seiner Kontaktperson hatte er bewusst nichts von dem Bild und den Briefen erzählt. Er entfernte den Rahmen und untersuchte die Rückseite des Fotos. Dort stand: Vincent Collins, Richard Jackson, Samatha O'Neill, Juli 2009, Hermopolis Magna.

Samatha O'Neill heißt du also, dachte er schmunzelnd.

13

Anomalie

Freitag, 20. April 2029, an Bord der Artemis III, Startkomplex 39, Cape Canaveral, Florida, USA

»Tminus zehn Sekunden, Go für Zündung.« Die Vibrationen nahmen exponentiell zu, als die vier RS-25-Triebwerke der Kernstufe zündeten und zusammen mit den zwei Feststoffboostern die Rakete vom Boden hoben. Johanna Carter wurde kräftig in ihren Sitz gepresst, ihre Zähne klapperten und sie sah, wie der Countdown herunterlief.

Ein Blick aus dem Fenster verriet ihr, dass der Startturm am unteren Rand des Fensters langsam nach hinten glitt, während die Rakete immer schneller wurde. Johanna schloss die Augen. Solange die Rakete nicht doch noch aus irgendeinem Grund in der Atmosphäre explodieren würde, würde sie auf dem besten Wege sein, einen bedeutenden Platz in den Geschichtsbüchern einzunehmen. Es war ein überwältigendes Gefühl, als der Schub das tonnenschwere Höllengerät in den Himmel drückte.

Die Erschütterungen in der Kabine waren heftig, der Funk verstummte in den ersten Sekunden des Aufstiegs. Johannas Herzschlag war so stark zu spüren, da ihr Körper extremen g-Kräften ausgesetzt war und versuchte, den Kreislauf aufrechtzuerhalten. Sie öffnete die Augen, dünne Wolkenfetzen rauschten fast gemächlich vor dem kleinen

14

Fenster vorbei – trotz der immensen Geschwindigkeit. Am Horizont konnte sie bereits die Krümmung der Erdkugel sehen, die Kármán-Linie, die sie umgab, und darüber die Schwärze des Alls. Schnell verschwand die helle Oberfläche des Planeten aus ihrem Sichtfeld.

Chris Harris, der Kommandant der Mission, saß neben dem Piloten Paul Torrens und checkte gerade die Anzeigen vor sich. Für Johanna gab es nicht viel zu tun, im Grunde war sie gerade Passagier, eine stille Beobachterin, ebenso wie der deutsche Ingenieur Ralf Schmitt im Sitz neben ihr.

»Sieht alles gut aus«, befand Paul und warf Chris einen Blick zu.

Dieser nickte. »Houston, wir sind bereit für Abtrennung der Booster.«

»Roger, Artemis, euer BBC ist okay, Go für Abtrennung der Booster«, sagte Tim Newman, ein erfahrener Astronaut, der als Controller von Houston fungierte. Chris hatte den Verbindungsmann seiner Crew vor dem Abflug vorgestellt, damit sie ein Gesicht zur Stimme hatten. Newman war bereits selbst zwei Mal auf der ISS gewesen und anschließend hatte der Ingenieur bei der Vorbereitung der Artemis-Mission geholfen. Laut Chris gab es für die Rolle als Sprachrohr nach Houston keinen besseren als Newman.

»Roger, HDS auf manuell, mittleres Triebwerk«, sagte Chris. »Macht euch bereit, das wird einen ordentlichen Ruck geben. Dann wollen wir mal, festhalten dahinten.« Er streckte den rechten Arm aus, um einen Schalter vor sich zu erreichen, was ihm offensichtlich durch den gewaltigen Schub nicht leicht fiel. Schließlich gelang es ihm und er aktivierte den Knopf, der sofort weiß aufleuchtete. Johanna wurde nach vorne in die Gurte gedrückt, so heftig und unvermittelt, dass ihr die Luft aus den Lungen gepresst wurde. Ein metallisches Kratzen drang durch die Kabine, das von einem dumpfen

15

Knall begleitet wurde, ehe es für einen Moment still in der Kapsel wurde.

»Booster abgetrennt«, sagte Paul. Sobald er die Bestätigung gegeben hatte, zündete die Automatik die zweite Stufe wie vorgesehen. Johanna wurde zurück in ihre Sitzschale gepresst – sie hatte das Gefühl, dass ihr eine gewaltige Anakonda die Brust zuschnürte.

Sofort wurde die Kabine wieder von dem anfänglichen Lärm erfasst. Ihr Kopf vibrierte auf ihren Schultern hin und her und das Rauschen der Schubdüse dröhnte in ihren Ohren.

»Schubphase läuft noch dreißig Sekunden«, sagte Paul.

Johanna hatte in dieser Phase nur eine Aufgabe: konzentriert und so ruhig wie möglich atmend darauf zu warten, dass der Aufstieg endete. Beinahe wie in einer Achterbahn – nur dass momentan das Risiko deutlich höher war, dass etwas schiefging. Bereits eine defekte Dichtung der Treibstoffleitungen oder ein fehlerhafter Elektroanschluss konnte ihren kommenden Triumph schneller in Luft auflösen, als ihr lieb war.

»Verstanden, alle Systeme sehen gut aus, Abschalten bei 12:26, bitte bestätigen.«

»Roger, Houston, Abschalten der Triebwerke bei 12:26«, erwiderte Chris und positionierte seinen Finger auf dem Deaktivierungsschalter, der die Treibstoffzufuhr zu den Schubdüsen unterbrach.

Der Counter zählte jede Sekunde seit dem Start mit. Als er auf 12:26 umsprang, drückte Chris den Knopf – sofort ließ der Schub und der Lärm nach.

Chris checkte die Anzeigen erneut. »Houston, wir sind im Orbit. Trimmung und Geschwindigkeit sind gut. Triebwerke sind abgeschaltet.«

»Roger, Artemis.«

»Bereit machen für S4B-Zündung«, drang Tims Stimme durch die gespenstische Stille des Cockpits.

Mit einem Knall wurde die letzte Schubphase eingeläutet und der dröhnende Lärm war zurück.

»Schub sieht gut aus.« Tim machte eine kurze Pause, bevor er weitersprach: »Vorgesehenes Abschalten bei 13:39, Over.«

»Roger, Abschaltung bei 13 Minuten 39«, bestätigte Chris. »Rettungsrakete weg«, rief er über den Lärm in der Kabine hinweg, nachdem er ein Feld auf dem Monitor vor sich gedrückt hatte.

»Rodger, Artemis.«

Die Sekunden vergingen.

»Jetzt«, sagte Paul beinahe im selben Moment, in dem Chris mit einem Tastendruck das Triebwerk deaktivierte. Plötzlich wurde es ruhig im Cockpit.

»Herzlich willkommen in den unermesslichen Weiten der schwarzen Leere, Gentlemen, bitte um Verzeihung – und Lady«, sagte Chris amüsiert.

»Verstanden, Artemis, Telemetrie sieht gut aus.«

»Trenne jetzt das Raumschiff von der Endstufe.« Chris betrachtete die Anzeigen und aktivierte die kleine Kamera, deren Bildschirm schwarz blieb. »Geschwindigkeit optimal. Wir lösen uns sauber.«

Johanna konnte das Geschehen auf dem Bildschirm verfolgen, der mittig etwas über Kopfhöhe von Chris und Paul montiert war. Immer größer wurde der Abstand zwischen der Endstufe und ihrem Raumschiff. Im Hintergrund sah sie die Teile der Endstufe und die Verkleidung des Moduls abdriften, bis sie allmählich von der Anziehungskraft der wunderschön blau leuchtenden Erde eingefangen wurden.

»Abstand liegt jetzt bei fünfhundert Meter und schnell steigend«, kommentierte Paul.

17

»Ich sehe es«, bestätigte Chris. »Houston, Abtrennung von der Endstufe war erfolgreich. Wir befinden uns wie geplant auf dem Flug zum Mond.«

»Roger, Artemis, Freigabe zur Aktivierung der Bordsysteme.«

»Roger, Houston, aktiviere Bordsystem der Orion.«

Nach und nach fuhren alle Bordsysteme hoch. Auf den Bildschirmen tauchten die Kontrollen über Lebenserhaltung und Navigation auf. Die vier größeren Displays des Cockpits blitzten auf und Bootloader erschienen, die nach wenigen Sekunden bereits wieder verschwanden und die ersten Daten anzeigten.

Chris checkte die Anzeigen vor sich. »Sieht alles gut aus. Dann bring uns mal auf Kurs.«

»Aye, aye, bereit machen für Translunar Injection«, antwortete Paul. Er gab verschiedene Anweisungen auf dem Touchpad vor sich ein, woraufhin sich die Datenfenster auf dem Monitor veränderten. »Der Kurs ist berechnet und wir sollten den Mond in genau zweiundsiebzig Stunden und dreizehn Minuten erreichen. Leite geringe Kurskorrektur mit den aktuellen Daten ein.« Dann tippte Paul auf das Display vor sich und Johanna spürte sofort den sanften Schub. Die Erde tauchte am unterem Fensterrand auf, viel mehr ihre grell leuchtende Schutzhülle, um wenig später abermals zu verschwinden.

»Schub noch für fünf, vier, drei, zwei, eins ... Triebwerk wurde deaktiviert. Wir sind auf Kurs«, erklärte Paul.

»Geschwindigkeit ist auch gut«, sagte Chris. »Ich würde sagen, der erste Teil unserer Reise war erfolgreich. Houston, bestätige, befinden uns wie geplant im Anflug auf Zielkoordinaten.«

18

»Roger, Orion, Chris du hast grünes Licht für Daidalos. In zwei Stunden werden wir die geplanten Checks durchführen. Over.«

Paul blickte überrascht zu Chris herüber. »Daidalos? Die Prozedur ist mir nicht bekannt, was ist das?«

»Das wirst du gleich erfahren.« Chris löste seinen Gurt und ignorierte Pauls fragenden Blick. »Wie sieht es dahinten aus?«

»Alles bestens«, gab Ralf zurück, der bisher kein einziges Wort gesagt hatte. Johanna fand ihn ohnehin etwas merkwürdig. Er galt als Bester seines Fachs, aber in Sachen Kommunikation mit der Crew wies er deutliche Schwächen auf. Als wäre er ein Roboter, der nur sprach, wenn es nötig war.

»Bei mir auch«, erwiderte Johanna. Sie hätte gern ihre Freunde über den gelungenen Start informiert, doch das Adrenalin in ihrem Blutkreislauf lies bereits nach und Übelkeit stieg in ihr auf.

»Wir können uns nun aus unseren Anzügen schälen.« Chris war der Erste, der seinen gläsernen Helm aus der Halsverankerung löste.

Johanna zog die Handschuhe aus und tat es ihm gleich. Dann löste sie ihren Gurt und schwebte aus ihrer Sitzschale

»Wie geht es dir?«, fragte Chris, als er an ihr vorbeiglitt.

»Okay, nur etwas flau im Magen.«

Er lächelte ihr aufmunternd zu. »Geht mir auch so, das ist gleich vorbei. Wir können uns jetzt etwas ausruhen, der Autopilot wird den Flug für uns übernehmen.«

Johannas Blick wanderte zum vorderen Fenster, in dem der Mond bereits zu sehen war, als ein würgendes Geräusch sie ablenkte.

Sie wandte sich zu Ralf um. Er hatte seinen Helm abgenommen und erbrach sein Frühstück in einen Beutel.

»Mach dir keinen Kopf, mir ging es nicht anders, bei meinem ersten Flug«, sagte Paul. »Der menschliche

Organismus ist nicht für die Schwerelosigkeit des Alls konzipiert, manchen Astronauten passiert das auch noch beim fünften Flug.«

Chris schwebte zur hinteren Luke und öffnete den Durchgang zum Servicemodul. »Auch wenn das jetzt komisch wirken mag, ich habe einen Riesenhunger.«

»Also wenn ihr mich fragt, macht so ein Flug ins All schon ziemlich hungrig«, sagte Paul und folgte Chris in das geräumigere Modul, in dem es auch Schlafsäcke, eine Toilette und eine Wand mit Halterungen für die Raumanzüge gab. Auch eine kleine Küche, die aus einer Trinkanlage, einem Vorratsschrank und einem kompakten Mikrowellenofen bestand, war in einer Wand verbaut.

Johanna schlüpfte aus dem Anzug und hängte ihn in die dafür vorgesehene Vorrichtung.

Chris klopfte Ralf auf die Schulter, als er vorbeiflog, und schenkte ihm ein ermutigendes Lächeln. Aus dem Gesicht des Wissenschaftlers war die Farbe gewichen und er lächelte gequält zurück.

»Gibt es auch irgendetwas mit Rind?«, fragte Paul, der gerade seinen Anzug aufhing.

Johanna schwebte zum Vorratsschrank und griff sich einige vakuumisolierte Tüten. »Also, es gibt Hühnerfrikassee, Kartoffelbrei mit Rindfleisch, Gemüse mit Kartoffelbrei und einen Proteinbrei.«

»Perfekt, dann nehme ich den Kartoffelbrei mit Rindfleisch.«

»Kommt sofort, obwohl du sicherlich auch den Proteinbrei nehmen könntest, schmeckt eh alles nach Hühnchen.«

»Nur über meine Leiche«, sagte Paul angewidert und verzog das Gesicht zu einer Grimasse.

Sie suchten sich alle etwas aus, auch Ralf aß etwas. Sie füllten ihre Beutel mit warmem Wasser, sodass ihr Essen genießbar wurde.

»Geht es dir wieder gut?«, fragte Paul und blickte Ralf an, der seinen leeren Trinkbeutel in einer Tüte verstaute und mit einem Klettverschluss an der Wand hinter sich fixierte.

»Geht schon wieder.«

»Beim ersten Flug ins All habe ich mich auch heftig übergeben müssen, konnte gerade noch meinen Helm ausziehen«, sagte Paul.

»Also Chris, wenn wir hier schon so zusammensitzen in gemütlicher Runde, wäre ich für eine Aufklärung des vorherigen Funkspruchs«, sagte Johanna. »Es klang fast, als gäbe es eine geheime Mission, von der der Rest der Crew nichts weiß.«

Paul nickte. »Den Eindruck habe ich auch. Und vor allem, was soll die Geheimhaltung? Ich kenne das Handbuch auswendig und der Begriff Daidalos ist mir noch nie untergekommen – weder bei Manövern noch bei internen Schiffsprogrammen. Ich gehe ganz stark davon aus, dass es sich nicht um den Codenamen für eine Überraschungsparty handelt. Also, was hat es damit auf sich?«

Johanna lachte, auch Chris und Ralf mussten schmunzeln.

Ralf löste seinen Gurt, der ihn auf dem Hocker stabilisierte, schwebte zum Vorratsschrank, nahm sich einen weiteren Beutel mit Kartoffelbrei und füllte Wasser mit einem Schlauch ins Innere. Offensichtlich hatte er, nachdem er seinen Mageninhalt entleert hatte, einen gewaltigen Appetit bekommen.

»Das werde ich euch erklären. Vorweg: Nein, es gibt keine Überraschungsparty. Die Zusammensetzung unserer Crew ist kein Zufall. Du, Ralf, warst im Astronautenkorps ursprünglich nicht für diese Mission geplant, genauso wenig wie Johanna und ich. Nur Paul war von Anfang an gesetzt.«

Bereits vor zwölf Monaten war Johanna dieser Umstand aufgefallen, denn sie war ursprünglich für die Artemis-IV-Mission vorgesehen gewesen, aber aufgrund einer NASA-internen Entscheidung waren drei der vier bereits offiziell präsentierten Astronauten überraschend ausgetauscht worden, was nicht nur in der Medienwelt für Spekulationen gesorgt hatte, sondern auch im Astronautenkorps. Es war zwar nicht untypisch, dass Crewmitglieder aufgrund von politischen Interessen ausgewechselt wurden, aber noch nie gleich drei von vier Mitgliedern.

Die NASA hatte sich seltsam bedeckt gehalten, ihre Pressemitteilung hatte sich aufs Nötigste beschränkt, konnte jedoch keine weltweite Flut von Spekulationen über die Ursache verhindern – im Gegenteil. Bereits zwanzig Minuten nach der Veröffentlichung kursierten Gerüchte im Internet und auf allen relevanten Social-Media-Plattformen, dass es sich dabei um eine Verschwörung bezüglich der ersten Mondlandung des einundzwanzigsten Jahrhunderts handelte. Dutzende gefälschte Bilder der Mondoberfläche, die seltsame Objekte zeigten, tauchten auf; Fake News, die ein neues Rennen um die Rückkehr zum Mond postulierten. Dieses Mal nur mit China als Kontrahenten anstelle der Sowjetunion. All das hatte sich in den letzten Monaten keineswegs abgekühlt, sondern wurde durch den Start der Mission weiter vorangetrieben als jemals zuvor.

Johanna hatte dem Ganzen nie auch nur einen Gedanken gewidmet. Intern hatte man die Neubesetzung mit einer Anpassung der Mission begründet, durch die andere personelle Ressourcen benötigt wurden. Für sie hatte diese Begründung ausgereicht, sie war genau dort, wo sie sein wollte.

22

»Daidalos ist ein Aufklärungssatellit, der von der NASA in einer geheimen Mission zum Mond geschickt wurde«, sagte Chris. »Ihr erinnert euch vielleicht an die Aufnahme des Shackleton-Kraters mit der ShadowCam?«

»Sicher, sie war an Bord des südkoreanischen Mondorbiters Danuri, der im Jahre 2022 zum Mond geschickt wurde«, antwortete Ralf und schluckte dabei Kartoffelbrei hinunter.

»Ich denke wir alle kennen das Bild, schließlich diente das alles, um diese Mission vorzubereiten«, sagte Johanna.

»Dann wisst ihr, dass bei allen Untersuchungen, auch die durch den Lunar Reconnaissance Orbiter, dort nur minimale Mengen an Wassereis gefunden wurden.«

»Chris, was versuchst du uns hier zu erzählen?«, fragte Paul. »Das wissen wir doch alles.«

»Na schön, was wisst ihr über den Krater Nethron?«

Niemand antwortete, also nahm er den Tablet-PC und aktivierte ihn. Während er sprach, suchte er etwas auf dem Pad. »In den Daten, die der LROC zusammen mit der Sonde Danuri übermittelt hatte, fand man vor knapp zwei Jahren eine Anomalie. Ein Störsignal, das es eigentlich nicht geben dürfte. Es war wie eine Fußnote in den Daten. Daraufhin hat man nach dem Ursprung gesucht. Sehr schnell konnte eine natürliche Signalquelle ausgeschlossen werden, sodass der Satellit Daidalos zu diesen Koordinaten geschickt wurde, wo man die Signalquelle vermutete. Das Signal ist sehr schwach, gerade stark genug, um aus dem niedrigen Orbit registriert zu werden, dennoch weist es einen sich ständig wiederholenden Rhythmus auf. Die einzelnen Sequenzen scheinen verschlüsselt zu sein, was darauf hindeutet, dass die Quelle von einer intelligenten Spezies erbaut worden ist. Laut meinen Informationen ist es weder von uns noch den Europäern, auch dass eine andere Nation dahintersteckt, wird von den Experten ausgeschlossen. Daidalos –«

Paul unterbrach ihn mit einer schneidenden Handbewegung. »Einen Augenblick bitte, aber willst du gerade andeuten, dass ein geheimer Spionage-Satellit der NASA zum Südpol des Mondes geschickt wurde, weil dort ein Objekt ein verschlüsseltes Signal aussendet, das allem Anschein nicht von einem Menschen erbaut wurde? Woher soll es denn sonst stammen? Von einer außerirdischen Intelligenz?«

»Ich deute nichts an, ich teile mit euch die Informationen, die ich erhalten habe. Der Satellit Daidalos wurde dazu konzipiert, die Aktivitäten anderer Nationen auf dem Mond zu überwachen, daher verfügt er über alle Instrumente, die zur Oberflächenbeobachtung gebraucht werden, unter anderem auch eine ShadowCam.«

»Und was genau hat er gefunden?«, fragte Johanna atemlos.

Chris hielt das Pad in die Mitte des Tischs, sodass sie alle die Satellitenaufnahme auf dem Bildschirm sehen konnten. »Daidalos wurde zu diesem kleinen Krater geschickt. Das ist der Krater Nethron, zwölf Kilometer südsüdöstlich des Shackleton-Kraters. Er hat einen Durchmesser von viertausendachthundert Metern und ist annähernd fünfhundert Meter tief. Das, was ihr mittig seht, ist das Objekt, von dem das Signal ausgeht.«

Johanna beugte sich vor, um das Bild besser betrachten zu können. Die Bilder der ShadowCam waren jedes Mal aufs Neue beeindruckend, denn sie war zweihundert Mal lichtempfindlicher als die Schmalwinkelkamera des LROC, auf dessen Technik sie basierte. So konnte sie trotz extrem geringen Lichtverhältnissen, die durch Reflexionen von der Mondoberfläche oder dem Erdschein entstanden, das Innere der immer dunklen Mondkrater am Südpol sichtbar machen.

Der Kraterrand war beinahe perfekt kreisförmig, die Wände schienen senkrecht abzufallen, bis sie in einer flacheren Ebene

24

mündeten. Einige Erhebungen und Vertiefungen waren deutlich zu erkennen, so wie der Kratermittelpunkt, der von einer tiefschwarzen ringförmigen Fläche umschlossen wurde. Einen Felsendom, der sich über dem eingeschlagenen Objekt gebildet haben müsste, als das durch den Aufprall verflüssigte Gestein über dem Einschlagspunkt erstarrt war, konnte sie nicht ausmachen. Nicht immer entstand ein Felsendom, der wie ein Pfropfen das Loch verschloss, manchmal, wenn die Geschwindigkeit und der Winkel stimmten, wurde das umliegende Sediment einfach davon geschleudert, sodass das eingeschlagene Objekt auf der Oberfläche sichtbar blieb. Doch auch das war nicht der Fall, stattdessen war dort lediglich ein weißer Fleck.

»Und was genau sollen wir da jetzt sehen?«, fragte Ralf.

Johanna fing die lästige Haarsträhne ein, die sich aus ihrem Zopf gelöst hatte, und stopfte sie zurück unter das Haargummi. »Nun, wenn dort etwas ist, was ein Signal aussenden kann, dann ist es vermutlich ein technisches Gerät. Vielleicht eine Sonde oder ein Satellit. Mal angenommen, dem ist so, dann könnte dieser helle Fleck dort von einer schwachen Lichtquelle stammen, der die Linse der ShadowCam an dieser Stelle blind lassen würde, ergo erkennen wir lediglich einen weißen Fleck.«

»Das ist mir klar«, erwiderte Ralf. »Was mich mehr interessiert, ist, wie die NASA zu ihrer Theorie kommt und warum sie deswegen die ganze Mission umplant, ohne zu wissen, was dort ist?«

»Ganz einfach: Die NASA schickt uns, um das herauszufinden.« Chris zog das Pad zurück und drehte es wieder zu sich. »Johanna und ich werden auf der Mondoberfläche landen und zuerst die Umgebung um den Krater untersuchen. Dann werden wir hineingehen. Wenn wir dort lediglich eine abgestürzte Sonde finden, von der wir keine

25

Kenntnis haben, werden wir die umliegenden Krater nach Wassereis und anderen Rohstoffen untersuchen. Sollten wir dort doch etwas Seltsames finden, tritt Phase 2 in Kraft. Die NASA hat unser HLS-System bereits mit allem, was wir dafür brauchen, zum Mondorbit geschickt.«

»Was beinhaltet Phase 2?«, fragte Paul.

Chris blickte von dem Tablet auf und fixierte Paul. »Liegt das nicht auf der Hand? Das Objekt untersuchen, gegebenenfalls sichern und, wenn es uns möglich ist, zur Erde zurückbringen.«

»Hmm«, machte Paul und rieb sich die Stirn. »Ich kann nicht glauben, dass wir gerade auf dem Weg zum Mond sind und uns ernsthaft darüber unterhalten, ein außerirdisches Objekt aus einem Krater zu bergen.«

»Das ging mir auch so, ich wurde erst kurz vor Abflug über den vollen Umfang der Mission informiert unter strengster Geheimhaltung. Bitte nehmt es mir nicht übel, dass ich nichts gesagt habe.«

Ralf machte eine wegwerfende Handbewegung. »Klar, solch heikle Informationen müssen so lange wie möglich unter Verschluss bleiben. Aber wie genau soll die Mission durchgeführt werden?«

Johannas brachte keinen Ton hervor. In den letzten Minuten hatte sich in ihrem Verstand der Gedanke herauskristallisiert, dass ihr größter Erfolg nicht sein würde, als erste Frau auf dem Mond zu landen, sondern dass sie womöglich als eine der Ersten ein außerirdisches Objekt untersuchen würde.

Wie würde dieser Fund die Menschen auf der Erde beeinflussen? Würde es friedliche Untersuchungen geben? Würde es überhaupt an die Öffentlichkeit gelangen? Oder würden die Menschen im Dunklen darüber gelassen, dass sie vielleicht nicht allein im Universum waren? Wie würde sie selbst damit leben können? Würde sie darüber reden wollen? Sie würde es müssen, da war sie sich sicher, aber wer würde ihr glauben, es fiel ihr ja selbst schwer, das Gehörte zu verarbeiten. Wie Tausende Asteroiden jagten die Gedanken durch ihre Gehirnwindungen und schlugen schmerzhaft in der grauen Masse ein. Chris' Stimme holte sie zurück an den Tisch.

»Wir haben zwei modifizierte MMU-Einheiten dabei, die speziell hierfür entwickelt wurden. Mit deren Hilfe werden wir uns und die Ausrüstung zum Boden des Kraters befördern. Wir haben Speziallampen, die wir aufstellen, können, und ein ferngesteuertes Transportvehikel, mit dem wir das Artefakt zum Starship bringen können. Dieses hat einen extra Laderaum erhalten, den wir erweitern können. Je nachdem, wie groß das Objekt ist, werden wir Ausrüstung zurücklassen, die von der nächsten Mission wieder eingesammelt wird. Johanna und ich wurden an diesen Geräten trainiert.«

Sie spürte die Blicke von Paul und Ralf auf sich.

»Schaut mich nicht so an. Ich wusste davon nichts! Das Training an den MMUs habe ich gemacht, weil als mögliche Option überlegt wurde, die Krater auf Wassereis zu untersuchen, mehr nicht.«

»Johanna hat wie ihr erst gerade davon erfahren«, sagte Chris. »Diese Mission ist aus gutem Grund streng geheim: Wenn auf dem Mond tatsächlich ein außerirdisches Objekt liegt, wird es die Welt verändern. Offiziell wird unsere Mission verlaufen wie geplant, wir untersuchen die Krater und die Umgebung nach Ressourcen für eine stationäre zukünftige Mondbasis. Auch werden wir ganz normal unsere Medienbotschaften versenden.«

»Können wir sicher sein, dass außer der NASA keiner davon weiß?«, fragte Ralf. »Ansonsten könnte es internationale Probleme hervorrufen, die schwer absehbar sind.«

27

Chris nickte. »Da gebe ich dir recht. Ob es einer anderen Nation ebenfalls gelungen ist, das Signal aufzufangen, ist uns nicht bekannt. Die Südkoreaner haben nichts gemeldet, auch Indien und China nicht. Die NSA überwacht allerdings alle Kommunikationswege auf Hinweise. Aktuell plant China nach wie vor, in sechs Monaten auf dem Mond zu landen.«

Johanna legte ihre Handflächen flach auf das kühle Metall des Tischs und suchte Chris' Blick. »Damit dürfte die NASA mit recht hoher Wahrscheinlichkeit diesbezüglich ein Informationsmonopol haben, und wir sind die einzige Mission, die deshalb zum Mond geschickt wird.«

»So sieht es aus. Aber selbst wenn ein anderes Land ebenfalls eine Rakete starten sollte, spielt es keine Rolle, wir werden zuerst da sein. Diesen Vorsprung müssen wir nutzen, um herauszufinden, was es mit diesem Signal auf sich hat.«

In den Gesichtern der anderen spiegelte sich dieselbe Unentschlossenheit, die auch Johanna verspürte. Nur ein Gedanke war klar und deutlich. »Bitte lasst uns einen Augenblick darüber nachdenken, was diese Mission nicht nur für uns hier an Bord der Orion bedeutet, sondern für die Menschheit als Ganzes. Wenn wir einen Beweis für intelligentes Leben finden sollten dort im Krater – ein Menschheitstraum seit Anbeginn der Raumfahrt –, können wir es nicht vor der Welt geheim halten. Alle haben das Recht darauf, von dieser unglaublichen Entdeckung zu erfahren. Am Ende sind wir der Wissenschaft und dem Fortschritt der Menschheit verpflichtet. Wie könnten wir da nichts sagen?« Sie tippte dabei mit ihren Fingerkuppen auf die Tischplatte, um ihren Worten Ausdruck zu verleihen. »Ich weiß nicht, ob ich in der Lage bin, Stillschweigen über die womöglich größte Entdeckung der Menschheit zu bewahren.«

Chris sah sie scharf an, sodass sie verstummte. »Doch, genau das wirst du, denn niemand von uns hat eine Ahnung, was eine solche Entdeckung auslösen wird. In den Verträgen, die ihr unterschrieben habt, gibt es eine Zusatzklausel, die ihr wahrscheinlich alle nicht gelesen habt. Darin steht, dass die NASA sich das Recht vorbehalten darf, gewisse Informationen und Ereignisse unter Geheimhaltung zu stellen. Und genau davon wird sie hier Gebrauch machen. Sollte jemand dagegen verstoßen, wird die Person aus dem Astronautenkorps geschmissen und eine Schadensersatzklage in Höhe von Hundertmillionen Dollar am Hals haben. Ich möchte zudem betonen, dass sie ebenfalls einen Weg finden werden, denjenigen auch noch wegen Gefährdung der Nationalen Sicherheit dranzukriegen.«

»Also sollen wir einfach unseren Mund halten und die Erkenntnis, dass wir ein Artefakt einer anderen Spezies auf dem Mond gefunden haben, mit ins Grab nehmen?«

Paul schaute sie mitfühlend an. »Johanna, sieh mal, ich denke, dass wir primär unseren Job machen sollten, und bevor wir nicht einmal wissen, was genau dort im Krater ist, brauchen wir auch nicht darüber zu reden. Versteh mich nicht falsch, ich sehe das in den Grundzügen wie du. Aber wenn es sich tatsächlich um eine fremde Technologie handelt, muss diese erst einmal untersucht werden. Sobald ihre Wirkungsweise klar ist und als harmlos eingestuft werden kann, werden die Menschen es auch erfahren.«

Johanna wandte den Blick von Paul ab. Auch wenn sie es anders sah, konnte sie nicht leugnen, dass an seiner Aussage etwas Wahres dran war. In einem stimmte sie ihm allerdings bedingungslos zu: Zuerst mussten sie herausfinden, was in diesem Krater verborgen war, bevor eine solche Diskussion Sinn ergab.

»Also gut, dann sind ja alle im Bilde. Paul und Ralf bleiben wie geplant in der Orion und werden alles aufzeichnen, was von der Oberfläche kommt, und es an Houston weiterleiten.

Ihr werdet von Houston weitere Instruktion erhalten, wenn die Zeit gekommen ist.« Chris löste seinen Gurt und ließ sich von dem Hocker weg zum Haltegriff über sich gleiten. »Es wird Zeit, aufzuräumen und an die Arbeit zu gehen, die ersten Check-ups der Orion stehen an und wir erhalten aktuelle Positionsdaten des Starships.« Mit diesen Worten stieß er sich ab und schwebte zurück zum Cockpit.

Die vergessenen Götter

Samstag, 21. April 2029, The MacArthur Hotel, Los Angeles, USA

Mit quietschenden Reifen kam das Taxi zum Stehen. Sam blickte aus dem Fenster; auf dem Gehweg vor dem imposanten, mit zahlreichen abstrakten Wasserspeiern, Steinsäulen und mit aufwendig gestalteten Fenstern, verzierten Hotel eilten gerade einmal zwei vermummte Gestalten mit Regenschirmen vorbei. Kein Wunder, bei dem Sauwetter gab es weitaus Angenehmeres, als auf der Straße herumzulaufen.

»Das macht einunddreißig Dollar und vierzig Cent.«

Sam gab dem Mann fünfunddreißig Dollar. »Stimmt so.«

Der Taxifahrer nickte gleichgültig und nahm das Geld an sich.

Sam griff die abgeranzte Ledertasche und stieg hastig aus. Er hielt sich die Aktentasche über den Kopf, um nicht auf den wenigen Metern zum Eingangsportal komplett durchnässt zu werden. Eilig nahm er zwei Stufen der aus Marmorfließen gefertigten Treppe des im Art-Deco erbauten Hotels auf einmal und eilte durch eine der messingbeschlagenen Glastüren ins Innere.

Wasser tropfte von seiner Tasche, als er sie herunternahm und seinen Mantel ausschlug. Eine weitere Treppe, die mit rotem samtigem Teppich ausgelegt war, führte von der kleinen, aber hohen Eingangshalle zu einer höher gelegenen Ebene.

31

Eine junge Frau kam die Treppe herunter. Er kannte sie gut, sie war vielleicht die einzige Person auf diesem Planeten, die seine Arbeit noch für bedeutend hielt. Ihr Name war Judith Ohara und sie war seine Assistentin, die allerdings nebenbei auch noch Ägyptologie an der UCLA studierte. Er war froh, dass er sie hatte, auch wenn er sie nicht bezahlen konnte. Zumindest nicht angemessen, denn er selbst schaffte es gerade so über die Runden.

»Verdammt Sam, wo bleibst du, die werden schon ungeduldig.«

Sam blickte auf seine Armbanduhr. Eine silberne Quarzuhr, die vielleicht einmal vor vierzig Jahren, als sein Vater sie gekauft hatte, zweihundert Dollar gekostet hatte. Heute war sie nicht mehr als ein Erinnerungsstück, aber sie funktionierte tadellos. Die schwarzen Zeiger verrieten ihm, dass er bereits vierundzwanzig Minuten zu spät war. Er fing sie an der vorletzten Treppenstufe ab. »Ich weiß. Der Verkehr in L.A. ist die Hölle.«

»Jetzt bist du ja da, gib mir deinen Mantel«, sagte sie und begann, ihm den klammen Stoff von den Schultern zu streifen.

Er zog erst den einen, dann den anderen Arm aus dem Ärmel. »Wie viele sind gekommen?«

»Der Saal ist voll, bis auf den letzten Platz. Ich habe sogar eine Reporterin von der Times gesehen«, platzte sie aufgeregt heraus.

Überrascht wandte er sich ihr zu, ihre braunen Augen taxierten ihn. »Was? So viele sind da, auch die Presse?«

Sie warf den Mantel über den Arm und stieg zwei Stufen hinauf, ehe sie zu ihm herunterblickte. »Ja, alle namenhaften Ägyptologen, die nicht auf Expedition sind, und dein Mentor Dr. Clark ist ebenfalls anwesend. Jetzt komm, sonst werden sie gehen, ohne dich auch nur gesehen zu haben.«

Sam schluckte schwer. Er hatte gehofft, dass ein paar Neugierige kommen würden, die sich für ägyptische Geschichte interessierten, aber dass mehr als fünfzig Wissenschaftler und sogar die Presse erscheinen würden, war ein wahrgewordener Traum. War das die Chance, seinen in den letzten Jahren angekratzten Ruf als ernsthafter Ägyptologen wiederherzustellen? Beinahe mechanisch stieg er die Treppen hinauf, dabei versanken seine abgetragenen braunen Lederschuhe förmlich im Teppich. Es war sein bestes Paar, aber wer würde ihm schon auf die Schuhe schauen, wenn er erst einmal seine neuen Erkenntnisse präsentiert hatte? Deswegen waren sie wohl alle gekommen, vielleicht auch nur, weil sie erfahren wollten, was er über die Arbeit seines Vaters veröffentlichen wollte. Es war egal, weshalb sie gekommen waren; sie waren da, und das war seine Chance, der Öffentlichkeit die Wahrheit zu erzählen: darüber, dass er, Samuel Jackson, recht hatte und zu Unrecht von den Medien als Spinner abgetan wurde.

Auf der Empore fiel sein Blick auf eine Tafel vor dem Veranstaltungssaal, die über das Programm informierte: *Dr. Dr. Dr. Samuel Jackson, Symposium Frühgeschichte Ägypten, Ägyptische Mythologie und das alte Königreich.*

Judith blieb vor der offenen Holztür stehen. Leises Stimmengewirr drang aus dem Saal.

»Was glaubst du, was er uns heute präsentieren will?«, hörte Sam jemand fragen.

»Ich hoffe, dass er die verschollenen Aufzeichnungen seines Vaters gefunden hat«, antwortete ein andere Stimme. »Vielleicht will er uns seine erlangten Erkenntnisse und Beweise vorlegen, dass die Pyramiden von Außerirdischen erbaut wurden.« Gelächter drang an Sams Ohr.

Vorsichtig spähte er in den Raum, sein Blick streifte über mehrere ergraute Köpfe. Einige kannte er und die waren sicher

33

keine Fans von ihm, sondern Skeptiker, die nur gekommen waren, um zu sehen, wie er sein eigenes Grab schaufelte. Doch auch einige jüngere Frauen und Männer konnte er ausmachen, vielleicht Studenten oder Liebhaber des antiken Ägyptens. Ganz gleich, er musste das hier gut machen, sonst würde er vielleicht in einem Monat in seinem Auto schlafen müssen.

Judith richtete ihm die Krawatte, sofern man das alte rotbraune Ding noch so nennen konnte.

Sie blickte auf und lächelte aufmunternd. »Bist du bereit?«

Er antwortete nicht, sie musste seine aufkeimende Panik spüren. »Hey, du schaffst das, du wolltest das hier. Du wolltest, dass sie dir zuhören. Jetzt hast jetzt die Möglichkeit, sie zu überzeugen. Du musst nur einen von ihnen auf deine Seite holen und mit etwas Glück erhältst du dann endlich deine Expedition, um das fortzusetzen, was dein Vater begonnen hat.«

Dankbar lächelte er sie an. Sie hatte recht, jetzt war nicht die Zeit, den Schwanz einzuziehen. Aus dem Augenwinkel sah er zwei Männer, die sich unabhängig voneinander von ihren Stühlen erhoben und in den schmalen Gang zwischen den Stuhlreihen traten.

»Ich muss jetzt, bevor die mir entwischen. Du hältst Ausschau nach Tomaten und warnst mich im Ernstfall.« Er zwinkerte ihr grinsend zu und ließ sie im Türrahmen stehen. Als er die hinteren Stuhlreihen erreichte, kamen ihm die beiden Männer entgegen. Ohne sie auch nur mit einem Blick zu würdigen, sagte er, während er an ihnen vorbeiging: »Sie sollten sich wieder setzen, das wird Sie sehr interessieren.«

Als die restlichen Zuhörer seine Anwesenheit registriert hatten, wurde es still im Saal. Schnellen Schrittes stieg er auf das Podium und trat an das Rednerpult, das vor einer großen Leinwand aufgebaut war. Auf einem Tisch neben dem Pult hatte Judith den Laptop aufgebaut. Er holte den Computer aus

34

dem Ruhemodus, lud das Deckblatt und stellte die Verbindung zur Leinwand her. Einen Herzschlag lang blickte er auf die weißen Buchstaben, die auf schwarzem Grund zu sehen waren. *Die Mythologie und Sprachen der Antike – eine Offenbarung. Ein Vortrag von Samuel Jackson, Doktor der Archäologie, Anthropologie und Philologie.*

»Nun, Dr. Jackson, wir alle hier sind nun schon mehr als gespannt, was Sie uns heute so Bahnbrechendes mitteilen wollen. Ich sehe gar keinen von Ihren kleinen grauen Freunden, der Sie bei Ihrem Vortrag unterstützen soll«, durchbrach eine Stimme die Stille.

Leises Gelächter erfüllte den Raum, auf das belustigtes Murmeln folgte.

Sam ignorierte es, griff sich die kleine Fernbedienung, mit der er sich bequem durch den Vortrag arbeiten konnte, und positionierte sich vor dem Mikrofon. Die Stimme des Mannes war ihm nur allzu bekannt, sie gehörte zu einem hageren Mann in der zweiten Reihe, der ein staubgraues kariertes Sakko trug. Die glatte Haut seiner Halbglatze glänzte im Licht der opulenten Kronleuchter. Der Name des Mannes war Dr. Kilian Ferrara, ein italienischer Archäologe, der Sam bei jeder sich bietenden Gelegenheit als Prä-Archäologen bezeichnete. Damit spielte er auf ein Interview an, das Samuel vor einigen Jahren einer Fachzeitschrift gegeben hatte. Sam hatte damals lediglich auf die Frage *»Glauben Sie an Außerirdische, die den Menschen in der Vergangenheit geholfen haben, sich technisch weiterzuentwickeln?«* geantwortet: »Grundsätzlich schließe ich als Wissenschaftler keine Möglichkeit ohne gegenteilige Beweise aus.« Seitdem hatte Sam den Ruf weg, dass er an Außerirdische glaubte, die den antiken Völkern bei ihrer Entwicklung geholfen hatten.

»Meine Damen und Herren, verehrte Kolleginnen und Kollegen, es ist mir eine große Ehre, Sie zu meinem heutigen

35

Vortrag begrüßen zu dürfen«, sagte Sam, das Mikrofon quietschte kurz auf.

»Heute werde ich Ihnen meine Hypothese vorstellen, dass bestimmte Elemente der ägyptischen Mythologie und der Hieroglyphenschrift nicht nur religiöse oder kulturelle Symbole darstellen, sondern möglicherweise eine tiefere, kodierte Übermittlung von Wissen beinhalten. Meine Forschung legt nahe, dass einige dieser Symbole astronomische, mathematische und technologische Informationen übermitteln könnten, die bisher übersehen wurden.

Ich werde im Verlauf meines Vortrags archäologische Funde, philologische Analysen und anthropologische Vergleiche präsentieren, die darauf hindeuten, dass die Alten Ägypter ein weitreichenderes Verständnis von Technologie und Wissenschaft hatten, als bisher angenommen. Es ist mein Ziel, eine Grundlage für die Diskussion zu schaffen, wie wir die Mythologie und Schriftzeichen dieser Hochkultur in einem neuen, wissenschaftlichen Licht betrachten können. Zunächst aber möchte ich Dr. Ibrahim Awad vom Archäologischen Institut Kairo meinen Dank aussprechen, dessen Unterstützung maßgeblich dazu beigetragen hat, dass diese Veranstaltung heute stattfinden kann.«

Ein verhaltener Applaus ging durch die Reihen und ein mittelalter Mann mit schwarzem Haar und dichten Bartstoppeln hob seine Hand und nickte Sam zu, bevor er das Wort ergriff: »Um Ihres Vaters willen, das möchte ich noch einmal betonen. Dr. Richard Jackson hat viel dafür getan, dass unzählige Schätze unserer Vorfahren wiedergefunden wurden und mein Volk neue Erkenntnisse über unseren Ursprung und unsere Kultur erlangen konnte.«

»Genau aus diesem Grund stehe ich heute vor Ihnen. Die Arbeit meines Vaters hat auch mich geprägt und inspiriert,

36

Archäologe zu werden. Deswegen möchte ich Ihnen mein neues Buch vorstellen, das nächste Woche erscheinen wird. Darin finden Sie detaillierte Ausführungen zu meiner Forschung und der meines Vaters. Ich verspreche, es wird Ihnen die Augen öffnen.« Er hob das Exemplar hoch, dessen Titel golden im Licht der Scheinwerfer leuchtete: *Die verborgenen Verbindungen der Hochkulturen.*

Ein ungeduldiges Raunen erfasste den Saal, bevor Ferrara ihm zurief: »Nun, Dr. Jackson, wir alle sind hierhergekommen, weil Sie behauptet haben, neue Erkenntnisse zu präsentieren. Spannen Sie uns nicht weiter auf die Folter.«

Sam lächelte gezwungenen. »Um es vorwegzunehmen: Nein, ich werde Ihnen heute keine Beweise vorlegen, dass die ägyptischen Pyramiden mithilfe einer fremden Spezies erbaut wurden. Das haben die Menschen damals ganz sicher mit ihren eigenen Händen bewältigt. Aber vielleicht sind es ja Landeplätze für Raumschiffe.«

Er machte eine Pause und grinste schelmisch, doch das Publikum reagierte nur mit gelangweilten Blicken. Sam räusperte sich und schob die Brille auf seinem Nasenrücken hinauf. Er atmete tief durch, nahm einen Schluck Wasser und begann dann, mit fester Stimme zu sprechen.

«Die Leinwand hinter mir zeigt nun Bilder verschiedener Hieroglyphen und Symbole aus unterschiedlichen Kulturen. Sie alle finden sich in der Sprache der verschiedenen Völker wieder und das unabhängig von den jeweiligen Standorten ihrer Hauptstädte.«

Er nahm das Mikrofon aus der Halterung und platzierte sich seitlich neben der Leinwand. Auf eine Hieroglyphe deutend, die einen stilisierten Vogel darstellte, fuhr er fort: »Dies hier ist das ägyptische Symbol für den Gott Horus, oft dargestellt als Falke. Horus war ein Himmelsgott und wurde

37

mit dem Auge des Horus in Verbindung gebracht, das Schutz, Königsherrschaft und gute Gesundheit symbolisierte.«

Daneben erschien ein ähnliches Symbol aus der mesopotamischen Kultur. »Und hier sehen Sie ein Symbol aus der sumerischen Kultur, das den Gott Anzu darstellt, ebenfalls ein geflügeltes Wesen, das mit dem Himmel und Schutz in Verbindung gebracht wird. Diese Parallelen sind nicht zufällig. Sie deuten auf eine gemeinsame Quelle des Wissens hin, die weit über einfache kulturelle Austauschprozesse hinausgeht.«

Einige jüngere Zuhörer schrieben eifrig mit, während die altgedienten wissenschaftlichen Vertreter ihre Stirn runzelten. Sam war sich deren Skepsis bewusst, aber ließ sich nicht beirren.

»Schauen wir uns nun dieses Symbol an.« Er zeigte auf eine wellenförmige Linie. »Das ist das ägyptische Symbol für Wasser. Ein ähnliches Symbol findet sich in den Schriftzeichen der Indus-Kultur, wo es ebenfalls Wasser oder Fluss bedeutet.«

Er machte eine kurze Pause und beobachtete die Reaktionen im Publikum. »Die Übereinstimmungen enden nicht bei den Symbolen. Auch in den Mythen und Legenden dieser Kulturen finden wir erstaunliche Parallelen. Die Geschichte von Osiris, dem ägyptischen Gott des Jenseits, der durch seinen Bruder Seth getötet und von seiner Frau Isis wiederbelebt wurde, hat auffallende Ähnlichkeiten mit der Geschichte von Enlil und Enki in der sumerischen Mythologie.«

Sam drückte einen Knopf auf der Fernbedienung und auf der Leinwand erschien eine Darstellung der Gottheiten.

»Osiris und Enlil, beide Götter der Fruchtbarkeit und des Jenseits, wurden verraten und getötet, nur um durch die Hand ihrer Gefährten wieder zum Leben erweckt zu werden. Diese

Geschichten sind nicht nur symbolische Erzählungen, sondern sie könnten auf eine gemeinsame mythologische Tradition hinweisen, die von einer uralten, hochentwickelten Kultur stammt.«

Ein Mann aus der zweiten Reihe erhob die Hand. »Dr. Jackson, was Sie hier vortragen, sind interessante Beobachtungen, aber was macht Sie so sicher, dass es eine gemeinsame Quelle gibt und es sich nicht einfach um unabhängige Parallelentwicklungen handelt?«

Sam nickte und konnte sich ein kleines Lächeln nicht verkneifen. »Das ist eine berechtigte Frage. Parallelentwicklungen sind sicherlich möglich. Aber die Häufigkeit und Tiefe der Übereinstimmungen, die ich in meiner Forschung gefunden habe, sind zu bedeutend, um sie als Zufall abzutun. Betrachten wir beispielsweise die astronomischen Kenntnisse, die in den Pyramiden und Zikkurats verschlüsselt sind.«

Er zeigte auf eine Weltkarte, auf der verschiedene antike Monumente markiert waren. »Wenn wir die Standorte dieser Bauwerke analysieren, entdecken wir, dass sie oft an Orten errichtet wurden, die spezifische astronomische Ausrichtungen haben. Diese Ausrichtungen sind zu präzise, um als zufällige Parallelentwicklungen durchzugehen. Sie weisen auf ein tiefes Verständnis der Himmelsmechanik hin, das von einer Quelle stammen könnte, die weitaus älter ist als jede der uns bekannten Kulturen.«

Die Leinwand wechselte zu einer Darstellung der Pyramiden von Gizeh, der Zikkurat von Ur und den Tempeln von Teotihuacán. »Diese Bauwerke sind nicht nur architektonische Meisterleistungen, sondern weisen auch auf ein gemeinsames Wissen um die Astronomie hin. Die Ausrichtung der großen Pyramide von Gizeh auf den Orion-Gürtel und die Ausrichtung der Tempel von Teotihuacán auf die Plejaden sind ebenso Beispiele für dieses gemeinsame Wissen.«

Ein älterer Wissenschaftler mit einem dicken Notizbuch stand auf.»Dr. Jackson, Sie behaupten, dass all diese Kulturen von einer gemeinsamen fortschrittlichen Zivilisation beeinflusst wurden. Haben Sie irgendwelche konkreten Beweise, die über die dargelegten Übereinstimmungen hinausgehen? Denn wenn das alles ist, sind Sie ein größerer Narr, als ich dachte. Das sind allenfalls Hinweise darauf, dass die antiken Völker sich an prägnanten Sternenkonstellationen orientiert haben. Diese Parallelen sind durch Naturbeobachtung entstanden und auch die Ähnlichkeit in der Symbolik lässt sich aus dieser Logik heraus erklären.«

»Ich verstehe Ihre Skepsis. Mein Vater, Dr. Richard Jackson, fand in Hermopolis Magna eine Sammlung von Artefakten, darunter eine Kammer mit einer aufwendig gestalteten Wandmalerei sowie ein Gerät mit einer bisher unbekannten Funktion und beeindruckenden Feinmechanik. Diese Technik ist bestenfalls viertausend Jahre später erfunden worden. Auch ein Medaillon mit eingravierten Symbolen wurde dort gefunden, das den Gott Thot inmitten einer Stadt zeigt. Sehen Sie selbst.« Das Bild eines verzierten goldenen Medaillons in Form eines Quadrats erschien auf der Leinwand.

»Diese Entdeckungen deuten darauf hin, dass es Verbindungen zwischen den alten Zivilisationen gab, die wir bisher nicht in ihrer Gänze verstanden haben. Dieses Medaillon enthält Hinweise auf eine gemeinsame Schrift, die Elemente verschiedener antiker Sprachen vereint. Sehen sie die Symbole, die am Rand eingeprägt sind – es sind Hieroglyphen aus allen bekannten Hochkulturen der Antike.

Er projizierte die einzelnen Symbole auf die Leinwand.»Ich habe Hinweise darauf gefunden, dass diese Symbole eine Art Code sind, vielleicht eine Wegbeschreibung. Alles auf dem

Anhänger weist auf eine Stadt hin, die weit vor der ägyptischen Zivilisation existierte. Diese Stadt könnte das Zentrum einer uralten, globalen Kultur gewesen sein, durch deren Bewohner sich die Mythologie und der Götterkult entwickelt haben. Wenn wir die verbliebenen Hinweise identifizieren und verstehen, werden wir diese Stadt finden.«

Während Sam sprach, schlossen einige Zuhörer ihre Notizbücher oder verstauten ihre digitalen Aufzeichnungsgeräte und verließen leise den Raum.

Sam versuchte, sich davon nicht ablenken zu lassen, schließlich war es nicht das erste Mal, dass Zuhörer seine Vorträge frühzeitig verließen. Manchen Leuten fiel es schwer, an das zu glauben, was sie nicht sehen konnten oder wollten. Und dennoch gab es Milliarden Menschen, die an eine höhere Kraft glaubten, die ihnen Hilfe, Zuwendung, Trost und Sicherheit spenden sollte.

Die Bilder wechselten zu einer Satellitenaufnahme von Hermopolis Magna. »Mein Vater, Dr. Richard Jackson, widmete sein Leben der Suche nach Antworten auf diese Fragen. In den 1980er Jahren entdeckte er in Abydos Artefakte, die ihn davon überzeugten, dass ein bisher unbekannter Pharao in einer verlorenen Stadt begraben liegen muss. Er stellte die Zusammenhänge her, dass diese Stadt Hermopolis Magna sein musste, von der aus der Pharao sein Wissen in die Welt verbreitete. Dieser Pharao, später als der Gott Thot verehrt, der, wie Ihnen bekannt sein dürfte, der Gott der Wissenschaft, der Schreiber und des Mondes war.«

Eine junge Frau in einem hellgrauen Hosenanzug und mit hellbraunen schulterlangen Haaren meldete sich zu Wort. »Dr. Jackson, galt dieser Gott nicht auch als Gott der Magie? Glauben Sie, dass all diese Mythen aus Ihrem gesuchten Pharao entsprungen sind?«

41

»Vielleicht hat er ja auch magische Kräfte, weil er die Macht beherrschte«, rief jemand.

Amüsiertes Gemurmel erfüllte den Raum.

Sam konnte nicht ausmachen, woher der Zwischenruf kam. Er verspürte einen unangenehmen Stich, er hatte solche Kommentare befürchtet, die ihn erneut in eine Ecke drängten, in die er nicht wollte. »Ich bin mir sicher, dass dieser Pharao keine Magie benutzte oder über die Fähigkeit, die Macht zu kontrollieren, wie es die Jedi tun, verfügte, sondern vielmehr über Wissen, das ihm die Möglichkeit verlieh, Techniken zu entwickeln, die der damaligen Zeit weit voraus waren.«

Die nächste Folie zeigte detaillierte Bilder der Artefakte: kunstvoll verzierte Schriften und das mysteriöse Gerät, das auffallend viele Zahnräder in unterschiedlichen Größen aufwies. Es sah beinahe wie ein Uhrwerk aus, das in einer goldenen, aufwendig verzierten Hülle steckte. »Diese Artefakte deuten darauf hin, dass der Pharao ein Geheimnis hütete, dem mein Vater auf der Spur war, bevor er 2010 spurlos verschwand, nachdem er die seltsamen Artefakte gefunden hatte. Ich glaube, dass dieser Pharao der Schlüssel ist, das Verbindungsglied meiner Theorie, dass die Hieroglyphen und die Mythologie der Götterkulte einen gemeinsamen Ursprung haben.«

Ein Raunen ging durch das Publikum. Einige nickten zustimmend, während andere skeptische Blicke austauschten. Eine Hand hob sich und jemand rief: »Glauben Sie, dass diese Verbindungen außerirdischen Ursprungs sind? Hat Ihr Vater daran geglaubt?«

Sam sah den älteren Mann einen Moment schweigend an. »Mein Vater glaubte nicht an Außerirdische im klassischen Sinne. Er war überzeugt, dass vor vielen Jahrtausenden eine fortschrittliche Zivilisation existierte und andere Kulturen beeinflusste. Diese Zivilisation könnte Technologien und

42

Wissen besessen haben, die wir heute kaum verstehen. Ich selbst halte es für möglich, dass wir in unseren Annahmen über die Vergangenheit etwas übersehen haben.«

Ein weiterer Mann in den hinteren Reihen erhob die Hand. »Wie erklären Sie sich, dass viele Wissenschaftler und Archäologen Ihre Theorien ablehnen?«

Sam nahm einen tiefen Atemzug. »Ich verstehe den Widerstand. Unsere traditionelle Sicht auf die Geschichte ist tief verwurzelt und es ist schwer, diese zu ändern. Doch die Beweise, die mein Vater fand, und die Entdeckungen, die ich selbst gemacht habe, sind zu bedeutend, um sie zu ignorieren. Wissenschaft lebt von neuen Erkenntnissen und dem Mut, bestehende Paradigmen zu hinterfragen.«

Eine etwa vierzigjährige Frau mit einem Tablet-PC in der Hand meldete sich. »Dr. Jackson, Sie sprechen von einer gemeinsamen, fortschrittlichen Zivilisation. Glauben Sie, dass diese Zivilisation außerirdischen Ursprungs sein könnte?«

Sam hielt einen Moment inne, bevor er antwortete. Langsam nervten ihn die Fragen nach einer außerirdischen Beteiligung. War es denn so schwer, daran zu glauben, dass die Wissenschaftler einfach etwas übersehen hatten und dass die Geschichte der frühen Hochkulturen vielleicht älter war, als man bisher angenommen hatte? Er versuchte, seinen aufkeimenden Zorn zu unterdrücken. Eine ruhige und wissenschaftliche Antwort war die beste Lösung. »Das ist eine Frage, die wir nicht leichtfertig beantworten können. Es gibt Theorien, die besagen, dass es außerirdische Einflüsse auf unsere frühen Kulturen gab. Mein Vater und ich waren und sind offen für alle Möglichkeiten, aber bisher haben wir keine endgültigen Beweise für außerirdisches Eingreifen gefunden. Was wir jedoch sicher wissen, ist, dass wir etwas übersehen haben, und dass diese Erkenntnis unser Weltbild grundlegend ändern wird.«

43

Eine ältere Dame mit grauem Haar und scharfen Augen meldete sich zu Wort: »Wenn es diese fortschrittliche Zivilisation gab, warum sind dann keine deutlicheren Spuren von ihr geblieben? Warum wissen wir so wenig darüber?«

»Das ist eine berechtigte Frage«, antwortete Sam. »Es gibt mehrere mögliche Erklärungen. Es könnte sein, dass Naturkatastrophen oder Kriege viele dieser Spuren zerstört haben. Es könnte auch sein, dass diese Kultur absichtlich verborgen oder ausgelöscht wurde, um ihre Geheimnisse zu bewahren. Unsere Aufgabe ist es, die verbliebenen Hinweise zu finden und zu verstehen.«

Sam betätigte erneut die Fernbedienung. »Nun, lassen Sie uns einen Blick auf die Zikkurat von Uruk werfen. Diese monumentale Struktur wurde während der frühen Dynastieperiode der Sumerer erbaut, etwa um 3000 v. Chr. Uruk war eine der bedeutendsten Städte der Sumerer und Heimat des legendären Königs Gilgamesch.«

Ein weiteres Bild zeigte eine Darstellung des Gilgamesch-Epos. »Ich habe seit dem Verschwinden meines Vaters neue Erkenntnisse gewonnen. Beispielsweise kann man auf der Wandmalerei, die mein Vater in Hermopolis Magna gefunden hat, im Hintergrund eine Zikkurat sehen, die auffallende Ähnlichkeit mit der von Uruk hat. Auch die Figur, die neben Thot zu sehen ist, erinnert stark an einen sumerischen König. Ich glaube, dass es sich dabei um Gilgamesch handelt.«

Das Publikum schwieg, entweder hatte er sie nun endlich davon überzeugt, dass er etwas gefunden hatte, oder es war die Ruhe vor dem Sturm.

»Ganz recht, Gilgamesch, der legendäre König von Uruk, spielt eine zentrale Rolle in der sumerischen Mythologie. Das Gilgamesch-Epos ist eines der ältesten literarischen Werke der Menschheit und enthält bemerkenswerte Parallelen zu ägyptischen Mythen. In beiden Kulturen finden wir

44

Erzählungen über große Fluten, Heldenreisen und die Suche nach Unsterblichkeit.«

Die Leinwand wechselte zu einer Karte des antiken Mesopotamiens und Ägyptens. »Ich entdeckte Hinweise darauf, dass es Verbindungen zwischen den sumerischen Zikkurats und den ägyptischen Pyramiden gibt. Die Ähnlichkeiten in der Bauweise und die weitestgehend übereinstimmenden Mythen deuten darauf hin, dass es einen Wissens- und Kulturaustausch zwischen diesen Zivilisationen gab.«

Ein Raunen ging durch das Publikum, als die Zuschauer die Bilder auf sich wirken ließen. Sam fuhr fort: »Ich bin mir sicher, dass mein Vater ebenfalls diese Verbindungen gefunden hat, und der mysteriöse Pharao sowie der legendäre König, der zuvor auch als Gott in der sumerischen Mythologie auftaucht, haben ein gemeinsames Geheimnis. Ich glaube sogar, dass diese beiden Figuren auf der Suche nach Unsterblichkeit waren und über eine Technologie verfügten, ihr Leben zu verlängern. Gilgameschs Herrscherzeit wird mit einhundertsechsundzwanzig Jahren in der Königsliste festgehalten, was nach unserem heutigen Verständnis unmöglich erscheint. Gehen wir nur einmal davon aus, dass es so war, stellt sich die Frage, wie es möglich war – nur mit einer Technologie, die der unseren weit voraus ist. Liegt diese Technologie in der verschollenen Stadt verborgen, von deren Existenz Gilgamesch und der verlorene Pharao wussten? War diese Stadt vielleicht die Hauptstadt einer uns bisher unbekannten Hochkultur, die älter und fortschrittlicher war als alle anderen? Leider gingen viele der Artefakte, die mein Vater fand, während des Arabischen Frühlings verloren.«

Eine Hand erhob sich am Ende des Saales. »Wie genau wollen Sie diese verlorene Stadt finden, Dr. Jackson? Gibt es schon Expeditionen in diese Richtung?«

45

»Ich plane bereits eine Expedition und stelle gerade mein Team zusammen. Zudem bin ich noch auf der Suche nach Investoren. Es wird nicht einfach sein, aber mit modernster Technologie und einem engagierten Team bin ich zuversichtlich, dass wir Erfolg haben werden.«

Ein erneutes Raunen ging durch den Saal. Einige Wissenschaftler schüttelten den Kopf und begannen, ihre Sachen einzupacken.

Dr. Ferrara stand auf. »Dr. Jackson, das klingt alles sehr faszinierend, aber es fehlt an konkreten Beweisen. Ihre Theorien bleiben Spekulation und driften in die Parawissenschaften oder Prä-Archäologie ab. Wenn das wahr ist, was Sie behaupten, stellt sich mir die Frage, weshalb nicht alle anderen Kulturen ebenfalls solche hochentwickelten Technologien besessen haben. Leider muss ich Ihnen mitteilen, dass Sie sich da an etwas klammern, das das Ansehen Ihres Vaters ruinieren wird, und Sie seinen und Ihren wissenschaftlichen Ruf tief im Wüstensand begraben werden. Sie sollten sich überlegen, ob Sie das selbst glauben, was Sie uns hier präsentiert haben. Wenn dem so ist, dann tut es mir leid, Ihnen sagen zu müssen, dass Sie eine Schande für unseren Berufsstand sind.«

Die Anspannung im Raum wuchs, als hätte man sie elektrisch aufgeladen. »Ich verstehe Ihre Bedenken, Dr. Ferrara. Doch lassen Sie mich Ihnen versichern, dass ich die nötigen Beweise finden werden. Die Expedition ist darauf ausgelegt, diese fehlenden Puzzleteile zu finden und meine Theorien zu bestätigen.«

Während Sam sprach, verließen immer mehr Zuhörer den Saal. Das Gemurmel wurde lauter. Ein älterer Herr in der letzten Reihe stand auf und sagte: »Ihre Leidenschaft ist bewundernswert, Dr. Jackson, aber ohne greifbare Beweise werden Sie die wissenschaftliche Gemeinschaft nicht überzeugen können. Ich hoffe, dass Ihre Expedition Erfolg haben wird, aber bis dahin bleiben Ihre Theorie reine Spekulation.«

Sam hatte den Mann sofort erkannt und das sorgte dafür das sich seine Eingeweide verkrampften. Ihm wurde schlecht, als er in das Gesicht seines überaus geschätzten Mentors Dr. Clark gewesen, dessen Wohlwollen er offensichtlich nun auch verspielt hatte.

Sam nickte mechanisch, er brauchte einen Augenblick, um das Chaos in seinem Kopf wieder zuordnen, dennoch viel es ihm schwer, die richtigen Worte zu finden. Dr. Clarks Aussage, hatte ihn so unvermittelt in die Magengrube getroffen, als hätte er gerade den finalen Punch eines Schwergewichts Boxweltmeisters eingesteckt. Mühsam versuchte er sich nichts anmerken zu lassen. »Ich danke Ihnen allen, zumindest denen, die noch geblieben sind, für Ihre Zeit und Ihre Fragen. Ich werde noch hier sein, falls jemand ein Exemplar meines Buches erwerben möchte, selbstverständlich mit einer Signatur.«

Während Sam das Podium verließ, sah er Dr. Awad, der mit verschränkten Armen und nachdenklichem Gesichtsausdruck am Rand des Raumes stand. Die Herausforderung, seinen Ruf reinzuwaschen und die Wahrheit über die Entdeckungen seines Vaters zu beweisen, war größer denn je. Dies war vermutlich seine letzte Chance.

»Dr. Jackson, ich bin sprachlos«, sagte Dr. Awad. »Ich war davon überzeugt, dass Sie uns Hinweise präsentieren, die uns zu der Stadt führen, die Ihr Vater zu finden gehofft hatte. Die von mir in Aussicht gestellte Finanzierung für Ihre Expedition kann ich auf dieser Grundlage nicht gewähren und muss Ihnen mitteilen, dass das Institut bis auf Weiteres Ihre Arbeit und Projekte nicht mehr unterstützen wird. Ich wünsche

47

Ihnen einen guten Tag.« Dr. Awad drehte sich um und ließ Sam vor der Bühne stehe.

Sam fühlte sich, als hätte er gerade fünfzehn Runden gegen einen Schwergewichts-Boxer gekämpft und nun durch K.O. verloren. Seine Aussicht auf eine Finanzierung war dahin, das Team für seine Expedition existierte nicht. Judith konnte nicht mit, sie hatte Kurse, die sie nicht verpassen durfte, und auf eigene Faust konnte er ein solches Unterfangen nicht bewerkstelligen. Mit achtzig Dollar auf seinem Bankkonto würde er vielleicht gerade mal aus Kalifornien kommen.

In diesem Moment war ihm der Treibstoff ausgegangen und er fühlte sich einsam auf einem Ozean treibend in einem Boot, dessen Ruder er auf offener See verloren hatte.

Mittlerweile waren beinahe alle Zuhörer verschwunden.

Sam fiel im Augenwinkel ein Mann auf, der sich ihm näherte. Der Mann mit kurzem schwarzen Haar, braungebrannter Haut, einem markanten Gesicht musste Mitte vierzig sein und trug eine schwarze Lederjacke und Jeans.

Er streckte ihm die Hand entgegen. »Dr. Jackson, ich bin ein Fan Ihrer Arbeit.«

Wollte sich der Mann über ihn lustig machen? Zögerlich ergriff er die Hand des Mannes und zuckte leicht, als dieser kräftig zudrückte.

»Oh Verzeihung«, sagte der Mann lächelnd und ließ Sams Hand los. »Ich verfolge die Arbeit Ihres Vaters und die Ihre schon seit Jahren und habe alle Ihre Veröffentlichungen gelesen. Wäre es möglich, eines der Exemplare Ihres neuen Buches zu erwerben? Gern nehme ich auch das Angebot eines Autogramms an.«

Sams Skepsis verflog, als Judith zu ihnen kam und Sam ein Buch und einen Stift reichte.

»Klar – selbstverständlich. Wie ist denn Ihr Name?«

48

»Schreiben Sie bitte: Für meinen größten Fan Dave.«

Sam nickte und schrieb, auch wenn er es etwas seltsam fand, dass der Mann, der von der Statur her wie ein Soldat wirkte, sich als sein größter Fan bezeichnete. Sam hielt ihm das offene Buch mit der Seite, auf der er die Widmung hinterlassen hatte, hin. Der Mann in der Lederjacke nahm es an, klappte es zu, ohne einen Blick darauf zuwerfen. »Was schulde ich Ihnen?«

»Das geht aufs Haus für meinen größten Fan«, sagte Sam und lächelte. Als er es laut aussprach, fühlte es sich irgendwie gut an.

»Dann bedanke ich mich recht herzlich, ich verabschiede mich, ich muss noch einen Flug erwischen.« Der Mann schüttelte Sam und Judith die Hand und verschwand mit langen Schritten.

»Irgendwie war das seltsam, fandest du nicht auch?«

Sam blickte dem Mann nachdenklich hinterher. »Was meinst du, dass ich einen Fan habe oder dass er ein Buch haben wollte?«

»Nein, dass er, nachdem er dein Buch bekommen hatte, so schnell verschwunden ist. Er hat nicht einmal auf die Widmung geguckt.«

»Er hat doch gesagt, dass er seinen Flug bekommen muss. Wer weiß, vielleicht will er schnell nach Hause, um es zu lesen. Ist doch egal, lass uns aufräumen und dann hier verschwinden, ich lade dich noch auf einen Hot Dog ein, wie wäre es?«

»Auch wenn das verführerisch klingt, muss ich ablehnen. Ich muss lernen, du weißt, ich habe bald Prüfung und die kann ich nicht in den Sand setzen. Ich habe schließlich noch keine drei Doktortitel.«

»Glaub mir, ein Doktortitel bringt dich auch nicht zu einem Haufen Geld, selbst wenn du drei davon hast.«

49

»Das ist wohl wahr, hat mich überrascht, dass du die fünfundzwanzig Dollar für das Buch nicht kassiert hast. Ich meine, ich kenne deine Finanzen, du kannst dir so etwas nicht leisten.«

Sam blickte sie etwas angesäuert an. »Mach dir keine Sorgen um mich, ich komm schon klar.«

»Wenn du meinst. Ach verdammt«, rief Judith, und blickte verärgert auf ihr Handy.

»Was ist?«

»Mein Bus, mit dem ich fahren wollte, wurde gestrichen. Wenn ich jetzt loskomme, schaffe ich den früheren noch. Ist es okay, wenn du das hier allein machst?«

»Na klar, los, geh schon. Ich ruf dich an, wenn ich weiß, wie es weitergeht.«

»Danke, du bist der Beste«, rief sie, während sie sich bereits zum Ausgang aufgemacht hatte.

Sam fiel eine Frau auf, die auf ihrem Platz in der letzten Reihe saß, und ihn mit neugierigen Augen beobachtete. Sie war Mitte vierzig und trug einen eleganten Ledermantel, den sie an der Hüfte mit einem Gürtel verschlossen hatte und der ihren offenbar gut trainierten Körper betonte. Sie wirkte keineswegs muskulös, ihr Erscheinungsbild erinnerte ihn eher an eine Agentin oder Spionin. Er schüttelte den Kopf, um seinen Geist von seiner sich verselbstständigenden Fantasie zu befreien. Sam ging auf die Frau zu.

»Hallo, kann ich Ihnen vielleicht weiterhelfen? Wollen Sie auch ein Exemplar meines Buches, eines müsste ich noch haben.« Er lächelte verlegen. »Ehrlich gesagt habe ich nicht damit gerechnet, dass ich auch nur eines losbekomme.«

Die Frau setzte ein höfliches Lächeln auf, das ihm zu verstehen gab, dass sie keineswegs wegen eines Buches gekommen war. Sie deutete auf den Stuhl neben sich.

Sam tat ihr den Gefallen und setzte sich.

50

»Dr. Jackson, was würden Sie davon halten, wenn ich Ihnen sage, dass ich jemanden kenne, der Ihnen die finanziellen Mittel zur Verfügung stellen könnte, die Sie für Ihre Expedition brauchen? Zudem könnte ich für ausreichend Experten und Material sorgen.«

»Ich würde fragen, aus welchem Grund diese Person das tun sollte.«

»Nun, sagen wir so, es gibt Menschen, die Ihre Arbeit und die Ihres Vaters glaubhaft finden, und die finden wollen, was Sie suchen.«

Sam blickte sich um. Das war doch ein Scherz, und jeden Moment mussten dutzende Leute auftauchen und sich über ihn lustig machen.

»Also, was sagen Sie, habe ich Ihr Interesse geweckt?«

»Ich kenne nicht mal Ihren Namen oder weiß, wer Sie sind.«

»Mein Name spielt erst einmal keine Rolle und wer wir sind auch nicht. Falls Sie herausfinden wollen, was mit Ihrem Vater passiert ist und wenn Sie diese Expedition durchführen wollen, dann rufen Sie diese Nummer an. Dann werden Sie erfahren, wie es weitergeht.«

Die Frau erhob sich, holte eine Karte aus ihrer Handtasche und gab sie Sam. Auf dem Papier stand lediglich eine Telefonnummer.

»Sind Sie von der CIA oder der Air Force?«

Die Frau lachte amüsiert auf. »Nein, Sie schauen zu viele Filme. Diese Chance wird sich Ihnen nur einmal bieten. Diese Expedition wird stattfinden – mit Ihnen oder ohne Sie. Das entscheiden ganz allein Sie, doch sollten Sie die Alternativen bedenken, die Ihnen noch bleiben.« Sie blickte sich um, dann wandte sie sich ab und ging.

Sam schaute auf die Visitenkarte. Seine Alternativen? Jetzt hatte sie sich offensichtlich lustig über ihn gemacht, denn sie beide wussten, dass es keine Alternativen gab. Nach diesem Symposium hatte er weniger Unterstützer in der Welt der Wissenschaft als je zuvor, falls er überhaupt noch jemanden hatte, abgesehen von Judith, bei der es wohl auch nur noch eine Frage der Zeit war.

Entweder konnte er versuchen, auf eigene Faust seine Nachforschungen voranzutreiben, und Gefahr laufen, irgendwann auf der Straße zu leben, denn auch seinen Lehrstuhl hatte er bereits vor zwei Jahren verloren, oder er konnte den Weg ins Unbekannte nehmen und herausfinden, welche Geheimnisse sich dort vor ihm versteckten. So oder so musste er sich entscheiden.

Landung

Montag, 23. April 2029, Mondorbit, an Bord der Orion-Kapsel

Johanna blickte aus dem seitlichen Bullauge der Orion-Kapsel. Der Mond war so nah, dass sie die Krater und Hügel deutlich erkennen konnte, selbst kleinere Erhöhungen, Schluchten und die ausgedehnten dunkleren Ebenen konnte sie so deutlich wie nie zuvor ausmachen. Ihr Herz hämmerte in ihrer Brust und ein Lächeln breitete sich auf ihrem Gesicht aus. Es war ein Anblick, den sie ihr Leben lang nicht vergessen würde.

»Ich verstehe nun, warum Buzz, Neil und all die anderen behaupteten, dass der Mond sie verändert habe. Ohne einen Fuß auf ihn gesetzt zu haben, fühlt es sich bereits jetzt schon so unglaublich denkwürdig an.«

Chris schwebte neben ihr und checkte routiniert die Anzeigen. »Auch wenn es nur ein lebloser Staubball ist, hat er eine mysteriöse Anziehungskraft. Vielleicht liegt es daran, dass es auf diesem Mond offenbar noch einige Geheimnisse gibt, von denen wir nichts wissen.«

»Vielleicht gibt es Leben dort unten«, erwiderte Johanna beinahe flüsternd, ohne sich von der Mondoberfläche abzuwenden.

Paul saß vor den Steuerungen und überwachte die automatischen Systeme, die das Andockmanöver durchführen würden. Ralf war damit beschäftigt, die Instrumente zu

53

überprüfen und sicherzustellen, dass alle Systeme einwandfrei funktionierten.

Chris drückte die Funktaste. »Houston, könnt ihr uns hören? Verlassen gerade den Mondschatten.«

»Roger, Orion, hören euch laut und deutlich. Schön, euch wieder zu haben.«

»Roger, Houston, Geschwindigkeit wird angepasst und HLS sollte in zwei Minuten in Sichtweite kommen.«

»Verstanden, Telemetrie und Anflugvektor sehen gut aus. Leitstrahl des Starships wurde an euren Computer geschickt.«

»Bestätige Empfang des Leitstrahls«, informierte Ralf.

»Roger, Orion, ihr seid noch etwas zu schnell. Wenn der Computer in T Minus dreißig Sekunden die Geschwindigkeit nicht reduziert, wird Paul dies tun. Zündung der vorderen Düsen für sechs Komma vier Sekunden.«

»Verstanden, bereiten uns auf das Rendezvous mit dem Starship vor«, funkte Chris zurück.

»Verstanden, Orion. Eure Annäherungsbahn sieht gut aus. Bereit für visuelle Erkennung des Starships?«

»Bestätigt, Houston. Wir suchen das Starship jetzt visuell«, antwortete Chris.

»Bordsystem hat die Geschwindigkeit angepasst.«

»Danke Ralf, ich sehe es. Houston, Geschwindigkeit reduziert, sind jetzt auf Zielgeschwindigkeit.«

»Verstanden.«

Johanna blickte weiterhin aus dem Fenster, die Tag-Nacht-Grenze des Mondes hatten sie bereits passiert, und nun suchte sie den dunklen Weltraum unmittelbar vor dem Mond nach dem Starship ab. Sie wusste, dass es irgendwo da draußen sein musste, ein technisches Wunderwerk, das sie sicher auf die Mondoberfläche bringen würde. Ihr Atem stockte, als sie das glänzende Metall des Starships endlich entdeckte.

»Da ist es«, sagte sie leise und zeigte auf einen Punkt am Horizont. »Seht ihr das?«

Chris nickte langsam, ein zufriedenes Lächeln auf seinen Lippen. »Houston, wir haben visuelle Erkennung des Starships. Annäherung beginnt jetzt«, informierte er das Kontrollzentrum.

»Roger, Orion. Ihr seid auf Go für Annäherung und Docking.«

»Paul, übergib die Kontrolle an das automatische Dockingsystem«, befahl Chris.

Paul tippte auf die Konsole vor sich. »Automatisches Dockingsystem ist aktiv. Annäherung beginnt.«

Johanna spürte die winzigen Zuckungen der Steuerdüsen, als das System die letzten Anpassungen vornahm. Sie schloss die Augen und stellte sich vor, wie sie bald den Mond betreten würde. Die Erfüllung eines Traums, den sie seit ihrer Kindheit gehegt hatte. Der Gedanke an ihre Familie schlich sich in ihren Kopf – wie stolz sie jetzt auf sie sein mussten.

»Annäherungsgeschwindigkeit und Winkel sind optimal«, murmelte Paul, der die Anzeigen überwachte. »Das System übernimmt die Feinjustierung.«

Das Starship kam immer näher, das riesige Raumschiff war beeindruckend: eine glänzende Metallhülle und die massiven Antriebsdüsen stachen besonders hervor. Das Starship schwebte majestätisch im Raum und war bereit, die Crew aufzunehmen.

»Wir sind fast da«, sagte Chris und beobachtete die Monitore. »Bereitet euch auf das Docking vor.«

»Kontakt in fünf, vier, drei, zwei, eins«, zählte Paul herunter.

Ein sanfter Ruck ging durch die Kapsel, als das Andocksystem einrastete. Ein leises Klicken und Vibrieren signalisierte, dass die Kapsel erfolgreich angedockt hatte.

»Kontakt bestätigt«, sagte Chris und atmete erleichtert auf. »Houston, wir haben angedockt. Sicherungen der Verbindung überprüfen.«

»Verstanden, Orion. Überprüfung der Verbindung läuft. Alle Systeme sind grün. Ihr könnt mit dem Transfer beginnen.«

Johanna atmete tief durch. Sie setzte ihren Helm auf, überprüfte die Dichtungen und stellte sicher, dass der Druckanzug korrekt saß. Neben ihr tat Chris das Gleiche. Sie tauschten einen kurzen Blick.

»Bereit?«, fragte Chris, seine Augen fest auf Johanna gerichtet.

»Bereit«, antwortete sie bestimmt und nickte. Gemeinsam begaben sie sich zur Luftschleuse, wo sie ihre Ausrüstung ein letztes Mal überprüften. Die Prozedur war ihnen beiden bestens bekannt, jeder Schritt war einstudiert und automatisiert.

»Luftschleuse aktivieren«, befahl Chris und drückte auf den Knopf, der die Tür zur Schleuse öffnete. Es zischte leise, als die Luft aus der Schleuse entwich und die Vakuumdichtungen aktiviert wurden.

»Luftdruck ausgeglichen«, informierte Paul, der die Anzeigen überwachte. »Ihr könnt jetzt rübergehen.«

Johanna und Chris schwebten vorsichtig durch die Luftschleuse. Die Schwerelosigkeit ließ ihre Bewegungen elegant erscheinen, als sie sich von der Orion-Kapsel zum Starship bewegten. Jede Bewegung war durchdacht, jeder Griff an den Haltegriffen sicher. Die Tür des Starships öffnete sich und sie glitten ins Innere. Johanna griff nach der Halterung neben der Schleuse und half Chris, zu bremsen. Auf der anderen Seite der Schleuse sahen Paul und Ralf lächelnd zu ihnen herüber. Mit einem Schwung schickten sie

56

zwei Kisten auf den Weg zu Johanna und Chris, in denen ihre persönlichen Sachen verstaut waren.

»Viel Glück, wir behalten euch von hier oben im Auge«, sagte Ralf.

»Denkt dran, das ist kein Urlaub.« Paul zwinkerte ihnen zu.

»Das gilt auch für euch, macht es euch nicht zu gemütlich und lasst das Haus stehen. Keine Partys, wenn eure Eltern nicht zu Hause sind. Also bis in fünf Tagen.« Mit diesen Worten aktivierte Chris die Türautomatik, die das Schott mit einem leisen Summen schloss. Paul und Ralf lachten und winkten. »Bis dann, Mommy und Daddy«, sagte sie wie aus einem Mund.

Hörbar verriegelte das Schott sich und ein kleines Lämpchen über dem Display an der Wand sprang von rot auf grün.

»Das war's, dann lass uns mal unser neues Zuhause inspizieren.« Chris griff sich seine Kiste, stieß sich sanft zur nächsten Durchgangsluke ab und folgte der Kiste hindurch. Das Innere des Starships bot deutlich mehr Platz als die enge Orion-Kapsel, und die fortschrittliche Technologie war allgegenwärtig. In der Zukunft sollte dieses Raumschiff an der Gateway-Station andocken und von dort aus Touristen und Forscher zum Mond bringen und zurück. Es könnte sogar direkt von der Erde zum Mond fliegen und dabei mehr als zwölf Personen Platz bieten, Schlafkammern, Entertainmentebene, Aussichtsplattform und viele andere Annehmlichkeiten inklusive. Das war allerdings noch Zukunftsmusik. Allein diese Mission hatte sich um ganze drei Jahre verschoben, da es Probleme mit den neuen Raumanzügen, dem Starship selbst, dem Hitzeschild sowie der Ausrüstung gab. Und nun, aufgrund der neuen Priorität, war die Gateway-Station nicht mehr als ein Modul mit Solarzellen, das den Mond umkreiste. Die Module, die sie

57

hätten montieren sollen, waren durch notwendige Ausrüstung ersetzt worden. Es hatte auch Vorteile gehabt, dass die Mission nach hinten verschoben worden war, so hatten sie ein Mondfahrzeug erhalten.

»Also, das heißt, ich bin deine Frau und die beiden sollen unsere Kinder sein?« Johanna gab der Kiste einen Schubs und lenkte sie in Richtung der Verbindungsluke. Knapp, aber ohne etwas zu berühren, glitt sie hindurch und sie folgte ihr.

»Biologisch ist das doch gar nicht möglich, ich bin gute zehn Jahre jünger als die beiden.«

Chris warf ihr einen Blick über die Schulter zu, während er die harte Plastikkiste in einem Regalfach verstaute und es mit einem Sicherungsnetz sicherte. »Nimm doch nicht alles immer so wörtlich, Jo.«

»Na ja, wenn ich es wörtlich nehmen würde, dann wären wir beide verheiratet. Du hast recht, das ist unrealistisch.« Sie grinste, während sie neben ihrer Schlafkabine die Kiste in das Fach steckte und sicherte.

»Was wäre so schlimm an einer Beziehung mit mir?«, fragte Chris und hielt sich an einem Haltegriff fest. Der Raum war im Durchmesser zwölf Meter groß und die Wände waren mit mehreren Schlafkammern ausgestattet. In der Mitte befand sich ein Tisch, um den zehn metallische Hocker angeordnet waren. Darüber waren vier Bildschirme an Halterungen installiert. Außer einer kleinen Küchennische und einem Vorratsschrank gab es nichts weiter auf dieser Ebene. Auf den Bildschirmen kreiste das Logo der Artemis-III-Mission.

»Du bist der Kommandant der Mission, ergo mein Vorgesetzter, zwei Mal geschieden und hast keine Kinder, offenbar hast du ein Problem mit festen Bindungen. Wenn ich richtig informiert bin, bist du seit deiner letzten Scheidung vor fünf Jahren alleinstehend. Wenn man den anderen aus dem Korps glauben kann, hast du dich mittlerweile auf flüchtige Bekanntschaften festgelegt. Also alles keine attraktiven Voraussetzungen für eine Ehe, ach und hinzukommt, dass ich verheiratet bin.«

Chris blickte sie wie versteinert an. Als er seine Fassung wiedergefunden hatte, schüttelte er den Kopf. »Charmant wie immer. Interessant, dass ich so ein offenes Buch für dich bin. Aber ja, meine Ehen haben nicht gehalten, weil es Probleme gab, für die ich nicht allein verantwortlich war. Und wenn du so gut informiert bist, solltest du wissen, dass meine zweite Frau an Depressionen litt, sie letztendlich Alkoholikerin wurde und sich eines Nachts das Leben nahm, indem sie sich eine ganze Packung Schlafmittel verabreicht hatte.«

Seine Augen glänzten.

»Chris, bitte entschuldige, ich wollte nicht ...«

»Was wolltest du nicht? Nachdenken? Das Leben ist nicht immer schwarz oder weiß. Ich war in dieser Nacht nicht zu Hause, weil ich zu einem Test der beschissenen Software der Orion musste, weil es eine Fehlfunktion bei einer vorherigen Mission gab. Sonst wäre ich bei ihr gewesen und hätte sie aufhalten können.«

Sie streckte die Hand aus und wollte ihn an der Schulter berühren, ihm Trost spenden, sich entschuldigen. Sie spürte die Trauer in sich aufsteigen, die Verzweiflung, die auch Chris gerade spüren musste.

Er zog seine Schulter zurück und wandte sich dem Schott zu, das in der Decke mittig zwischen den Bildschirmen und der Küche eingelassen war. »Komm, wir müssen die Systeme hochfahren.«

»Chris, warte.« Sie schnellte nach vorne, erwischte seine Schulter und drehte ihn zu sich. »Bitte, nur einen Moment.«

»Es ist schon okay, du konntest es nicht wissen, ich bin dir nicht böse.«

59

»Ich möchte es dir dennoch erklären, denn mir geht es genauso wie dir, ich habe meinen Mann auch vor drei Jahren verloren und seitdem sind mein Sohn und ich auf uns gestellt. Wenn meine Schwester nicht gewesen wäre, hätte ich das alles nicht geschafft.«

»Dein Mann lebt doch noch, zumindest steht das in deiner Akte.«

»Für mich ist er trotzdem gestorben. Die Kurzform ist, ich habe ihn erwischt, wie er mich betrogen hat mit dieser Anwältin und das schon seit Jahren. Dann fing der Albtraum erst an, er hat mir beinahe alles genommen, nur meinen Sohn konnte er mir nicht nehmen. Seitdem fällt es mir schwer, jemandem zu vertrauen.«

Chris nickte, etwas Mitfühlendes lag in seinem Blick. »Scheint, als wären wir momentan beide nicht beziehungsfähig.«

Sie musste lächeln. »Wir sollten uns jetzt wieder auf unsere Mission konzentrieren. Houston fragt sich bestimmt schon, warum wir so lange brauchen.«

Er verschwand auf die nächsten Ebene, das Cockpit des Starships, und sie folgte ihm kurzerhand.

Johanna war fasziniert von den zahlreichen Displays und Kontrollpanelen, die das Cockpit wie die Kommandobrücke eines futuristischen Raumschiffs aus einem Film wirken ließen. Sie hatte im Training in verschiedenen Simulatoren mit den Systemen gearbeitet, aber nun auf dem echten HLS im Mondorbit zu sein, war dann doch etwas anderes.

Chris schwebte zu der Steuerkonsole, setzte sich und fixierte sich mit einem Vierpunktgurt. »Houston, hier ist Artemis. Wir beginnen mit der Inbetriebnahme des Starships für die Mondlandung.«

60

»Verstanden, Artemis. Alle Systeme sind grün. Flight gibt euch grünes Licht für die Inbetriebnahme«, drang Tims Stimme aus den Lautsprechern des Helms.

Johanna zog sich in die Sitzschale neben Chris und schnallte sich an, ehe sie auf den Monitor vor sich blickte. »Energieversorgung stabil. Starship ist bereit für den Übergang in den aktiven Modus.«

Chris aktivierte die Hauptsteuerung. Das Starship startete die Hauptsysteme und fuhr die Energie auf Missionsmodus hoch.

Die Anzeigen auf den Bildschirmen begannen zu leuchten und mehrere Datenfenster tauchten auf.

»Systeme online. Antriebssysteme stehen bereit«, meldete Chris.

»Funkverbindung zum Orion-Modul stabil«, bestätigte Johanna. »Wir sind bereit für das Abdocken.«

Chris öffnete einen Kommunikationskanal. »Orion, hier Artemis. Wir beginnen mit dem Abdockmanöver.«

»Verstanden, Artemis. Wir empfangen euch gut und überwachen eure Systeme. Viel Erfolg«, antwortete Paul.

Chris betätigte die Abdocksteuerung, und es zischte leise, als sich die Verriegelungen lösten. Johanna betrachtete die Bilder der Kamera, die das vom Computer durchgeführte Manöver aufzeichnete. Langsam trieben das Starship und Orion-Modul auseinander, und der Mond war als riesige graue Fläche unter ihnen sichtbar.

»Houston, Starship hat erfolgreich vom Orion-Modul abgedockt«, meldete Chris.

»Verstanden, Artemis. Ihr seid klar für den Abstieg zur Mondoberfläche.«

Johanna überprüfte die Navigationssysteme. »Koordinaten für Landezone eingegeben. Zielpunkt ist zwölf Kilometer

61

südsüdöstlich des Shackleton-Kraters und einen Kilometer vom Zielkrater Nethron entfernt.«

Chris nickte. »Starship, aktiviere Landetriebwerke und bereite Deszension vor.«

Johanna wurde beim Starten der Triebwerke sanft in ihren Sitz gedrückt. Das war kein Vergleich zu dem Start der Rakete von der Erdoberfläche. Die Bilder der Außenkameras zeigten bereits die Krater der Südpolregion. Meter für Meter kam der Mond näher und seine Oberfläche wurde auf dem Monitor immer deutlicher. Johanna konnte die Krater und Felsen klar erkennen und schließlich auch einzelne Felsbrocken, die im Mondstaub verstreut lagen.

»Deszension eingeleitet. Geschwindigkeit und Kurs stabil, Landungsautomatik läuft einwandfrei, Drehung um einhundertachtzig Grad wird eingeleitet«, meldete Johanna, während sie die Anzeigen weiter überwachte.

Der Anblick des Mondes, so nah und detailliert, dass ungefilterte Licht der Sonne, verlieh der Umgebung eine seltsame Detailschärfe. Die Konturen, von Hell und Dunkel, waren nicht fließend, sondern endeten abrupt und die Klarheit, wie der Strukturen dieser einsamen Gegend, an der zuvor noch nie ein Mensch gewesen war, ließen sie einen Augenblick Inne halten. Johanna sah den Shackleton-Krater, südlich sah befand sich ein dunkles Loch, dessen raue Felskanten vom Sonnenlicht erhellt wurden. Das musste der Nethron-Krater sein »Wir sind auf dem richtigen Kurs. Landezone in Sicht.«

»Drehung abgeschlossen, Triebwerke fahren auf fünfzig Prozent runter, Gegenschub sieht gut aus. Sinkgeschwindigkeit passt sich an.«

Das Starship glitt weiter abwärts, nun mit dem Heck voran, und Johanna konnte die Schatten der Krater und Hügel immer

62

deutlicher erkennen. Sie spürte, wie es in ihrem Bauch anfing zu Kribbeln.

Nicht nur, dass sie bei der ersten bemannten Mondlandung seit siebenundfünfzig Jahren mit an Bord saß, machte sie nervös, es war vielmehr der Umstand, dass dies auch die erste bemannte Landung mit dieser neuen Landefähre war.

»Geschwindigkeit wird reduziert, Vektor wird korrigiert, gleich haben wir es geschafft«, sagte Chris, auch Johanna sah die Daten, die der Computer ihnen ausspuckte. Bis jetzt verlief alles nach Plan.

»Landung in drei Minuten«, sagte sie, als sie den Countdown ins Auge fasste.

Meter für Meter kam die hellgraue staubige Oberfläche näher. »Landetriebwerke auf fünfundzwanzig Prozent. Höhe fünfhundert Meter.«

Johanna prüfte die Stabilität. »Alle Systeme grün. Bereit für die Landung.«

»Landetriebwerke auf zehn Prozent. Höhe einhundert Meter«, sagte Chris und fokussierte sich auf die Landekameras.

»Kontakt in fünf Sekunden.«

Mondstaub wirbelte auf und verdeckte das Kamerabild, als die Landebeine den Boden berührten. Ein Ruck erfasste das Raumschiff und die Vibrationen nahmen ab, während die Landeautomatik den Schub auf null Prozent reduzierte.

»Houston, hier ist Artemis. Starship erfolgreich auf der Mondoberfläche gelandet. Koordinaten bestätigen Zielpunkt zwölf Kilometer südsüdöstlich des Shackleton-Kraters. Wir können quasi in den Nethron-Krater hüpfen«, funkte Chris hörbar erleichtert.

»Verstanden, Artemis. Glückwunsch zur erfolgreichen Landung. Ihr könnt mit der Missionsvorbereitung beginnen.«

Johanna und Chris atmeten tief durch und schauten sich an. Ein Lächeln huschte über ihre Gesichter. »Wir haben es geschafft«, sagte Johanna leise.

»Ja, der Adler ist gelandet. Jetzt beginnt die wahre Arbeit, also freu dich nicht zu früh. Lass uns die nicht notwendigen Systeme herunterfahren und die Außenmission vorbereiten.«

Johanna begann, die Landetriebwerke abzuschalten und die Systeme auf Standby zu setzen. »Systeme im Standby-Modus. Starship ist gesichert und für den stationären Betrieb vorbereitet, Lebenserhaltung läuft, Druck ist stabil und die Entladesysteme des Frachtraums sind aktiviert.«

»Gut, dann machen wir uns bereit, die Ladung zu löschen«, sagte Chris und löste seinen Gurt.

Auch Johanna löste ihren Gurt, jetzt musste sie den Monitor samt Halterung auf die Seite schieben, um sich mit Hilfe eines Griffs an der Cockpitwand aus dem Sitz zu ziehen und die Treppenstufen an der Wand zu erreichen. Ohne Schwerelosigkeit war dies der einzige Weg, um von Ebene zu Ebene zu gelangen. Sie folgte Chris hinab durch die Wohn- und Schlafquartiere, die Verbindungsebene und die Frachträume, die sie durch eine Schleuse betreten mussten, da diese nicht unter Druck standen. Schließlich kamen sie zur unteren Ausstiegsschleuse, einer breiten Plattform, mit der sie wie bei einem Lastenaufzug zur Oberfläche gelangten.

»Bereit für den Ausstieg?«, fragte Chris, als sie die letzten Überprüfungen abgeschlossen hatten.

»Bereit.« Johannas Herz schlug schneller.

»Dann lass uns Geschichte schreiben«, sagte Chris und drückte auf den Knopf, der die Plattform in Gang setzte.

Johanna konnte den feinen, hellen Staub des Mondes sehen. Der Shackleton-Krater lag vor ihnen in der Ferne am anderen Ende der Ebene – eine gigantische, dunkle Senke, deren Rand im gleißenden Licht wie ein unerreichbarer Wall wirkte. Die Sonne war nicht zu sehen, so tief stand sie rechts von ihnen am Horizont. Die Erde konnte Johanna ebenfalls nicht erblicken, zu gern hätte sie diese von der Oberfläche eines anderen Himmelskörpers gesehen.

»Houston, hier ist Artemis. Wir sind bereit, mit der Entladung zu beginnen. Triebwerke wurden heruntergekühlt und stellen keine Gefahr mehr da«, funkte Chris.

»Verstanden, Artemis. Beginnt mit der Entladung und stellt sicher, dass ihr alle Systeme überprüft, bevor ihr mit den Erkundungen startet.«

Chris wandte sich Johanna zu. »Wie sieht es aus, willst du den ersten Schritt machen?«

»Du bist der Kommandant, das solltest du machen.«

»Johanna, das ist dein Augenblick, also nutze ihn.«

Ihr Herz schlug so wild in ihrer Brust, dass sie es klopfen hören konnte. »Muss ich etwas sagen? Ich meine ...«

»Wie Armstrong?« Chris lachte. »Nein, das musst du nicht, wenn du es nicht willst. Das hier ist jedoch ein ebenso bedeutender Moment, wie ihn die Männer der Apollo 11 Mission erlebt haben.«

»Es wird doch ohnehin niemand davon etwas mitbekommen, oder?«

Chris schwieg einen Moment. »Wie kommst du darauf? Das hier ist eine offizielle Mission und die Welt schaut dir zu. Wenn ich jetzt gleich die Verbindung öffne, dann wird alles, was wir sagen, an die Erde gefunkt. Also, was ist? Die Bühne gehört dir.«

Sie trat an den Rand der Plattform und blickte in den feinen Staub, der so unschuldig und rein wirkte.

»Du bist jetzt auf Sendung.«

Sie hatte keine Ahnung, was sie sagen sollte, sie war noch nie gut in solchen Dingen gewesen. Sie hatte sich diesen Moment unzählige Male vorgestellt, davon geträumt, aber das hier fühlte sich anders an. Sie spürte den Druck – dieser Moment könnte sie unsterblich machen. Jedes Mal, wenn man ihren Namen sagen würde, würde man sich genau an diesen Augenblick erinnern. Sie war kein Neil Armstrong, der für einen solchen Moment geboren wurde.

Dann plötzlich kam ihr ein Gedanke – ein Satz – in den Sinn, der all ihre eigenen Sehnsüchte vereinte. Sie atmete tief ein und versuchte, ihren Puls zu beruhigen, ehe sie das rechte Bein ausstreckte. »Der Mond hat lange auf uns gewartet. Heute betreten wir ihn im Namen aller, die auf eine bessere Zukunft hoffen.« Sie senkte den Fuß und ihr Schuh tauchte leicht im Regolith des Mondes ein. Sie ging einige Schritte, vielmehr hüpfte sie leicht und kontrolliert. Sie wandte sich um und blickte auf Chris, der gerade die Ladeplattform verlassen hatte.

Ich bin der erste Mensch, der hier ist, dachte sie. Ein elektrisierendes Gefühl, durchströmte ihren ganzen Körper, als sie realisierte, wofür sie die letzten Jahre so hart gearbeitet hatte. Es war eines, dass alles anhand von Simulationen und Bildern zusehen, aber selbst über die Oberfläche des Mondes zu spazieren, war etwas anderes. An einem Ort, wo noch nie jemand gewesen war, denn sie als erster Mensch mit eigenen Augen erblickt hatte, das war etwas, was mit nichts anderes zu vergleichen war.

Das Starship ragte majestätisch in die Höhe, seine glänzende Hülle kontrastierte scharf mit dem staubigen Grau des Mondbodens.

»Artemis, das war ein denkwürdiger Moment, herzlichen Glückwunsch, Johanna«, sagte Tim. »Jetzt müsst ihr euch bitte wieder auf die Mission konzentrieren. Die Medien sind raus. Wir haben gerade erste Messdaten des Starships ausgewertet und eine ungewöhnliche elektromagnetische Strahlung festgestellt. Das Muster deckt sich mit den

66

Aufnahmen der Sonde. Flight will, dass ihr nach Protokoll vorgeht und zuerst die Messinstrumente rund um die Landezone installiert.«

»Roger, Houston, wir beginnen jetzt mit der Entladung.« Chris blickte in ihre Richtung. »Komm her. Auch wenn ich dir gern noch ein paar Minuten geben würde, wir haben leider keine Zeit.«

»Verstanden, ich komme.«

Chris gab ihr einen Tabletcomputer, mit dem sie den Aufzug steuern konnte. Über ein Schienensystem senkte sie die Frachtmodule ab, bis alle Kisten sicher auf der Mondoberfläche standen. Jede von ihnen war mit einem speziellen Transportsystem ausgestattet, das es den Chris und Johanna ermöglichte, sie leicht zu bewegen.

Sie öffneten die Kisten und begannen, die Ausrüstung systematisch zu verteilen. Zuerst kam der Transportrover, ein robustes Fahrzeug mit einer Ladefläche, das ihnen bei der Bergung eines möglichen Artefakts helfen würde.

Johanna fuhr das Gefährt über eine Fernsteuerung aus der Kiste die ausfahrbare Rampe hinunter und parkte es wenige Meter neben sich. »Der Rover ist bereit. Lass uns die wissenschaftlichen Instrumente vorbereiten.«

Chris öffnete eine Kiste mit Seismometern und Strahlungsmessgeräten. »Ich stelle die Instrumente auf, während du die Energieversorgung sicherstellst.«

Johanna begann, die Solarpaneele und die Kommunikationsausrüstung aufzustellen. Jeder Handgriff saß, jede Bewegung war durchdacht und präzise.

Die Umgebung um den Landeplatz war eine Mischung aus rauer Schönheit und tödlicher Stille. Die tiefen Schatten der Gebirge, die das Tal einfassten, und die scharfen Kanten der Felsen schufen ein unwirkliches Bild. Johanna konnte sich kaum von dem Anblick losreißen.

»Chris, die Kommunikationsausrüstung steht. Energieversorgung ist stabil«, meldete sie, während sie die letzten Kabel überprüfte.

»Gut, wir sind fast fertig.« Chris schloss die letzte Verbindung an den Seismometern. »Lass uns einen kurzen Systemcheck durchführen, bevor wir mit der Erkundung beginnen.«

Gemeinsam überprüften sie alle Systeme. Jeder Sensor, jedes Instrument wurde getestet und für funktionsfähig befunden.

»Houston, wir sind bereit für unsere erste Erkundung der Umgebung«, funkte Chris.

»Verstanden, Artemis. Konzentriert euch heute auf die nähere Umgebung. Untersucht die Bodenbeschaffenheit und stellt sicher, dass alle Systeme für den nächsten Tag einsatzbereit sind.«

»Roger, Houston. Wir machen uns auf den Weg«, sagte Chris und deutete auf den Rover. »Johanna, du übernimmst das Steuer. Ich werde die Instrumente bedienen.«

Der Rover summte leise, als sie ihn startete und langsam losfuhr.

»Unser erster Punkt ist etwa zweihundert Meter westlich«, sagte Chris und zeigte auf die Karte, die auf einem der Bildschirme angezeigt wurde. »Dort wollen wir Bodenproben entnehmen und die Strahlung messen.«

Johanna lenkte den Rover vorsichtig über das unebene Gelände. Bald erreichten sie den ersten Punkt und stiegen aus.

»Der Boden hier ist erstaunlich«, sagte Johanna, während sie vorsichtig eine Probe in einen Behälter füllte. »Feiner Staub, darunter scheint er jedoch fest zu sein, aber irgendwie seltsam löchrig.«

»Was meinst du? Ist das nicht normal? Wir wissen doch, dass es auf dem Mond Vulkanismus gab, vielleicht stehen wir

68

hier auf einem erkalteten Lavafeld.« Chris stellte die Strahlungsmessgeräte auf.

Selbstverständlich wusste sie über die Beschaffenheit des Mondbodens Bescheid. Das war ihr Fachbereich, was Chris wohl gerade vergessen hatte.»Ich meine das hier, siehst du das? Das sieht aus wie Lavagestein, als wäre der Boden hier mal geschmolzen gewesen, aber irgendwie seltsam glänzend.«

Chris hockte sich neben sie.»Vielleicht von einem Vulkanausbruch oder aus der Zeit der Entstehung des Mondes?«

»Ich weiß nicht. Das sieht nicht nach gewöhnlichem porösem Gestein aus, wie es zu erwarten wäre.« Sie befreite eine weitere größere Fläche von Staub, der hier auffallend dünn war.»Das sieht für mich eher so aus, als wäre hier etwas sehr Heißes drübergeflogen und hätte dabei das Gestein an der Oberfläche geschmolzen.« Sie blickte auf und sah auf den Rand eines Kraters in der Ferne.

»Du meinst, dass ein Asteroid dafür verantwortlich war und dahinten diesen Krater erschaffen hat?«

»Nein, ein Asteroid würde das hier auf dem Mond nicht ohne Atmosphäre schaffen. Das muss etwas anderes gewesen sein. Ist das dort hinten unser Zielkrater?«

Chris blickte auf sein Tablet.»Ja, das ist Nethron, von uns ausgesehen anderthalb Kilometer entfernt. Du meinst also, dass das, was auch immer da in diesem Krater ist, so heiß war, als es über die Oberfläche geflogen ist, dass es das Gestein geschmolzen hat. Müsste es dann nicht in einem sehr flachen Winkel geflogen sein?«

»Ja«, sagte sie und erhob sich, dabei fixierte sie die Kraterwand.»Aber das ergibt keinen Sinn. Die Kraterwand, ist beinahe kreisrund, wie wir auf den Aufnahmen der Sonde gesehen haben. Wenn das Objekt in einem extrem flachen Winkel aufgeschlagen wäre, dann müsste die Kraterwand auf unserer Seite sehr flach sein und auf der gegenüberliegenden weitaus höher.«

Chris stand auf. »Da ist was dran, was könnte es sonst gewesen sein?«

»Keine Ahnung, ich werde hier eine Probe nehmen. Wir werden wohl bald erfahren, was die Dunkelheit des Kraters vor uns versteckt hält.«

»Hey, wie sieht es aus bei euch da unten?«

»Paul, schön von dir zu hören. Wir sind dabei, die Instrumente rund um die Landezone zu verteilen. Wie geht es euch da oben?«

»Wir analysieren die ersten Daten von euch und behalten die Oberfläche im Auge, damit ihr nicht von Aliens angegriffen werdet. Ach, Ralf fragt, ob ihr die grauen Männchen schon gefunden habt?«

»Ihr seid ja richtige Witzbolde«, erwiderte Chris amüsiert.

Johanna hörte ihnen zu, während sie mit einem Hammer und einem Meißel etwas von dem Gestein herauslöste und in einen Probenbehälter beförderte.

»Wir werden euch auf dem Laufenden halten. Platzieren jetzt die letzten Messsonden.«

»Roger, passt auf euch auf. Orion out«

Johanna verstaute den Behälter in einer kleinen Kiste.

»Alles klar, ich habe eine Probe, wir können weiter.«

»Alles klar, dann los.«

Sie fuhren weiter, untersuchten mehrere Punkte in der Umgebung und dokumentierten alles sorgfältig. Jeder Schritt war ein kleiner Beitrag zur Erforschung des Mondes, und sie wussten, dass ihre Arbeit von unschätzbarem Wert war.

Als sie zurückfuhren, stand die Sonne tief am Horizont und die langen Schatten der Felsen und Berge, formten teilweise zackige und unheimliche Umrisse, auf dem grauen helleren Boden, des Talkessels. Die umliegenden Gipfel und

Gebirgsketten wurden auch die Berge des Lichts genannt, da sie immer im Sonnenlicht lagen und aus der Dunkelheit des Tals betrachtet zu glühen schienen.

»Was ist los?«, fragte Chris, der den Rover steuerte.

»Ich weiß nicht.«

»Geht es dir nicht gut? Ist dir schwindelig, hast du Atemprobleme, oder siehst du verschwommen?«

»Nein, das meine ich nicht, körperlich geht es mir gut.«

»Verstehe, dich beschäftigt, was in diesem Krater ist, nicht wahr?«

»Dich etwa nicht?«

»Doch, aber ich konzentriere mich auf meine Arbeit.«

»Was tun wir, wenn wir wirklich etwas finden?«

»Bevor ich darüber nachdenke, was ich tue, wenn ich dort etwas finde, müssen wir erst einmal herausfinden, was es ist.«

»Na schön, dann frage ich anders: Was machen wir, wenn dort wirklich ein außerirdisches Artefakt liegt?«

»Liegt das nicht auf der Hand? Wir haben klare Anweisungen. Wir untersuchen, ob es eine Gefahr darstellt, dann sichern wir es, und wenn es uns möglich ist, transportieren wir es mit der Orion nach Hause. Die NASA wird das Starship später auftanken und zur Erde bringen. Unsere verdeckte Mission jedoch endet, sobald wir die Orion-Kapsel betreten. Dann sind wir wieder Astronauten, die gerade eine erfolgreiche Mondlandung hinter sich haben, und sich auf dem Weg zur Erde befinden. Wir werden unser Interview machen und dann ist die Sache für uns erledigt.«

»Also wird das Objekt in irgendeinem geheimen Bunker verschwinden und das war es dann?«

»Was hast du erwartet? Dass die amerikanische Regierung Milliarden von Dollar ausgibt, um zum Mond zu fliegen, das Objekt zur Erde bringt und alle Nationen einlädt, daran zu

71

forschen? Nein, dann könnte sich Präsident Keller direkt aufmachen, seine Koffer zu packen.«

»Geht es hier um Politik? Der womöglich wichtigste Fund in der Menschheitsgeschichte darf nicht wegen politischen Motiven vertuscht werden. Die Menschen müssen es wissen.« Das Starship war bereits auf eine beträchtliche Größe angewachsen, als Chris den Rover bremste. Er blickte auf sein Armdisplay, um sicherzustellen, dass gerade lediglich eine Funkverbindung zwischen Johanna und ihm bestand. »Alles dreht sich um Politik, es ist das machtvollste Instrument auf unserem Planeten. Wenn du die Politik kontrollierst, dann kontrollierst du die Menschen.

Der Mehrheit der Menschen ist es egal, ob es Außerirdische gibt. Es interessiert sie nicht, solange die Sonne morgens aufgeht, ihr Handyakku geladen ist und sie online gehen, sich betrinken und Spaß haben können. Verstehst du das nicht?

Die, die es interessiert, wollen es erforschen, ihren Nutzen daraus ziehen oder es als Druckmittel einsetzen. Wissenschaft ist Politik, es geht ums Geld.

Ich bitte dich jetzt als ein Freund, hör auf damit, den Menschen unbedingt davon erzählen zu wollen, worauf wir stoßen könnten. Ich brauche dich auf dieser Mission, du bist Wissenschaftlerin und Astronautin. Du und ich, wir haben die Chance, es als Erste zu untersuchen und aus nächster Nähe zu erfahren, was es ist. Das muss für den Anfang reichen.«

Vielleicht hatte er recht und sie machte sich zu viele Gedanken. »Einverstanden.«

»Gut«, sagte Chris und fuhr weiter.

»Houston, wir sind zurück am Landeplatz, wir beenden den EVA dann für heute«, funkte Chris.

»Verstanden, Artemis. Gute Arbeit. Ruht euch aus.«

72

Johanna und Chris begaben sich zurück ins Starship. Die Nacht auf dem Mond brach herein und die Stille umhüllte sie wie eine Decke.

Johannas Verstand war manchmal wie ein Fluch. Der Gedanke daran, was in diesem verdammten Krater war, quälte sie bereits seit Tagen und der Drang, herauszufinden, was es war, wuchs mit jeder Minute und jedem Meter, den sie ihm näher kam.

Projekt Daidalos

Dienstag, 24. April 2029, Griffith Observatory, Los Angeles, USA

Die Sonne stand hoch und brannte ungewöhnlich heiß auf ihn herab. Sam hatte seine Jacke ausgezogen und sich auf sie gesetzt. Der frische Wind, der über den Mount Hollywood wehte, fühlte sich angenehm kühl auf seiner Haut an. Er trank einen Schluck aus seinem Cappuccinobecher, den er sich an dem Baristastand vor dem Observatorium gekauft hatte. In letzter Zeit war Sam oft hierhergekommen, um nachzudenken. Es war der perfekte Ort, um seinen Gedanken freien Lauf zu lassen. Jedenfalls wenn man die kleine Aussichtsplattform am südlichen Hang kannte, durch deren Eisentor man nur mithilfe eines Schlüssels gelangte. Sein Glück, dass er ein guter Freund von Dr. Sofia Olsen war, einer ehemaligen Kommilitonin und seiner vielleicht einzigen wahren Freundin auf diesem Planeten.

Missmutig blickte er auf sein Handy. Keine einzige Nachricht hatte ihn nach dem Symposium vor drei Tagen erreicht, nicht einmal schlechte Kritik hatte er im Internet gefunden, es war, als hätte dieser Tag niemals stattgefunden.

Es fühlte sich an, als wollte der große Herrscher des Universums sehen, wie viel Spott und Hohn er noch vertragen konnte. Das Frustrierende war, dass er wusste, dass seine

Theorien wahr sein mussten. Das größte Problem war, dass ihm einfach niemand glauben wollte außer Judith.

Beim Gedanken an ihren Namen zuckte er zusammen – er hatte ganz vergessen, sie zurückzurufen. Er hatte ihren Anruf gestern verpasst, als er fünfzehn Minuten unter der Dusche gestanden hatte und sich das warme Wasser auf den Kopf hatte rieseln lassen.

Nach dem dritten Freiton ging Judtih ran. »Sam, verdammt, wo steckst du?«

»Am Observatorium, ist was passiert?«

»Ich habe dich seit zwei Tagen nicht mehr gesehen, geht es dir gut?«

Sam nippte an seinem Kaffee. »Gut? Ich weiß nicht, lass mich nachdenken. Die Finanzierung für die Expedition ist geplatzt. Die Gemeinschaft der Archäologen hält mich für einen Spinner und bei meiner Suche nach meinem Vater stecke ich fest. Ich habe keinen Lehrstuhl mehr und Geld verdiene ich auch nicht viel. Judith, ich verliere bald meinen Verstand. Ich fühle mich, als würde ich in einer Grube mit Treibsand stecken, und egal, was ich tue, ich sacke weiter ab.«

»Mensch, Sam, du bist ein intelligenter Mann und besitzt drei Doktortitel. Also nutze deine Intelligenz, um das Problem zu lösen. Das ist dein Job als Archäologe, du suchst Hinweise, um das Unbekannte zu erfahren. Wie wäre es, wenn du die Arbeit an den Texten aus der Kammer fortführst?«

»Das ist es ja, ich verstehe es nicht. Die Texte ergeben keinen Sinn, irgendetwas fehlt mir und ohne die Notizen aus dem Tagebuch meines Vaters werde ich auch nicht dahinterkommen. Es sei denn, du kannst mir die Artefakte besorgen, die in Ägypten gestohlen wurden.«

»Sollen wir uns treffen und versuchen, gemeinsam eine Lösung zu finden?«

75

»Du musst dich auf deine Prüfung konzentrieren, keine Sorge, ich komm schon klar.«

»Hast du denn wenigstens diese Frau angerufen, die dir die Karte gegeben hat? Du weißt schon, von der du mir erzählt hast? Du hast doch gesagt, dass sie dir die Mittel zur Verfügung stellen würde.«

»Nein«, antwortete Sam knapp.

»Warum nicht? Was ist, wenn sie dich weiterbringen kann?«

»Eine Frau, die einem mittellosen Archäologen anbietet, eine Expedition zu finanzieren, damit er nach etwas suchen kann, an das niemand glaubt und für das keine Beweise gibt?« Er lachte sarkastisch. »Nein, Judith, das ist nur wieder so ein schlechter Scherz, so was hat Ferrara schon einmal mit mir abgezogen.«

»Sam, jetzt mal ganz ehrlich. Du kannst es dir nicht leisten, dem nicht nachzugehen. Also spring über deinen Schatten und ruf sie an.«

Er ließ seinen Blick über die Häuserschluchten von L.A. schweifen, in der Ferne konnte er die Wolkenkratzer Downtowns erkennen, vor denen ein Helikopter vorbeiflog. Rechts von ihnen erstreckte sich der pazifische Ozean bis zum Horizont.

»Sam? Bist du noch dran?«

»Vielleicht hast du recht, vielleicht kann sie mir wirklich weiterhelfen.«

»Ruf sie an, dann wirst du es erfahren«, ermutigte sie ihn. »Und melde dich, wenn du etwas brauchst.«

»Das mache ich, jetzt konzentriere dich auf deine Prüfung.«

»Ja, Dad, mach's gut«, erwiderte sie gekünstelt genervt.

Judith hatte bereits aufgelegt, als er sein Handy vom Ohr nahm. Umständlich holte er aus seiner Gesäßtasche die

76

Visitenkarte heraus, die er von der Frau erhalten hatte. Judith hatte recht, er musste irgendetwas unternehmen. Und diese Frau hatte ihm schließlich offenbart, dass sie ihm helfen konnte, wenn er wissen wollte, was mit seinem Vater geschehen war. Vielleicht war es die niederschmetternde Schmach nach dem Symposium gewesen oder die Tatsache, dass niemand auch nur ein Wort über seine Forschung verloren hatte, dass er die Nummer auf der Karte noch nicht angerufen hatte.

Vielleicht war es auch die tief in ihm verborgene Angst, eine Spur zu seinem Vater zu finden und ihm vielleicht irgendwann gegenüberzustehen. Was sollte er ihm nach all den Jahren des Verschwundenseins sagen? Nicht einmal zur Beerdigung seiner Frau war er gekommen. Für Sam war sein Vater schon vor Jahren gestorben und alles andere war nur noch das Interesse an dessen Arbeit. Nun war es Zeit, herauszufinden, was diese Frau wusste, und ob sie ihm einen entscheidenden Hinweis liefern konnte, um die verlorene Stadt der Götter zu finden.

Er stellte den Kaffeebecher neben sich auf die Mauer und wählte die Nummer. Direkt nach dem ersten Freiton knackte es in der Leitung und eine emotionslose weibliche Stimme drang an sein Ohr, die sich stark nach einem KI generierten Programm anhörte. »Dr. Jackson, in sechzig Minuten werden Sie von einem Fahrer vor Ihrer Haustür abgeholt. Sie sollten ein paar Sachen einpacken. Diese Nummer ist nun nicht mehr gültig. Einen angenehmen Tag.«

Sam starrte ungläubig auf sein Telefon, aus dessen Hörmuschel es leise tutete. Schließlich beendete er die Verbindung und blickte auf seine Armbanduhr. Er griff sich seine Jacke und rannte los.

77

Zwanzig Minuten später blickte er aus dem Fenster seiner kleinen Wohnung. Eine schwarzer SUV parkte vor dem Gebäude.

Er wirkte wie ein Fremdkörper in dem Viertel, lebten vor allem Menschen mit geringeren Einkommen, wie Gemüsehändler, Reinigungskräfte und diverse Hilfskräfte, die Schwierigkeiten hatten über die Runden zu kommen, bewohnt wurde. Entweder gehörte der Wagen einer Straßengang oder es war sein Taxi.

Da keine Einschusslöcher im Auto waren, tippte er auf Letzteres. Sam schnappte sich seine Tasche und sein dickes, in schwarzes Leder gebundenes Notizbuch und zog die Tür hinter sich zu. Dann verriegelte er das Sicherheitsschloss, denn er hatte keine Lust, nach Hause zu kommen und eine leere Wohnung oder eine Junkieparty vorzufinden.

Eine junge Frau mit kurzem blondem Haar stieg aus dem Geländewagen aus und öffnete ihm die hintere Wagentür.

»Das ist sehr aufmerksam. Hi, ich bin Sam.«

Die Frau blickte nichtssagend auf seine ausgestreckte Hand und deutete in den Innenraum.

»Ich soll wohl einsteigen und keine Fragen stellen?«, fragte er so charmant, wie er nur konnte. »Okay, Sie reden wohl nicht viel, na dann mal los.« Kaum hatte er sich gesetzt, schlug sie die Tür auch schon zu. Die hatte wohl keinen guten Tag erwischt.

»Und wo bringen Sie mich hin?«

Eisernes Schweigen, das Auto rollte los.

»Ich verstehe, offenbar dürfen Sie nicht mit mir reden. Dann rede ich. Ihrer Kleidung nach tippe ich auf FBI.« Er schüttelte den Kopf. »Nein, die tragen immer ihre Anzüge, dafür sind Sie zu leger angezogen. Dann sind Sie von der CIA?«

Die Frau bedachte ihn mit einem Blick über den Rückspiegel.

78

»CIA passt irgendwie auch nicht, NSA auch nicht, die operieren so nicht. Vielleicht vom Militär? Hmm, nein, jetzt habe ich es: Sie sind von der DARPA?«

Erneut musterte die Frau Sam im Spiegel.

»Das muss es sein, aber was will die Agentur für fortgeschrittene Verteidigungsforschungsprojekte von einem Archäologen wie mir?«

Seine Frage blieb unbeantwortet und er gab es auf, weitere zu stellen. Wenn die Frau von der DARPA war, würde sie ihm nichts sagen. Die Agency war ihm durchaus bekannt und er wusste, dass sie dem Verteidigungsministerium unterstellt war. Was noch mehr Fragen aufwarf. Er konnte sich einfach keinen Reim darauf machen.

Die Fahrt dauerte nicht lange und endete an einem Flughafen Van Nuys vor einem Terminal. Über dem Eingangsbereich stand VN Aviation, was Sam verriet, dass es sich um ein Terminal für Privat- und Firmenkunden handelte, die sich hier einen Privatjet mieten konnten. Allerdings war ihm bekannt, dass dieser Flughafen auch von Regierungsbehörden genutzt wurde, unter anderem von der Polizei-Hubschrauberstaffel und der Feuerwehr. Demnach könnte diese Frau in der Tat für eine Regierungsbehörde arbeiten.

Der Wagen hielt unmittelbar vor dem Eingang.

Sam nahm seine Tasche. »Soll ich hier aussteigen?«

Die Frau drehte sich zu ihm um und gab ihm eine Karte. Ein Regierungswappen und ein Code waren darauf abgebildet.

»Ist das mein Ticket?«

Sie nickte.

»Dann vielen Dank für die nette Unterhaltung und bis dann«, sagte er und stieg aus. Er betrat das Terminal, wo eine elegant gekleidete Frau in Uniform hinter einem Empfangstresen saß.

»Guten Tag, was darf ich für Sie tun? Suchen Sie einen Rundflug über die Stadt, oder sind Sie vielleicht an einer Hollywood-Tour interessiert?«

»Nein, danke, mir wurde diese Karte hier gegeben, vielleicht können Sie damit mehr anfangen.«

Sam schob der Dame die Visitenkarte über den Tresen. Nach einem kurzen Blick griff sie zum Telefon. »Einen Moment bitte, nehmen Sie dort drüben Platz«, erklärte sie und deutete auf zwei schwere Ledersessel neben dem Eingang.

Sam tat ihr den Gefallen, während er undeutliche Worte hinter sich vernahm. Er hatte sich gerade gesetzt und wollte eine der Zeitschriften von dem kleinen Glastisch nehmen, als ein schlanker junger Mann in einem dunkelblauen Anzug an ihn herantrat.

»Dr. Jackson?«

»Ja?« Sam erhob sich. Ihm fiel sofort das kleine Messingschild auf, das an der Brusttasche des Jacketts befestigt war. *Mr Garcia* war darauf in schwarzen Buchstaben eingraviert.

»Bitte folgen Sie mir, Ihr Flugzeug ist bereits fertig und wartet auf Sie.«

Sam folgte dem Mann in einen seitlichen Gang. Wenige Meter befand sich eine Sicherheitsschleuse mit Metalldetektor, neben dem ein uniformierter Mann stand und ihn neugierig beäugte.

»Mr Garcia, das klingt vielleicht ungewöhnlich, aber können Sie mir sagen, wohin der Flug geht?«

»Soweit mir bekannt ist, geht der Flug nach Washington, D.C.«

»Nach Washington, interessant. Wissen Sie, von wem der Flug gechartert wurde?«

Sie erreichten die Sicherheitsschleuse.

80

»Papiere bitte und legen Sie Ihr Gepäck hier auf das Band.« Garcia hob die Hand. »Das wird nicht nötig sein, Jack, Dr. Jackson hier hat eine Platin-Alpha-Freigabe.«

»Gibt es dazu auch ein Dokument?«, fragte der Sicherheitsbeamte.

»Selbstverständlich«, erwiderte Garcia und holte aus der Innentasche seines Jacketts ein gefaltetes Papier, das er Jack reichte.

Dieser klappte es auf und las den Inhalt aufmerksam, dann faltete er es zusammen und gab es Garcia zurück. »Alles klar, die Autorisierung kommt vom Verteidigungsministerium. Sie können passieren.« Jack ging um das Gepäckband und öffnete das Absperrband neben dem Bodyscanner.

»Danke. Kommen Sie, Dr. Jackson, wir haben ein enges Zeitfenster für den Start.« Sie betraten das Rollfeld, auf dem mehrere kleinere zweistrahlige Jets standen und zwei größere Flugzeuge. Garcia deutete auf eine schwarze Maschine, auf deren Heckflosse eine amerikanische Flagge zu sehen war.

Oben auf der Treppe zur Einstiegsluke standen ein Mann in Pilotenuniform und eine Frau, die einen blauen Rock und eine weiße Bluse trug.

»Das sind ihre Pilotin Montgomery und ihr Flugbegleiter Francis. Ich werde Sie jetzt verlassen, ich wünsche Ihnen einen guten Flug«, erklärte Garcia am Fuße der Treppe.

Sam nickte ihm zu und ging hinauf. Die Turbinen liefen bereits. Als er durch den schmalen Einstieg eintrat, schlug ihm kühle Luft entgegen. Die Kabine war luxuriös eingerichtet – weiche Ledersessel, polierte Holztische und gedämpftes Licht, das eine beruhigende Atmosphäre schuf.

Die Pilotin begrüßte ihn freundlich und verschwand anschließend hinter der Tür des Cockpits.

Der Steward, der ebenso elegant gekleidet war, führte Sam zu seinem Platz. Kaum hatte er sich angeschnallt, setzte sich

81

das Flugzeug in Bewegung. Ohne ein Wort zu verlieren, zog der Steward den Vorhang zwischen der Kabine und dem kleinen Servicebereich hinter sich zu, sodass Sam allein zurückblieb.

Es hatte etwas Seltsames an sich, ohne andere Gäste in einem Flugzeug zu sein. Er blickte durch das Fenster, sie hatten bereits die Startbahn erreicht. Die Welt draußen verschwamm zu einem Farbbrei und dann spürte er den vertrauten Druck, als der Jet in den Himmel stieg. Die Wolkenkratzer von Los Angeles zogen unter ihm vorbei, Sam lehnte sich nach hinten und schloss die Augen. Gedanken rasten durch seinen Kopf, vermischt mit Fragen, auf die es keine Antworten gab.

Ein befremdliches Gefühl beschlich ihn, das sich über den gesamten fünfstündigen Flug nicht abschütteln ließ. Irgendetwas ging hier vor, etwas Großes, wenn man den Aufwand betrachtete, der nur für ihn betrieben wurde. Er war kein hochrangiger Staatsdiener oder hatte in irgendeiner Weise Einfluss, weder wirtschaftlich noch politisch. Also, was wollte man von ihm?

Sam blieb nur eines: abzuwarten, was als Nächstes geschah. Er war sich sicher, dass es nichts mit seiner Arbeit zu tun haben konnte. Nichts, was er jemals erforscht hatte, konnte so wichtig sein, dass das alles rechtfertigte.

Butterweich setzte die Maschine schließlich auf der Landebahn auf und rollte an den großen Terminals des Flughafens vorbei. Ein schwarzer SUV mit verdunkelten wartete bereits auf dem Rollfeld. Ein Mann im Anzug und mit Sonnenbrille stand neben der offenen hinteren Tür.

Das war wohl sein Empfangskomitee. Klischeehafter ging es wohl nicht, fehlte nur noch der Knopf im Ohr. Sam schmunzelte über seinen eigenen Witz.

»Hey, ich bin Sam, ich nehme an, ich soll einsteigen?«

Der Mann nickte.

Noch bevor Sam Fragen stellen konnte, wurde die Tür des Wagens hinter ihm geschlossen.

Der Geländewagen schlängelte sich durch den abendlichen Verkehr von Washington Richtung Arlington, Virginia. Der Himmel war bedeckt und die dichten Wolken unterstrichen die bedrückende Stille. Als sie am Ufer des Potomac Rivers entlangfuhren, konnte Sam das Lincoln Memorial, das majestätische Washington Monument und die Kuppel des Kapitols in der Ferne erkennen. Der Fluss trennte die historische Stadt von den moderneren Bauten in Arlington.

Die Fahrt führte sie über den Highway am Arlington National Cemetery vorbei, bis sie schließlich das Ballston-Viertel erreichten, das für seine modernen Bürogebäude und urbanen Wohnhäuser bekannt war.

Der SUV bog in den Wilson Boulevard ein, dabei stach Sam ein Gebäude ins Auge, das sich nicht wesentlich von den anderen Wolkenkratzern in der Gegend unterschied, allerdings als einziges eine Sicherheitsschleuse vor der Tiefgaragenzufahrt hatte. Es war ein Bürogebäude mit einer Glasfassade.

Genau davor bog der SUV ab und hielt neben dem Häuschen des Wachdienstes. Während sein Fahrer mit dem Sicherheitsmann sprach und die Identität überprüfen ließ, lief eine Sicherheitsfrau mit einem Schäferhund um das Auto herum. Nach wenigen Sekunden wurde die Schranke zur Tiefgaragenzufahrt geöffnet, alles schien in Ordnung zu sein. Der Wagen fuhr hinunter zum ersten Parkdeck, auf dem mehrere Autos geparkt standen. Sam sah einen breiten Durchgang mit verglasten Schiebetüren am Ende. Unmittelbar davor lag ein schwarzer Teppich aus, neben dem der Wagen zum Stehen kam.

Sam stieg aus und ihm fiel sofort das DARPA-Emblem auf, das mittig auf dem Teppich zu sehen war.

»Gehen Sie in die Lobby, dort werden Sie erwartet«, sagte sein Fahrer und stieg wieder in den Wagen.

Sam ging durch die Glastür, die sich lautlos öffnete. Mit dem Aufzug fuhr er eine Etage hinauf, eine andere Möglichkeit gab es nicht. Er betrat das hell erleuchtete Foyer, dessen Boden mit glänzendem Marmor ausgelegt war. Die Einrichtung war modern, aber funktional – keine überflüssigen Dekorationen, nur das Nötigste, um einen effizienten Betrieb zu gewährleisten.

Am Empfang warteten einige uniformierte und zivile Sicherheitskräfte, die jeden Besucher genauestens überprüften. Sam meldete sich an einem Schalter an, der wie in einem normalen Bürogebäude wirkte, jedoch von modernster Sicherheitstechnik begleitet wurde. Nachdem seine Identität bestätigt war, wurde er von einem Offizier durch eine breite Tür in einen langen Korridor geführt.

Sam folgte dem Sicherheitsbeamten durch mehrere Sicherheitsschleusen, die mit biometrischen Scannern und Kartenlesegeräten ausgestattet waren. Schließlich betraten sie einen Fahrstuhl in die oberen Stockwerke, wo die eigentlichen Büros der DARPA lagen. Die Flure waren lang und minimalistisch, gesäumt von Türen aus mattem Glas, die einen Blick ins Innere verwehrten. Nur gelegentlich waren gedämpfte Gespräche aus den Räumen zu hören.

Nachdem sie mehrere Korridore durchquert hatten, blieb der Offizier schließlich vor einer Tür stehen.

Er legte seine Hand auf ein Sensorfeld und öffnete die Tür, sodass Sam eintreten konnte.

Sam fand sich in einem Besprechungszimmer wieder, ihm gegenüber stand die hochgewachsene Frau, die ihm in Los Angeles die Karte überreicht hatte. Ihr blonder Zopf fiel ihr

84

über die Schulter und sie trug einen schlichten schwarzen Hosenanzug. Ihre blauen Augen fixierten Sam mit einer Intensität, die ihn sofort aufmerken ließ. Sie lächelte ihn freundlich an.

»Dr. Jackson, schön, dass Sie gekommen sind«, sagte sie und streckte ihm die Hand entgegen.

Sam schüttelte ihre Hand und musterte sie neugierig. »Danke, DARPA also«, sagte er mit einem triumphalen Grinsen. »Allerdings habe ich keine Ahnung, was hier vor sich geht. Niemand wollte mit mir reden.«

»Gut. Mein Name ist Kathrin Porter und Sie sind hier, weil wir Ihre Fähigkeiten benötigen.«

»Meine Fähigkeiten? Sie haben angedeutet, dass Sie mir helfen könnten, eine Expedition auf die Beine zu stellen, und dass Sie etwas über meinen Vater wissen, was ich nicht weiß.«

Bevor Porter antworten konnte, erhob sich ein Mann mit breiten Schultern und markanten Gesichtszügen am Kopfende des Tischs. Er deutete auf einen freien Stuhl. »Ich bin General Ortega und leite die Operation Daidalos. Bitte nehmen Sie Platz, Dr. Jackson. Zunächst müssen wir die Formalitäten klären.«

Sam setzte sich auf einen der bequemen Stühle, dabei bemerkte er, dass bis auf einen in die Wand eingelassenen großen Bildschirm, auf dem das Wappen der DARPA zu sehen war, nichts weiter in dem Raum war. Die Wände waren fensterlos und aus schlichtem Beton gefertigt. Große Deckenfluter erhellten den Raum, sodass kein einziger Schatten dabei entstand. Porter nahm ebenfalls Platz und griff nach einem Tablet, das vor ihr auf dem Besprechungstisch lag. Ortega öffnete eine Mappe und schob einen Stapel Dokumente zu Sam.

85

»Was genau beinhaltet die Operation Daidalos? Ich nehme an, dass es hier nicht um den brillanten Erfinder aus der griechischen Mythologie geht, oder?«

»Nein«, sagte Ortega. »Bevor wir fortfahren, müssen Sie diese Verschwiegenheitserklärung unterschreiben. Was Sie hier erfahren werden, ist von höchster Vertraulichkeit. Ein Verstoß gegen diese Erklärung könnte schwerwiegende Konsequenzen haben, damit meine ich umfassende Folgen, die nicht nur Sie oder die USA betreffen werden.«

Sam zog die Papiere näher zu sich heran.

»Zugegeben, es ist etwas altmodisch, das nicht digital zu erledigen, aber das dient der Sicherheit«, fügte Ortega hinzu.

Sam überflog die Dokumente, und nahm den Kugelschreiber, den Porter ihm hinhielt.

»Ich bin über Ihr Zögern irritiert«, sagte sie. »Ist es nicht das, was sie sich bereits mehr als ein Jahrzehnt wünschen? Endlich herauszufinden, was mit Ihrem Vater passiert ist, und was es mit seiner Forschung auf sich hat? Unterschreiben Sie die Dokumente und Sie erhalten diese Informationen.«

Sam vernahm den drängenden Unterton, auch wenn Porter tunlichst versucht hatte, diesen zu unterdrücken. Anscheinend wurde man sehr sensibel für die feinen Zwischentöne einer Konversation, wenn man so viel Kritik und Gegenwind bekommen hatte wie er. Dennoch hatte sie recht, er hatte lediglich zwei Optionen: zu unterschreiben und endlich alles zu erfahren, eventuell eine Bestätigung für seine Theorien zu erhalten und vielleicht sogar seinen Ruf zu rehabilitieren. Oder in sein altes Leben zurückzukehren und darauf zu warten, dass sein Lebenstraum den Bach hinunterging: Erfolg in seinem Beruf zu haben.

Nein, das wollte er nicht, er wollte nicht in seinem Auto oder auf der Straße leben. Gleich sechs Mal setzte er auf verschiedenen Seiten seine Unterschrift und legte den Stift anschließend auf den Papierstapel.

Porter reichte dem General die Unterlagen, der sie zurück in die Mappe schob.

»Gut. Nun können wir beginnen. Was wissen Sie über die Expedition Ihres Vaters?«

»Alles, was ich in meinem letzten Buch geschrieben habe. Er war auf der Suche nach der verschollenen Stadt der Götter, in der ein bisher unbekannter Pharao lebte, der Ägypten geeint haben soll und das noch vor Menes. Erste Beweise fand er in Abydos, na ja, vielmehr waren es Hinweise, die darauf schließen ließen, dass es diesen Pharao und die Stadt gab. Erst in Hermopolis Magna kam er der Spur näher, doch fand er dort nur eine Kammer, in der verschiedene Artefakte verborgen lagen, die anschließend während des Arabischen Frühlings gestohlen wurden.«

»Ist das alles?« Ortega blickte ihn eindringlich an.

»Worauf wollen Sie hinaus? Alles, was mit der Expedition und den Fundstücken zu tun hat, ist bekannt und ich habe es in meinem Buch niedergeschrieben. Was also wollen Sie wissen und weshalb bin ich hier?«

»Dazu komme ich gleich«, fuhr Ortega fort. »Was wissen Sie über die Artemis-III-Mission?«

Sam stützte die Arme auf den Tisch und faltete die Hände.

»Das, was man den Medien entnehmen kann. Auch ich habe gestern Fernsehen geschaut und die Übertragung von der Landung am Südpol des Mondes mitverfolgt. Johanna Carter hat als erste Frau den Mond betreten. Zusammen mit ihrem Kollegen Chris Harris soll sie in den Kratern nach Wassereis suchen, soweit ich weiß.«

»Und Sie haben in letzter Zeit keine einschlägigen Internetseiten zu diesen beiden Themen besucht?«, fragte Porter.

87

»Ms Porter, ich habe Ihren Knebel akzeptiert und Sie versprachen Informationen. Was soll also diese Fragestunde? Wenn Sie mir jetzt nicht sagen, was hier los ist, werde ich durch diese Tür gehen und dann können Sie auf meine Expertise pfeifen.« Sam hatte nicht bewusst wahrgenommen, dass er aufgestanden war und in Richtung der Eingangstür zeigte. Er nahm den Arm herunter und betrachtete die ernste Miene des Generals. Porters Gesichtsausdruck hingegen wirkte eine Spur amüsiert.

»Dr. Jackson, setzen Sie sich wieder hin.« In der Stimme des Generals schwang eine solche Schärfe mit, dass Sam nicht daran dachte, sich Ortegas Aufforderung zu widersetzen.

»Warum wir das wissen wollen, werden Sie jetzt erfahren, und ich bin schockiert, wie wenig Sie wissen. Vielleicht sollten Sie Ihre Nase nicht nur in antike Schriften stecken, sondern sich auch mal mit aktuellen Themen und dem Internet beschäftigen.« Ortega drückte einen Knopf auf dem Tisch und der Bildschirm an der Wand zeigte Bilder von alten Ruinen tief unter der Erde, eingebettet in den Sand der ägyptischen Wüste.

»Wir haben Sie hierhergeholt, weil Ihr Vater bei seinen Forschungen in Hermopolis Magna auf eine außergewöhnliche Entdeckung gestoßen ist, die weitaus umfassender ist, als Sie es wissen«, fuhr Porter fort.

»Umfassender? Hat er das Grab des Pharaos gefunden?«

Porter warf dem General einen Blick zu, dieser nickte ihr zu. »Während der Expedition in Hermopolis Magna stieß Ihr Vater auf eine Reihe von Artefakten und Texten, wie ihnen bekannt ist. Was Sie aber nicht wissen, ist, dass er Hinweise auf eine lange vergessene religiöse Sekte gefunden hat. Deren Anhänger sollen Artefakte besessen haben, die Hinweise auf eine alte Technologie geben und möglicherweise sogar auf einen Gegenstand, der als Schlüssel zu etwas von großer Bedeutung angesehen wird.«

Der Bildschirm wechselte zu Bildern von Statuen, verschnörkelten Amuletten, einer kleinen schwarzen Steinpyramide sowie kunstvoll verzierten Steintafeln und Wandgemälden. Einige dieser Artefakte trugen Symbole und Hieroglyphen, die Sam aus seinen Studien vertraut waren.

»Jedoch gab es etwas Ungewöhnliches bei einer der Entdeckungen«, fuhr Porter fort. »Ein Artefakt, das Ihr Vater gefunden hat, sendet eine Art Strahlung aus, dessen spezifische Signatur wir bisher nur durch einen Zufallsfund auf dem Mond messen konnten.«

Sam richtete sich auf seinem Stuhl auf. »Einen Moment, das heißt, Sie besitzen eines der Artefakte, die mein Vater gefunden hat?«

Porter schüttelte kaum merklich den Kopf. »Besitzen ist der falsche Ausdruck.«

»Wo ist es? Kann ich es sehen?«

»Das werden Sie«, erwiderte Ortega.

»Was verdammt noch mal geht hier vor? Was wissen Sie über meinen Vater? Lebt er noch? Arbeitet er für Sie?«

Porter lehnte sich zurück und musterte ihn, als würde sie abwägen, wie viel sie preisgeben sollte. »Mehr, als Sie vielleicht glauben, Dr. Jackson. Aber was wirklich zählt, ist das, was Sie wissen. Ihr Vater hat etwas entdeckt, das weit über die Grenzen der herkömmlichen Archäologie hinausgeht. Die Artefakte, die er fand, sind der Schlüssel zu einem Geheimnis, das wir bereits seit Jahren versuchen, zu entschlüsseln.«

Sam hielt den Atem an. Die Worte klangen wie aus einem schlechten Film, doch die Ernsthaftigkeit in Porters Stimme ließ ihn aufhorchen. »Was ist das für ein Geheimnis?«

Sie warf General Ortega einen weiteren Blick zu, unscheinbar, als würde sie sein Einverständnis stumm erfragen. Sam taxierte sie. Sie lehnte sich vor, tippte auf dem Tablet, als suche sie etwas, und legte es vor Sam auf den Tisch. »Das, was Ihr Vater herausfand, war nur der Anfang. Dies sind Dokumente, die Informationen enthalten, die Sie verstehen müssen, bevor wir fortfahren. Lesen Sie es in Ruhe durch und dann werden wir uns über Ihre Aufgabe bei dem Ganzen unterhalten.«

Sam nahm das Pad und betrachtete neugierig den Bildschirm. »Und wenn ich mich weigere, das alles zu glauben?«

Ein kaum merkliches Lächeln zuckte über Porters Lippen. »Das tun Sie nicht, Dr. Jackson. Denn Sie wissen genau, dass dies der einzige Weg ist, um Antworten auf Ihre Fragen zu erhalten.«

Sam seufzte leise. Er hatte keine Ahnung, in was er da hineingeraten war, aber eines wusste er: Sie hatte recht – er hatte keine andere Wahl, als brav seine Rolle zu.

Sam konzentrierte sich auf den Bildschirm. In dem digitalen Ordner befanden sich Dokumente, Videoaufnahmen und 3D-Modelle.

Das erste Dokument war ein Bericht mit dem Titel *Projekt Erebus: Phase 1 – Artefakte und Anomalien*. Sams Herzschlag beschleunigte sich. *Erebus* war der Deckname, den sein Vater für die Ausgrabung in Hermopolis Magna verwendet hatte. Es war auch der Name einer griechischen Gottheit, die Dunkelheit und Chaos symbolisierte – passend, dachte Sam, für das, was jetzt auf ihn zukam.

Der Bericht beschrieb die Entdeckung mehrerer Artefakte in einer unterirdischen Kammer tief unter dem Sand der Wüste Ägyptens. Diese Artefakte wiesen eine extrem hohe Dichte auf, die auf eine ungewöhnliche Materialzusammensetzung hindeutete. Sie entsprach keiner auf der Erde bekannten, demnach konnten diese Gegenstände nicht von den Alten Ägyptern angefertigt worden sein.

Sam blickte auf, Porter und General Ortega beobachteten ihn aufmerksam.

»Ist das wahr, was in diesem Dokument steht?«

»Ja«, antwortete Ortega knapp.

»Dass die Gegenstände, die mein Vater gefunden hatte, außerirdischen Ursprungs sind? Wieso weiß ich nichts davon?«

»Dr. Jackson, lesen Sie erst alles, was in diesem Ordner ist«, drängte Porter.

Sam schüttelte den Kopf und senkte den Blick.

Ein Video öffnete sich, als er auf die nächste Datei klickte. Es zeigte Aufnahmen, die Sam nicht kannte, dabei war er überzeugt gewesen, dass er alles gesehen hatte, was es an Bild- und Videomaterial zu *Erebus* gab. Die Qualität der Aufnahme war nicht besonders gut, sie war körnig und dunkel, phasenweise konnte er nichts erkennen, als wären es Szenen aus einem Low-Budget-Horrorfilm. Die Kamera folgte einem Team von Wissenschaftlern, die durch einen schmalen Schacht kletterten, bevor sie schließlich in eine riesige runde Kammer gelangten. Die hohe Decke war gewölbt wie bei einem Kuppeldach. Die Wände mussten aus schwarzem Gestein gefertigt worden sein, soweit Sam das in dem fahlen Licht der Taschenlampen beurteilen konnte. Dann näherte sich die Kamera den Wissenschaftlern, die sich um einen Steinmonolithen in der Mitte des Raums verteilt hatten.

Das Artefakt hatte eine glänzende Oberfläche und leuchtete schwach, aber merklich, wahrscheinlich reflektierte es das Licht der Lampen. Es sah wie eine steinerne Säule aus, vielleicht zweieinhalb Meter hoch und zwei breit, wenn man die Wissenschaftler, die davor zu sehen waren, als Referenzpunkt nahm. Mittig in der Säule war etwas eingelassen. Das Material der ovalen Fläche schien das Licht der Lampen zu absorbieren.

Um das Artefakt herum waren auf dem Boden mehrere Ringe in die schwarzen Fließen eingelassen, deren Zwischenräume mit Symbolen aufgefüllt waren. Für Sam gab es keinen Zweifel, dass sein Vater eine heilige Stätte entdeckt hatte, vielleicht sogar den Tempel des Mondes, der dem Gott Thot geweiht war.

»Die Symbole auf dem Boden erinnern an altägyptische Schriftzeichen, doch sie scheinen in ihrer Komplexität weit darüber hinauszugehen«, sagte er. »Ich erkenne Merkmale verschiedener Schriftzeichen aus den unterschiedlichsten antiken Hochkulturen. Da sind sumerische Keilschrift, altägyptische Hieroglyphen und Zeichen, die nach protoelamischen Keilschriftsymbolen aussehen. Das ist faszinierend.« Er pausierte das Video, ehe er aufblickte. »Ich meine, das ist nichts Ungewöhnliches, wir wissen, dass die Ägypter und die Sumerer Handel getrieben haben. Allerdings ist es bemerkenswert, dass sie scheinbar auch Kontakt zu dem Königreich Elam hatten. Ich habe bereits die Kartusche des Gottes Thot gesehen und das Sternensymbol der Istar, die auch mit der sumerischen Göttin Inanna gleichgesetzt wurde.«

»Wieso ist das so besonders?«, fragte Porter. Ihr Interesse schien aufrichtig.

»In der Antike ist es nicht ungewöhnlich gewesen, dass verschiedene Gottheiten über die Zeit mit anderen Göttern aus anderen Kulturen gleichgesetzt wurden, zum Beispiel Thot mit dem griechischen Gott Hermes. Aber das Entscheidende ist, dass alle diese Götter eines gemeinsam hatten: Sie konnten die Menschen beeinflussen. Hermes war der Bote der Götter, der mit Einfühlsamkeit und Verständnis die Botschaften der Götter übersetzte und den Menschen mitteilte. So konnte er die Menschen davon überzeugen, ihren Göttern zu folgen. Thot war der Herr der Schriften und der Wissenschaften, was er schrieb, glaubten die Pharaonen und Menschen. Istar und Inanna galten als wechselhaft in der Gestalt. Nach Belieben konnten sie zwischen der Erscheinung eines Mannes oder einer Frau wechseln, sie waren stark, schön und setzten ihre Sexualität ein, um ihre Ziele durchzusetzen. Auch galten sie als Kriegsgöttinnen.

Dieser Ort, den mein Vater gefunden hat, ist keine normale Kultstätte. Ich habe noch nichts Vergleichbares gesehen. Leider kann ich nicht sagen, zu welchem Zweck er errichtet wurde.«

»Das ist alles sehr interessant, Dr. Jackson, aber ist zu diesem Zeitpunkt nicht von Belang.« General Ortega deutete auf das Tablet in Sams Händen. »Schauen Sie das Video zu Ende. Denn darin finden Sie vielleicht die Antworten, nach denen Sie so lange gesucht haben.«

Sam setzte das Video fort. Er erkannte das Gesicht seines Vaters in der Menge. Er kam auf die Kamera zu und sprach erregt. Obwohl der Ton kaum verständlich war, konnte Sam verstehen, was er sagte: »Das, was wir hier sehen, ist atemberaubend, dieser Ort ist das Portal zu den Göttern. Seht ihr die unbekannten Hieroglyphen? Es ist unglaublich, ich glaube, ich habe ihn gefunden: den Zugang zum Tempel des Mondgottes.«

»Dr. Jackson, sehen Sie sich das an«, rief jemand im Hintergrund. Sam konnte nicht ausmachen, ob es ein Mann oder eine Frau war.

Dann schwenkte die Kamera plötzlich und zeigte, wie sein Vater zu einer Gruppe eilte, die sich an einer Wand versammelt hatten. Er zwängte sich hindurch und die Kamera folgte ihm. Sam gefror das Blut in den Adern – die Aufnahme zeigte den anscheinend versteinerten Körper eines nicht menschlichen Wesens. Die Augen schienen größer zu sein, ebenso der Kopf. Die Nase war flach und breit und die Gesichtszüge kantig und scharf. Sam konnte in dem verwackelten Bild weder die Arme noch die Beine erkennen, lediglich etwas von dem Oberkörper, der breiter als der eines Menschen wirkte. Die Haut war vollkommen schwarz, falls es sich um Haut handelte. Dies lag entweder an der Konservierung des Körpers, was seltsam wäre, denn so etwas kannte er nur von Moorleichen, oder es war die natürliche Hautfarbe des Wesens. Eine weitere Möglichkeit war, dass es sich dabei um Kleidung handelte, die jedoch aus einem Material bestehen musste, das der Zersetzung über Jahrtausende widerstanden hatte. Nach wenigen Sekunden rief erneut jemand etwas im Hintergrund. »Doktor, hier sind noch zwei.«

Die Menge teilte sich und ließ Sams Vater und die Kamera durch. Sam konnte sehen, dass ein Mann und eine Frau vor jeweils einer weiteren konservierten Leiche standen, die in verschiedenen Ecken an der Wand lehnten. Am Bildrand näherte sich ein junger Mann dem Monolithen in der Mitte. Sams Vater musste es auch bemerkt haben, er erhob sich aus der Hocke und wandte sich dem Mann zu. »Taylor, nein, nicht anfassen. Es könnten sich Erreger darauf befinden.«

Der Mann namens Taylor hörte nicht. Er streckte die Hand nach der ovalen Fläche aus.

Dünne grünliche Linien breiteten sich wie Adern auf dem Objekt aus und liefen auf dem schwarz glänzenden Mittelpunkt zu, der wie ein kaltes Auge wirkte. Als Taylor diese Fläche berührte, intensivierte sich das Licht des Objektes und für einen Moment war die Linse der Kamera geblendet, danach brach Panik aus. Als das Bild wieder an Schärfe gewann, konnte Sam einen Schatten an der Wand im Hintergrund sehen. Schließlich endete das Video abrupt.

94

Sam lehnte sich in seinem Sitz zurück, sein Atem ging schneller. Was war das für eine Macht, die sein Vater entdeckt hatte? Und warum hatten sie so lange geschwiegen? Sam traten Schweißperlen auf die Stirn.

Er hatte Fragen, Hunderte, sein Herz raste und sein Kopf schmerzte. Unfähig, etwas zu sagen, legte er das Tablet auf der Tischplatte ab und hob den Kopf.

Porter sah ihn ruhig an. »Ich nehme an, Sie verstehen jetzt, warum wir Sie hierhergebracht haben, Dr. Jackson. Ihr Vater stand kurz davor, die wahre Natur dieser Artefakte zu entschlüsseln, bevor er verschwand. Wir brauchen Ihre Hilfe, um das zu vollenden, was er begonnen hat. Und vor allem um herauszufinden, was es mit dieser Technologie auf sich hat.«

»Wo ist er?«, krächzte Sam. Sein Hals war trocken.

»Das wissen wir nicht. Dies ist das letzte Mal, dass er gesehen wurde«, fügte Porter mitfühlend hinzu.

»Wie können Sie nicht wissen, wo mein Vater ist? Woher haben Sie denn die Aufnahmen, wenn nicht von ihm?«

»Dieses Video ist uns von einer anonymen Quelle zugespielt worden. Als die ersten Untersuchungen der Ausgrabungsstätte in Hermopolis Magna begannen, nachdem das gesamte Team Ihres Vaters verschwand, fand man die Kammer mit dem Monolithen. Wir haben das Gebiet gescannt, sowohl vom Boden als auch aus der Luft, doch es gibt keine weiteren unterirdischen Strukturen, bis auf für uns unbedeutende Ruinen. Unseren Experten zufolge enthält der Monolith eine Energiequelle oder Technologie, die wir noch nicht verstehen. Das Licht, das Sie sehen konnten, wird vermutlich chemisch erzeugt, wie bei Knicklichtern oder Glühwürmchen. Dabei scheint die Intensität zuzunehmen, wenn sich dem Objekt ein Organismus nähert. Da in dem Video Wesen zu sehen sind, die bis auf die groben Gesichtszüge keiner menschlichen Körperstruktur ähneln,

95

gehen wir davon aus, dass wir es hier mit extraterrestrischen Lebensformen und Technologien zu tun haben.«

Sams Kehle wurde trocken und er musste Schlucken. Die Vorstellung, dass das Artefakt von einer nichtmenschlichen Quelle stammte, war überwältigend. »Ist das wirklich wahr? Hat mein Vater außerirdische Wesen gefunden?«

Ortega nickte. »So sieht es aus und das Video ist echt, wir haben jeden erdenklichen Test durchgeführt.«

»Vermutlich ist die NSA oder die CIA darauf aufmerksam geworden, dass es dort eine Technologie gibt, die für die US-Regierung von Interesse sein könnte«, sagte Sam. »Also haben Sie diesen Monolithen und die Leichen außer Landes geschafft, ohne Rücksicht auf das ägyptische Volk zu nehmen?«

»Dr. Jackson, Sie sollten nicht so misstrauisch sein, wir sind nicht Ihr Feind«, sagte Porter. »Für Sie sollte nur von Interesse sein, die Arbeit Ihres Vaters zu vollenden und das Geheimnis zu entschlüsseln. Nur fürs Protokoll, diese Technologie gehört nicht den Ägyptern, es ist nichts, was ihre Vorfahren hätten erschaffen können. Und für Ihren Seelenfrieden: Es ist uns nicht möglich gewesen, den Monolithen aus der Kammer zu entfernen. Die drei Leichen sind in Gewahrsam und wurden bereits vor längerer Zeit untersucht. Die Ausgrabungsstelle wird möglichst unauffällig überwacht und jeder, der sich dem Ort unbefugt nähert, wird festgenommen.«

Sam schüttelte den Kopf. Das alles entwickelte sich zu etwas, von dem er dachte, dass es nur in Filmen passierte. »Ich glaube das einfach nicht, auch wenn ich es wirklich gern tun würde.«

»Nun werde ich Ihnen offenbaren, was meinen Vorgesetzten wirklich Bauchschmerzen bereitet.« Der General richtete sich auf und lehnte sich auf den Tisch. Eindringlich sah er Sam in die Augen.

96

»Ich hatte bereits erwähnt, dass von diesem blockartigen Artefakt eine seltsame elektromagnetische Strahlung ausgeht.«

Sam nickte.

»Dieselbe Strahlung hat eine unserer Sonden in einem Krater am Südpol des Mondes aufgefangen. Die Artemis-III-Mission ist bereits auf der Oberfläche gelandet und wir werden bald herausfinden, ob dort ebenfalls ein solches Artefakt verborgen liegt.«

Sam musste schmunzeln, dann lachte er lauthals los. »Sie machen sich lustig über mich. Sie haben meinen Vortag auf dem Symposium mitbekommen und erlauben sich jetzt einen Scherz.«

Der General sah ihn ungerührt an. »Wir machen keine Späße.«

Sam schüttelte den Kopf. »Das glaube ich einfach nicht. Vielleicht vermuten Sie auch noch, dass es irgendwo ein Raumschiff gibt, mit dem die Wesen auf die Erde gekommen sind.« Sam atmete tief durch, was ihn ein wenig beruhigte. »Nehmen wir einmal an, da ist etwas dran. Wo ist diese Spezies hergekommen, wo ist sie heute und zu welchem Zweck sollte sie solche Technologie hiergelassen haben? Wenn das wahr wäre, dann müssten auch andere Kulturen davon gewusst haben, was bedeuten würde, dass all meine Theorien richtig waren. Dennoch ergibt das alles keinen Sinn. Nein, im Ernst, ich bin hier fertig.«

Sam erhob sich, bevor er zwei Schritte gemacht hatte, hallte Ortegas ruhige, aber unmissverständlich ernste Stimme durch das Zimmer. »Setzen Sie sich wieder hin.«

Wie vom Donner gerührt blieb Sam stehen und setzte sich wieder.

97

»Dazu sind Sie hier, um genau das herauszufinden«, sagte Porter. »Ich versprach Ihnen, eine Expedition zu finanzieren, damit Sie Ihre Antworten erhalten werden.«

»Was genau erwarten Sie von mir?«, fragte Sam mit gezwungener Ruhe, doch innerlich tobten die Fragen und Zweifel.

Porter ließ keine Emotion erkennen, aber ihre Augen funkelten leicht. »Wir erwarten, dass Sie das Erbe Ihres Vaters fortführen, Dr. Jackson. Das Erbe, das die Zukunft der Menschheit neu definieren könnte.«

Sam Gedanken brauten sich wie ein Gewitter über ihm zusammen. Er wusste, dass er keine andere Wahl hatte, als weiterzumachen, aber die Konsequenzen waren unklar – und erschreckend.

Porter beobachtete ihn genau. Sie schien seine innere Unruhe zu spüren, aber sie sagte nichts.

Ortega stand auf. »Sie werden alle Ressourcen zur Verfügung haben, die Sie benötigen, um diese Forschung fortzusetzen.«

»Und wo soll ich beginnen? Ich bin alles von meinem Vater durchgegangen, was ich habe, und komme nicht weiter.«

General Ortega lächelte geheimnisvoll. »Tja, dann ist heute Ihr Glückstag. Einige der gestohlenen Artefakte sind auf dem Schwarzmarkt aufgetaucht. Ihre Aufgabe wird es sein, die Artefakte zu identifizieren und auf ihre Echtheit zu überprüfen. Wir haben Berichte erhalten, dass einige möglicherweise gefälscht sein könnten.«

Der Bildschirm wechselte zu einer Karte eines Wüstengebiets in Ägypten. Der General faltete die Hände, bevor er sprach. »Dies ist die Oasenstadt Siwa, die auch als das Tor nach Libyen bekannt ist. Von dort aus gelangt man über nicht eingezeichnete Wüstenstraßen einfach und schnell nach Libyen, was diese Region zum perfekten Ort für

Schmuggler und Hehler macht. Unsere Kontaktperson hat mit dem Anbieter ein Treffen in drei Tagen ausgemacht. Das heißt, Sie werden in acht Stunden aufbrechen. Daher schlage ich vor, dass Sie jetzt etwas schlafen werden. Agent Porter wird Sie auf diesem Ausflug begleiten und Ihre Verbindungsperson sein. In Ägypten werden Sie dann mit unserer Kontaktperson zusammenarbeiten, die Ihnen alle nötigen Informationen zukommen lässt.«

»Ich weiß gerade nicht, was ich sagen soll, das ist zu viel. Ich habe nicht mal eine Übernachtungsmöglichkeit.«

»E ist für alles gesorgt. Es wartet bereits ein Wagen auf Sie und bringt Sie ins Hotel.«

Sam erhob sich und sah Zufriedenheit in Porters Augen. »Sie waren sich wohl sehr sicher, dass ich hierbei mitmache.«

»Wir machen unsere Arbeit sehr gewissenhaft«, sagte sie und zwinkerte ihm zu. »Kommen Sie, ich bringe Sie nach unten.«

»Auf Wiedersehen, General Ortega.«

»Ob wir uns wiedersehen, hängt von Ihnen ab. Viel Glück.«

Vergangenheit

Dienstag, 24. April 2029, Rising Sun, Maryland, USA

Als er die Hausnummer entdeckte, parkte er seinen alten Ford F-150 am Anfang der Einfahrt. Auf der gegenüberliegenden Straßenseite mähte ein älterer Mann gemächlich den Rasen seines Vorgartens, ohne auf ihn zu achten. Mit bedächtigen Schritten ging er die breite, asphaltierte Auffahrt hinauf zu einem einfachen Bungalow aus Holz. Das Haus war von großzügigen Rasenflächen umgeben, auf denen vereinzelt Bäume standen. Keine Zäune trennten die angrenzenden Grundstücke voneinander. Die Fenster auf der Vorderseite des pastellgelb gestrichenen Hauses waren geschlossen.

Er kämpfte sich durch die dichten Rosenbüsche, deren Dornen sich hartnäckig in seiner Jeans verfingen, und warf einen Blick durch das leicht verschmutzte Glas ins Wohnzimmer. Ein alter Flachbildfernseher stand auf einem antik wirkenden TV-Bord aus dunklem Holz. Darüber hing eine Messinguhr an der Wand, die zehn nach eins anzeigte. Ein Sofa und zwei Sessel, bezogen mit verblichenem Stoff, waren vor dem Fenster angeordnet. Auf einem hölzernen Tisch stand eine Schale mit Bonbons, die eine Aura vergangener Zeiten ausstrahlte.

Als sich im Haus nichts rührte, stieg die vier betonierten Stufen hinauf, die zur Haustür führten. Er klopfte behutsam an den rot gestrichenen Holzrahmen, in dessen Mitte ein mit

Gardinen verhangenes Fenster eingelassen war. Um nicht bedrohlich zu wirken, trat er zwei Schritte zurück und wartete.

Eine Garage hatte das Haus nicht, und entweder verfügte die Frau über kein Auto oder sie war nicht zu Hause. Der ältere Mann in seinem Rücken schien von ihm weiterhin keine Notiz zu nehmen, unbeirrt mähte er weiter das saftig grüne Gras seines beachtlichen Vorgartens.

Da niemand öffnete, klopfte er erneut, dieses Mal energischer. Er legte die Hand an die Fensterscheibe, um die sich spiegelnde Umgebung abzuschirmen und einen besseren Blick ins Innere zu bekommen. Er konnte einen kurzen Flur erkennen, von dem vier Türen abgingen. Da das Haus nur ein Geschoss hatte, gab es keine Treppe, die nach oben führte.

Nach einer halben Minute, ging er um das Haus herum in den Garten. Auf einer weitläufigen, gemähten Wiese stand eine Wäschespinne mit blümchenbedruckter Bettwäsche, die sanft im Wind flatterte. Am Ende des Grundstücks konnte er zwei Gebäude ausmachen. Das eine, ein unscheinbares Firmengebäude aus weißen Wellblechplatten, gehörte einem Händler für landwirtschaftliche Produkte, wie das angebrachte Firmenschild verriet. Das andere Gebäude war interessanter. Es war eine Kirche mit einem schmalen Turm, auf dem eine aus Messing gefertigte Spitze thronte. Glockenläuten erfüllte plötzlich die Luft. Ein kurzer Blick auf seine Uhr zeigte ihm, dass es viertel nach eins war. Der Mittagsgottesdienst musste gerade vorbei sein.

Er ging auf die Kirche zu, in der Hoffnung, dass er die Frau, die er suchte, unter den aus der Kirche kommenden Gläubigen entdecken würde.

Mehr als ein Dutzend Menschen unterschiedlichsten Alters verstreuten sich in verschiedene Richtungen, unterhielten sich oder waren in Gedanken versunken. Doch seine

101

Aufmerksamkeit galt drei Frauen. Ihre auffälligen Kleider hoben sie von der Menge ab, während sie die Treppenstufen des Eingangs hinuntergingen und sich lachend und plaudernd die Straße entlangbewegten.

Er hatte seine Zielperson bereits ausgemacht. Es war die Frau im blassblauen Kleid. Ihre schwarzen Haare waren kunstvoll hochgesteckt, doch es waren ihre Gesichtszüge, die ihm vertraut waren. Jede ihrer Bewegungen verriet eine Anmut und Gelassenheit, die ihn in seinem Entschluss nur bestärkten. Dies war die Frau, die er suchte.

Als er näher kam, bemerkten sie ihn. Die in einem lebhaften Muster gekleidete Brünette warf ihm einen flüchtigen Blick zu, bevor sie ihren Kopf leicht neigte und lächelte. »Wer ist denn der gutaussehende Mann?«, fragte sie mit einem charmanten Lächeln und einem verspielten Unterton, während sie ihre Freundin leicht mit dem Ellbogen anstupste.

Die Frau im blassblauen Kleid hob den Kopf und ihre Augen trafen seine. Für einen Moment blitzte etwas in ihrem Blick auf, das ihn innehalten ließ. Erkannte sie ihn wieder? War es Überraschung? Ihre Lippen verzogen sich zu einem feinen, fast unmerklich angespannten Gesichtszug.

»Entschuldigung«, begann er mit fester, höflicher Stimme. »Darf ich einen Moment Ihrer Zeit beanspruchen?«

Die Frau in Blau sah ihn an, als hätte sie längst geahnt, dass dieser Augenblick kommen würde. Ihre Begleiterinnen tauschten einen vielsagenden Blick, der voller Andeutungen war.

»Ich glaube, er will zu dir, Rachel. Ist das etwa dein geheimnisvoller Verehrer?«, fragte die mittlere Frau mit einem Anflug von Amüsement in der Stimme.

Die Frau im blauen Kleid beschleunigte ihren Schritt und setzte sich von ihren Freundinnen ab, die sie mit einem wissenden Lächeln beobachteten. Sie kam direkt auf ihn zu. »Wir sehen uns morgen«, rief sie über die Schulter zurück.

»Alles klar.«

»Viel Spaß.«

Belustigt folgten die beiden Frauen der Straße und verschwanden aus seinem Sichtfeld.

»Wer sind Sie und was wollen Sie?«, fragte die Frau, als sie vor ihm stand.

»Ich bin ein Freund von Dr. Richard Jackson und habe ein paar Fragen an Sie, Miss ...?«

»Ich habe Ihnen nichts zu sagen. Ich kenne keinen Dr. Jackson. Und jetzt entschuldigen Sie mich bitte, ich habe noch etwas zu erledigen.« Mit diesen Worten ging sie an ihm vorbei in Richtung ihres Hauses.

»Ich denke schon, dass Sie Dr. Jackson kennen, Ms O'Neill.«

Die Erwähnung ihres Namens brachte sie abrupt zum Stehen, und eine Welle der Zufriedenheit durchdrang ihn. Er näherte sich ihr von hinten. »Wir können uns auch hier auf ihrem Rasen unterhalten, Rachel.« Ihren Vornamen betonte er absichtlich überspitzt. »Oder Sie laden mich auf eine Tasse Kaffee bei sich ein. Ich möchte Ihnen lediglich ein paar Fragen stellen, und dann werde ich Sie in Ruhe lassen.«

Ihre Schultern strafften sich, die Anspannung wurde fast greifbar.

Langsam drehte sie sich zu ihm um, ihre Augen jetzt wachsam, prüfend. Von dem anfänglich freundlichen Ausdruck war nichts mehr übrig, stattdessen lag Schärfe in ihrem Blick. Trotzdem blieb sie ruhig, ihre Stimme war leise, beinahe ein Flüstern. »Kommen Sie mit!«

Ohne ein weiteres Wort ging sie zielstrebig auf die Hintertür ihres Hauses zu.

Er folgte ihr mit einem leichten Anflug von Zufriedenheit, dennoch blieb er auf der Hut, denn seine Instinkte regten sich:

Diese Frau trug mehr Geheimnisse mit sich, als es den Anschein hatte. Bevor sie den Bungalow betrat, warf sie ihm einen Blick zu. Ihr Gesicht war nun undurchdringlich, ihre Gedanken und Gefühle sorgfältig verborgen.

Er folgte ihr ins Innere des Hauses, wo ein kühler Schatten ihn umhüllte und die Außenwelt mit all ihren Geräuschen und Farben plötzlich fern erschien. Rachel führte ihn in die Küche. Sie deutete auf einen Stuhl am Küchentisch und sagte knapp: »Setzen Sie sich.« Während er Platz nahm, ging sie wortlos zum Herd, wo sie einen alten, emaillierten Kessel mit Wasser aufsetzte. Ihre Bewegungen waren ruhig, aber mechanisch, als ob sie versuchte, die Kontrolle über die Situation zu behalten, indem sie sich auf diese alltägliche Handlung konzentrierte.

»Also, was wollen Sie wissen?«, fragte sie schließlich, ohne ihn anzusehen, und holte Tassen aus einem Schrank. Ihre Stimme klang neutral, aber die Anspannung war unverkennbar.

Er beugte sich leicht nach vorne, seine Augen fixierten sie, während er überlegte, wie er am besten vorgehen sollte.

»Ich möchte mehr über *Erebus* erfahren und warum die Expedition geheim gehalten wurde. Ihre Verbindung zu Dr. Jackson könnte mir weiterhelfen, herauszufinden, worum es ging.«

Rachel löffelte Kaffeepulver in einen Filter und goss das heiße Wasser darüber. Anschließend füllte sie zwei Tassen mit Kaffee und stellte sie mit einem leisen Klirren auf den Tisch. Sie sah ihn nun direkt an. Ihre Augen verengten sich. »Ich sagte bereits, dass ich nichts mit Dr. Jackson zu tun habe. Wenn Sie sonst nichts wissen wollen, dann möchte ich Sie jetzt auffordern, mein Haus zu verlassen.«

Er lächelte und schüttelte den Kopf, ehe er einen Schluck Kaffee nahm. Ein unangenehmer, bitterer Geschmack breite

104

sich in seinem Mund aus.»Das ist ein wirklich guter Kaffee«, log er. »Soweit ich weiß, gehört dieser Bungalow der Familie Conners, die mittlerweile seit fast zwanzig Jahren auf Barbados lebt, wo sie sich ein Haus gekauft haben. Seit elf Jahren bin ich auf der Suche nach Ihnen. Das muss ich Ihnen lassen, Sie wissen, wie man untertaucht.«

Rachel blickte ihn misstrauisch an, dann stand sie auf und deutete in den Flur. »Ich möchte, dass Sie jetzt augenblicklich gehen und mich nie wieder belästigen, sonst rufe ich die Polizei.«

Er grinste amüsiert, in dem Wissen, dass sie nicht die Polizei anrufen würde. Nein, sie würde niemanden anrufen.

»Sie rufen nicht die Polizei, Ms O'Neill, denn ich habe Beweise, dass Sie nicht die sind, die Sie vorgeben zu sein. Also setzen Sie sich und beantworten Sie mir meine Fragen.«

Ihre Nasenflügel bebten, als sie ihn anstarrte. Widerwillig setzte sie sich und verschränkte die Arme vor der Brust. Etwas Undefinierbares lag in ihrem Blick. War es Angst vor ihm? Angst, enttarnt zu werden? Oder fürchtete sie etwas aus ihrer Erinnerung so sehr, dass sie deswegen ihr altes Leben so weit wie möglich hinter sich gelassen hatte. »Sie können Ihre Fragen stellen, aber ich bin fertig mit Ihnen.«

»Nein, wir sind noch nicht fertig. Zunächst einmal weiß ich, dass Sie Samatha O'Neill heißen.« Er holte das Foto aus der Jackentasche und legte es auf den Tisch. »Das sind Sie, neben Dr. Jackson und Mr Collins. Ich schlage vor, dass wir nun aufhören mit diesem Theater.«

Sie warf einen flüchtigen Blick auf das Foto. »Das bin ich nicht. Zugegeben, die Frau sieht mir ähnlich, aber bin nicht ich.«

Er schlug mit der Faust auf den Tisch. Die Kaffeetassen klirrten auf ihren Untertellern. So schnell wie Wut gekommen war, verflüchtigte sie sich. Er öffnete die Faust, legte die flache

105

Hand auf den Tisch und lächelte. »Bitte verzeihen Sie, manchmal folgen meine Hände den niederen Instinkten.«

Sein Ausbruch schien sie nicht zu ängstigen, auch wenn sie zusammengezuckt war.

»Nun, dann verraten Sie mir: Was bereitet Ihnen eine solche Angst, dass Sie deshalb Ihre gesamte Vergangenheit hinter sich ließen?«

Sie schnaufte und wandte den Kopf zum Fenster. »Das würden Sie nicht verstehen.«

»Ms O'Neill, ich verstehe eine Menge. Versuchen Sie es.«

»Wie haben Sie mich gefunden?«

Er schmunzelte, endlich kam er voran. »Ich muss Ihnen lassen, dass Sie wirklich gut sind. Sie haben dafür gesorgt, dass Sie nicht unter den Expeditionsmitgliedern auftauchen, weshalb Sie in keinerlei Unterlagen namentlich geführt wurden. Dennoch weiß ich, dass Dr. Jackson einen Narren an Ihnen gefressen hat, weshalb er Sie offenbar an der Expedition teilhaben ließ.«

Sie wandte den Kopf und taxierte ihn.

»Ich habe Bilder in den Archiven des ägyptischen Nationalmuseums gefunden, auf denen Sie abgelichtet wurden, immer an der Seite von Dr. Jackson. Was waren Sie? Seine Geliebte, sein Zeitvertreib in Übersee und im Gegenzug hat er Sie Archäologin spielen lassen?«

Die Ohrfeige traf ihn so überraschend, dass er für einen Moment sprachlos war.

Wütend blickte sie ihn an. »Sie wissen einen Scheiß über mich«, rief sie und stand auf. Sie ging zur Küchenzeile, stützte sich auf die Arbeitsplatte und starrte nach draußen.

Er rieb sich die brennende Wange. »Sie haben recht, ihre Akte sagt etwas anderes über Sie.«

Sie schwieg.

106

»Na schön, dann erzähle ich Ihnen, was darin steht. Samatha O'Neill, Geburtsname Antoniou, geboren in Kalamata in Griechenland, Tochter eines Möbelhändlers und einer Hotelfachfrau. Als Ihre Mutter einen Job in London erhielt, zogen Sie um, als sie sieben Jahre alt waren. Ihre Eltern starben bei einem Kreuzfahrtunglück, als sie zu ihrem Hochzeittag eine Reise durchs Mittelmeer machten. Das Schiff war auf ein Riff aufgelaufen und kenterte, was ein Versagen des Kapitäns war. Die Leichen Ihrer Eltern hat man erst sechs Wochen später aus dem Meer fischen können. Da waren Sie dreizehn. Sie kamen in eine Pflegefamilie, wo sie es gerade einmal sechs Monate aushielten und mehrmals abhauten. Anschließend haben Sie bis zu Ihrem achtzehnten Geburtstag in einem Pflegeheim gewohnt. Sie sind vorbestraft nach Jugendstrafrecht wegen Drogenbesitzes und Körperverletzung. Dennoch scheinen Sie nicht auf den Kopf gefallen zu sein, denn Ihren Schulabschluss haben Sie mit Bravour bestanden. Danach haben Sie an einer staatlichen Uni ihren Bachelor-Abschluss in Linguistik und Psychologie gemacht. Gearbeitet haben Sie allerdings nie in einem dieser Felder. Sie heirateten mit zweiundzwanzig den US-Soldaten, Jack O'Neill und zogen in die Staaten. Die Ehe blieb kinderlos und nach einem Jahr wurden Sie wieder geschieden.«

»Na, dann wissen Sie ja alles über mein Leben.«

»Das war der einfache Teil. Das was jetzt kommt, war wirklich nicht einfach herauszufinden und hat mich viel Zeit und einige Gefallen gekostet.«

Sie drehte sich um, lehnte sich mit dem Gesäß gegen die Küchenzeile und verschränkte die Arme. »Jetzt bin ich gespannt.«

»Sie hatten eine Vorliebe für Archäologie und kostbare Artefakte entwickelt, daher beschlossen Sie, einen Abendkurs in Archäologie zu belegen, und zwar in Harvard. Als ich das herausgefunden hatte, kam ich ins Grübeln, denn allein hätten Sie die finanziellen Mittel nicht aufbringen können und ein Stipendium wurde Ihnen verwehrt. Als mir klar wurde, dass Dr. Jackson dort mehrere Gastvorträge gehalten hatte, zählte ich eins und eins zusammen. Während Ihre Eltern auf Kreuzfahrt waren, lebten Sie bei dem Großindustriellen William Fox und seiner Frau.« Er hob den Finger. »Jetzt kommt das wirklich Interessante. Fox ist ein Liebhaber der antiken Hochkulturen und bekennender Sammler, was erklärt, warum Sie sich für Archäologie interessieren. Fox muss Sie über Jahre hinweg mit seinem Wissen gefüttert und Ihnen alles beigebracht haben, was er wusste. Nebenbei steuerte Fox einen erheblichen Teil der finanziellen Mittel für die Expedition von Dr. Richard Jackson bei.«

Sie zuckte mit den Schultern. »Und?«

Er grinste süffisant. »Bitte entschuldigen Sie meine vorangegangene Bemerkung über die Verbindung zwischen Ihnen und Dr. Jackson, das entspricht nicht der Wahrheit. Denn was wirklich dahintersteckt, ist weitaus durchtriebener, als es scheint. Fox hat Ihnen das Studium in Harvard nicht aus Großzügigkeit finanziert, sondern er hat Sie benutzt, um herauszufinden, wie Dr. Jackson mit seiner Forschung vorankam. Offenbar glaubte Fox, dass Jackson etwas Großem auf der Spur war. Jackson muss sie gemocht und ihnen angeboten haben, ihn nach Ägypten zu begleiten.«

»Vielleicht war es so, aber das beantwortet nicht meine Frage, wie Sie mich gefunden haben.«

»Dazu komme ich jetzt. Als ich vor Jahren Mrs Jackson besuchte, fand ich dieses Foto bei ihr auf dem Kaminsims. Damals sagte sie mir, dass sie Sie nicht kannte, mittlerweile glaube ich, dass sie mich angelogen hat.« Er tippte auf das Bild auf dem Tisch. »Sehen Sie auf der Rückseite.« Er drehte es herum und deutete auf einen verblassten, kaum sichtbaren Stempel in der oberen Ecke. »Dies ist ein persönlicher Absenderstempel, zumindest das, was übrig ist. Der größte Teil muss auf der entfernten Briefmarke gewesen sein. Aber man kann gerade noch ›Harv‹ erkennen, wie der Anfang von Harvard. Davor sind Initialen zu sehen. G. C. Was für Greg Conners steht, einem Archäologieprofessor, der damals in Harvard gelehrt hat. Er muss beschlossen haben, die Karte Mrs Jackson als Andenken in einem Umschlag zu schicken, daher hat er die Briefmarke wieder von der Rückseite des Fotos entfernt.

Conners war es auch, der seinen guten Freund Jackson davon überzeugt hatte, an der Uni mehrere Vorträge zu halten, wie ich bei meinem Besuch in Harvard erfahren habe. Dort teilte man mir auch mit, dass die Familie Conners immer noch ein Haus hier in Rising Sun hat, obwohl sie schon lange nicht mehr in den USA leben.

Ich wäre auch schon früher gekommen, doch es hat mich viel Zeit gekostet, das alles herauszufinden.«

»Nun sind wir hier, was machen wir mit der Erkenntnis jetzt?«, fragte sie herausfordernd.

»Ich möchte wissen, was Sie in diesem Tempel gefunden haben, vor dessen Eingang dieses Foto entstanden ist, und warum Sie sich hier verkriechen. Es kann nicht nur wegen ihrem Wohltäter Fox sein, der rasend vor Wut gewesen sein musste, als seine Investition plötzlich wie vom Erdboden verschluckt war. Ich weiß, dass Sie der Regierung ein Video zukommen ließen. Ich will wissen, was darauf war, es muss die verschwundene Aufnahme aus dem Inneren des Tempels sein, die, die zeigt, was Sie in der Kammer gefunden haben. Streiten Sie die Existenz nicht ab, das Video kann nur von Ihnen kommen.«

109

»So, wie kommen Sie darauf?« Sie setzte sich. Plötzlich wirkte sie selbstsicher, als würde sie wittern, dass sich das Blatt zu ihren Gunsten wenden könnte.

»Ich habe Beziehungen und es war möglich, die IP-Adresse des Rechners zurückzuverfolgen. Sie haben sich in einem Fastfood-Restaurant ins Wifi eingeloggt, circa zwanzig Kilometer entfernt von hier. Den Laptop haben Sie wahrscheinlich schlauerweise nicht mehr. Also, was war auf dem Video?«

»Warum sollte ich Ihnen das sagen? Sie wollen etwas von mir, also sollten sie mir eine Gegenleistung bieten.«

Er lächelte und deutete mit dem Zeigefinger auf sie. »Sie gefallen mir, Samatha. Okay, dann handeln wir. Ich kann Ihnen helfen, Dr. Jacksons Arbeit fortzuführen. Vor allem kann ich Ihnen helfen, wirklich zu verschwinden, sodass Fox und alle anderen Sie nicht mehr finden können. Ich habe Mittel und Wege, die Ihnen ein neues Leben ermöglichen, am Strand einer schicken Insel oder in den Bergen, an einem See, egal, was Sie wollen.«

»Wie kommen Sie darauf, dass ich das will?«

»Ganz einfach, als ich Fox' Namen erwähnt habe, sind Sie zusammengezuckt, vielleicht nicht bewusst, aber sichtbar für mich. Die Tatsache, dass Sie das Video an die Regierung geschickt haben, lässt darauf schließen, dass Sie wollen, dass man nach Jackson und dem Team sucht. Sie wollen, dass aufgedeckt wird, was dort geschehen ist. Dass Sie nicht Fox um Hilfe gebeten haben, lässt mich zu dem Schluss kommen, dass Sie mit ihm gebrochen haben, vielleicht, nachdem Sie herausgefunden hatten, dass er Sie nur als Werkzeug benutzt hat. Dass Sie untertauchen wollen, liegt auf der Hand, wenn man das Kaff hier betrachtet. Allerdings war es keine gute Idee, das Video an die Regierung zu schicken, denn die werden das nun als Geheimsache deklarieren. Also bin ich Ihre beste Chance, Antworten zu finden.«

»Interessante Theorien ... Und wenn Sie falsch liegen mit allem?«

»Jetzt werden Sie unhöflich, aber Sie können es nicht wissen. Ich bin verdammt gut in meinem Job und bis jetzt haben mich meine Instinkte noch nie im Stich gelassen.«

»Wer waren Sie noch gleich und für wen arbeiten Sie?«

»Wenn Sie einen Namen möchten, können Sie mich Mr Hunt nennen. Ich arbeite für einen anonymen Auftraggeber, der sehr an der Geschichte des Alten Ägyptens interessiert ist, aber vor allem glaubt er an Dr. Jacksons Arbeit. Also kommen wir ins Geschäft?«

»Wieso fragen Sie nicht seinen Sohn, Samuel Jackson, ob er Ihnen hilft? Er hat sogar einige Bücher über die Arbeit seines Vaters geschrieben.«

Er lächelte, es war jedoch nicht freundlich gemeint, die Ungeduld war wieder da. »Samuel Jackson wird uns noch helfen, doch brauche ich zunächst Ihre Unterstützung. Also?« Er streckte ihr die Hand entgegen, die sie einen Augenblick anstarrte.

Bevor sie danach greifen konnte, vibrierte sein Handy in der Innentasche seiner Jacke. Er zog seine Hand zurück, holte das Handy hervor und blickte auf das Display. Verdammt, ausgerechnet jetzt. Er stand auf. »Bitte entschuldigen Sie, da muss ich dran, überlegen Sie sich mein Angebot, ich garantiere Ihnen, dass Sie es nicht bereuen werden, denn es steckt mehr hinter allem, als Sie glauben.«

Im Flur nahm er das Gespräch an, während er durch das Fenster der Hintertür in den Garten blickte. »Sir?« - »Ich gehe einigen Hinweisen nach.« - »Auf dem Schwarzmarkt? Gibt es schon Interessenten?« - » Ich verstehe, wann und wo?« - »Ich kümmere mich darum. Gibt es eine Lieferung?« - »Verstanden, ich hole sie ab.«

Als er die kühle Schneide an seiner Kehle spürte, hatte sein Gesprächspartner bereits aufgelegt und aus der Hörmuschel drang Rauschen in sein Ohr. Er wusste, dass ihm ein Messer an die Halsschlagader gedrückt wurde, schließlich war das nicht das erste Mal, dass er in einer solchen Situation steckte.

»Ms O'Neill, wie ich sehe, haben Sie sich entschieden. Doch Sie sollten bedenken, wenn Sie jetzt Ihre einzige Chance verstreichen lassen, werden Sie nie erfahren, was Sie und Dr. Jackson wirklich in diesem Tempel gefunden haben.«

»Sie wissen gar nichts. Ich will wissen, wer Sie sind, und denken Sie nicht daran, mich zu entwaffnen. Sie haben bestimmt bei Ihren Recherchen herausgefunden, dass ich Jiu Jitsu und Ninjutus ausgebildet bin. Glauben Sie mir ich bin eine sehr gute Kämpferin.«

»Das ist mir bewusst. Sollen wir uns nicht wieder an den Tisch setzen und uns ohne eine Waffe an meiner Kehle unterhalten?«

»Ich denke, Sie sollten genau jetzt anfangen, mir zu erzählen, was Sie wissen. Denn Sie sind zu mir gekommen und brauchen meine Hilfe. Wehe, Sie kommen mir jetzt mit irgendeiner hirnverbrannten Ausrede.«

»Okay, ich erzähle es Ihnen. In meiner Jackentasche finden Sie meine Marke. Ich bin vom General Intelligence Service, die ägyptische Regierung schickt mich, um herauszufinden, was die Amerikaner wissen.«

Mit der freien Hand fasste sie um seinen Bauch und holte die Marke heraus. »Sie sind vom ägyptischen Geheimdienst? Sind Sie ein Spion?«

»Ich bin Agent der ägyptischen Regierung. Ich habe den Auftrag, herauszufinden, was damals vorgefallen ist, was es mit diesem Monolithen auf sich hat, den Sie in der Kammer gefunden haben.«

»Müssten Sie das nicht wissen?«

»Wenn Sie das Messer herunternehmen, werde ich Ihnen erzählen, was ich weiß.«

»Setzen Sie sich.«

Das schneidende Gefühl an seinem Hals ließ nach. Er ging zum Tisch und setzte sich auf den Stuhl. Rachel blieb im Durchgang zum Flur stehen, das Messer fest im Griff.

»Zunächst einmal bin ich kein Spion, sondern mit der Erlaubnis der US-Regierung hier. Dafür, dass der GIS eigene Ermittlungen anstellen darf, hat die ägyptische Regierung den USA zugesichert, dass diese die Leitung über die Ausgrabungsstätte haben. Mit der Bedingung, dass alle Informationen geteilt werden.«

»Und das glaubt Ihre Regierung?«

Er rieb sich den Hals und lächelte. »Sehen Sie, das Abkommen wurde zu einer Zeit abgeschlossen, in dem mein Land andere Probleme hatte und gegen eine gewisse Summe war die damalige Regierung einverstanden. Nun hat sich das geändert und deswegen bin ich bei Ihnen. Weil die aktuelle Regierung der Meinung ist, dass die US-Regierung ihnen wichtige Erkenntnisse vorenthalten hat, zudem haben sie drei Gegenstände aus der Kammer entfernt.«

»Sie sehen gar nicht aus ...«

»Wie ein Ägypter? Jetzt werden Sie nicht rassistisch. Man muss nicht arabisch aussehen, um dort geboren zu sein.«

»Und Sie glauben, dass ich weiß, was in der Kammer war? Müsste Ihre Regierung nicht wissen, was aus Ihrem Land entfernt wird, wenn es sich dabei auch noch um Artefakte handelt?«

»Es verschwinden mehr Kostbarkeiten aus meinem Land, als Sie glauben. Die meisten Menschen sind arm und sagen nicht nein, wenn ihnen Geld für alte Relikte geboten wird, wenn sie dafür nur wegschauen müssen.«

»Und warum interessiert sich der GIS für diese Ausgrabungsstätte?«

»Weil wir wissen, dass einige der dort gefunden Artefakte während des Arabischen Frühlings gestohlen wurden, und meine Regierung die Befürchtung hat, dass diese alle zu einer Technologie gehören, die fortschrittlicher ist, als alles, was wir bisher kennen. Ich habe gerade einen Anruf erhalten, dass in drei Tagen ein Schwarzmarktgeschäft stattfinden soll, wo diese Artefakte zum Kauf angeboten werden sollen. Und dreimal dürfen Sie raten, wer sich dafür interessiert.«

»Die US-Regierung?«

»Bingo, zusammen mit Dr. Samuel Jackson. Solange wir nicht wissen, was diese Säule in der Kammer für eine Funktion hat, stuft meine Regierung sie als potenzielle Bedrohung ein und wir müssen vom Schlimmsten ausgehen. Falls es eine Waffe ist, könnten feindliche Gruppen damit Terroranschläge verüben und das nicht nur auf mein Land, sondern weltweit.«

»Wieso übernehmen Sie dann nicht die Leitung der Ausgrabungsstätte? Und fordern die entwendeten Artefakte zurück?«

Er lachte. »Wenn das so einfach wäre, dann hätten wir uns nicht kennengelernt. Politik ist ein seltsames Geschäft, voller Misstrauen, Intrigen und Täuschungen, aber vor allem geht es um Macht. Also, ich bitte Sie, nachdem ich meine Karten auf den Tisch gelegt habe, dass Sie mir und meiner Regierung helfen.«

Sie blickte ihn misstrauisch an, aber der Zorn war aus ihren Augen verschwunden, als sie sich zu ihm an den Tisch setzte.

»Was in der Kammer passiert ist, kann ich Ihnen nicht wirklich erklären, da ich es nicht verstehe. Ich sehe beinahe jede Nacht die angsterfüllten Gesichter, höre die Schreie der anderen, sie fegen durch meinen Geist wie ein alles umhüllender Sandsturm. Es war grauenhaft. Dr. Jackson war sich sicher, dass wir das Portal zu den Göttern gefunden haben. Er war der Überzeugung, dass die Ägypter an diesem Ort Kontakt aufnehmen und Auserwählte von dort in die Heilige Stadt gelangen konnten. Als wir die Kammer untersuchten, fanden wir drei seltsame Leichen, die keiner menschlichen Körperform glichen. Ehe wir verstanden, was wir gefunden hatten, fasste ein junger Wissenschaftler die Steinsäule an und diese erwachte plötzlich zum Leben. Ich weiß, dass es keine Götter oder Ähnliches gibt. Aber Fakt ist, dass irgendetwas auf Taylor reagiert hat, und die Säule leuchtete grell auf. Als ich wieder etwas sehen konnte, war Taylor verschwunden, und Dutzende Mitglieder des Teams waren tot oder hatten Verbrennungen erlitten.«

»Wo war Dr. Jackson? Meines Wissens wurden keine Leichen gefunden oder auch nur eine Spur Ihres Teams.«

»Das weiß ich nicht, auch er war verschwunden. Entweder hat ihn das gleiche Schicksal wie Taylor ereilt, oder er ist geflohen, was ich mir nicht vorstellen konnte. Ich habe Panik bekommen und bin mit der Kamera in der Hand geflohen. Ich wollte nur noch so weit wie möglich weg von diesem Ort. Was mit den anderen geschehen ist, weiß ich nicht.«

»Danach haben Sie eine neue Identität angenommen und sich hier niedergelassen.«

Sie nickte.

»Diese Wesen, die das Team gefunden hat, waren mit Bestimmtheit keine Statuen aus Stein?«

»Keine Ahnung, so genau konnte ich sie mir nicht anschauen. Ich habe sehr lange mit mir gekämpft, ob ich das Band vernichten oder jemandem geben sollte, der damit etwas anfangen kann. Vor einer Woche bin ich nachts vor dem Fernseher eingeschlafen und als ich aufwachte, lief ein TV-

Spot für Dr. Samuel Jacksons neues Buch. Dabei wurde ein kurzer Ausschnitt eines Vortrags von ihm eingeblendet. Er sprach über Theorien, die auch sein Vater mir gegenüber oft geäußert hatte. Also fasste ich den Schluss und schickte das Band an die DARPA.«

»Wieso ausgerechnet an die DARPA und nicht ans FBI?«

»Weil die für Technologie sind. Ich bin mir sicher, dass da in der Kammer eine Technologie verborgen ist, die nicht von Menschen erbaut wurde.«

Er lehnte sich auf den Tisch. »Dann helfen Sie mir jetzt, das Geheimnis zu entschlüsseln. Tun Sie es für Ihr Team, für Dr. Jackson. Wir müssen herausfinden, was es ist, bevor es jemand für etwas einsetzt, das Menschen schadet.«

»Wie kann ich Ihnen helfen? Sie wissen jetzt alles.«

»Begleiten Sie mich nach Ägypten, helfen Sie mir die Artefakte zu identifizieren und herauszufinden, in welcher Verbindung sie zu der Säule stehen. Ich werde Ihnen im Gegenzug helfen, herauszufinden, was mit Dr. Jackson passiert ist.«

Sie senkte den Blick. »Ich habe mir geschworen, nie wieder in dieses Land zurückzukehren.«

»Manchmal hilft es, sich seinen Ängsten zu stellen.«

Sie lachte gequält. »Sind Sie jetzt der Psychologe, oder bin ich es? Aber Sie haben recht, vielleicht ist es Zeit für eine Veränderung. Wann brechen wir auf?«

»Gleich morgen früh, ich werde Sie um acht Uhr abholen.«

Sie nickte, während er aufstand und zufrieden das Haus verließ.

116

Ruf aus der Dunkelheit

Dienstag, 24. April 2029, Landezone Starship HLS, ca. 12 Kilometer südsüdöstlich vom Shackleton-Krater

Johanna stand auf der leblosen grauen Oberfläche des Mondes. Über ihr spannte sich der endlose schwarze Himmel, durchbrochen von den kalten funkelnden Sternen. Das Starship ragte hinter ihr wie ein Obelisk in den Himmel, die weiße Oberfläche wirkte in dem harschen Licht der Sonne seltsam gedämpft.

Links von ihr am Horizont sah sie das grelle Sonnenlicht, das beinahe senkrecht über die zerklüftete Mondoberfläche flackernd zwischen zwei mächtigen Kratergebirgen durchschien. Lange Schatten, die Kälte weit unter dem Gefrierpunkt mit sich brachten, streckten sich ihr entgegen. Der feine Regolithstaub funkelte im Sonnenlicht vor ihren Füßen.

Irgendetwas stimmte nicht. Chris war nirgends zu sehen. Der Rover stand verlassen neben ihr. Sie bemerkte, dass ihre Handflächen angefangen hatten zu schwitzen. Ein unbestimmtes, aber starkes flaues Gefühl im Magen durchfuhr sie, als sie plötzlich eine Stimme vernahm. Diese schien nicht aus den Lautsprechern ihres Helms zukommen.

Es war wie ein Flüstern, tief in ihrem Inneren, undeutlich, aber unerbittlich. Es rief sie, zog an ihr wie eine unsichtbare

117

Hand. Sie versuchte, den Ursprung der Stimme zu finden, aber alles, was sie sah, war die trostlose Weite des Mondes.

Dann entdeckte sie die Gestalt.

Weit entfernt stieg etwas aus dem Schatten des -Nethron-Kraters. Eine kleine, einsame Figur, kaum mehr als ein weißer Fleck. Sie erkannte die Umrisse eines Raumanzuges. Die Gestalt bewegte sich schwerfällig, als ob sie gegen eine unsichtbare Barriere ankämpfte, und blieb schließlich auf dem zackigen Rücken des Kraterwalls stehen.

Johannas Herzschlag beschleunigte sich. Ihr Atem ging schneller, flacher, als die Gestalt sich in ihre Richtung zu wenden schien.

»Chris?«, rief sie, ihre Stimme klang verzerrt und fern. »Was machst du da?«

Die Gestalt verharrte reglos, als wäre sie in die Landschaft eingemeißelt. Dann, ohne Vorwarnung, drehte sie sich um und verschwand hinter dem Felswall, verschluckt von der Dunkelheit des Kraters.

»Chris, nein, nicht!«, schrie sie und lief los – doch es war, als würde sie durch Wasser waten. Plötzlich verlor sie das Gleichgewicht, stolperte – prallte hart auf den Boden, wurde ein Stück weit geschleudert, bis sie schließlich eine Kante eines Felsbrockens mit einem Bein traf. Ihr Körper geriet ins Trudeln, dadurch veränderte sich der Winkel ihrer Flugbahn. Es schien, als würde sie eine unsichtbare Kraft wie an einer Schnur hinfortzerren, viel zu schnell, als es hätte möglich sein können.

Ihr Blick flackerte wild umher, während sie sich drehte. Die karge Oberfläche des Mondes schien sich unter ihr zu entfernen. Johanna ruderte verzweifelt mit den Armen, versuchte, ihre Bewegung zu kontrollieren, aber es war zwecklos. Krampfhaft versuchte sie sich irgendwo festzuhalten, als sie feststellte, dass sie sich dem Rand des

Kraters näherte. Sie war in Gefahr, darüber hinauszufliegen und im schlimmsten Fall ins All abzudriften.

Als sie endlich nahe genug war, um den Kraterrand unter sich zu erkennen, traf sie die schreckliche Erkenntnis: Sie war zu weit vom Boden entfernt, um sich noch irgendwo festzuhalten. Es war zwecklos, die schroffen Felsen waren bereits unerreichbar für sie. Ihr Herz raste, sie bekam kaum Luft, ihre Brust war wie zugeschnürt, als die Angst sie beinah lähmte, hier draußen allein zu sterben, in die Tiefen der schwarzen Leere zu treiben und am Ende elendig zu ersticken, durchfuhr sie.

Johannas Herz raste, als sie sich mittig über dem Krater befand, der sich wie ein lauernder Schlund unter ihr ausbreitete. Sie konnte einen Teil der Erde erkennen, die Sonne, die Sterne – sie alle schienen sich in diesem Moment zu drehen, ein Taumel, der ihren Magen sich umdrehen ließ.

Ohne dass sie wusste, was geschah, schien irgendetwas ihren trudelnden Flug abzubremsen und ihn so weit zu verlangsamen, dass sie zum Stillstand kam.

Unter ihr bemerkte sie einen winzigen weißen Punkt, der langsam den Hang des Kraters hinunterglitt und schließlich von der Dunkelheit verschluckt wurde. Ihre Kehle war wie staub trocken, sie konnte nicht einmal flüstern, geschweige denn schreien.

Unvermittelt begann unter ihren Füßen in der Dunkelheit ein schwaches grünliches Leuchten zu glimmen, das rasch an Intensität gewann. Das Licht breitete sich aus und schien die ganze Umgebung zu verschlingen. Johanna wurde umgedreht, sodass sie kopfüber über dem Abgrund hing. Eine Kakophonie aus tausend Stimmen überflutete sie, als das Licht schließlich so stark wurde, dass es sie blendete. Etwas zog sie unaufhaltsam in die Tiefe, ein brennendes Verlangen erfüllte sie, ein unstillbarer Drang, in das Licht hinabzugleiten.

Die Welt um Johanna herum zerfiel, ein scheinbar unendlicher Sturz, der ihren Geist in den Wahnsinn treiben wollte. Alles um sie herum rückte in weite Ferne, ihre Angst war weg, als hätte sie jemand aus ihrem Befinden gelöscht. Sie schrie stumm in die Leere, als sie unaufhaltsam in die Tiefe gezogen wurde. Es war ein Instinkt, sie musste die Augen so sehr zusammenpressen, dass sie nur noch ein Flimmern erkennen konnte. Sie hatte das Gefühl in einer rasenden Achterbahn zu sitzen aus der sie nur noch aussteigen wollte.

Endlich schaffte sie es die Augen aufzureißen. Ihr Herz schlug so heftig, dass ihre Brust schmerzte. Einen Augenblick brauchte sie, um zu realisieren, dass sie keuchend in ihrem Schlafsack hing. Erst leise, dann lauter wahrnehmbar drang das Geräusch des Lebenserhaltungssystems im Starship wieder an ihre Ohren, monoton und beruhigend. Es war vorbei. Ein Traum. Sie war zurück im Habitat, in Sicherheit, und doch raste ihr Herz. Es hatte sich so real angefüllt, sie hatte es gespürt geglaubt, dass sie tatsächlich in die Finsternis des Kraters gestürzt wäre, angelockt von diesem Licht wie ein Insekt.

Sie atmete tief ein und versuchte, ihren Puls zu beruhigen, während sie sich vorsichtig aus dem Schlafsack befreite. Der Traum hing noch immer wie eine dunkle Wolke über ihr, doch sie zwang sich, ihn beiseitezuschieben.

Chris saß am Tisch, sein Gesicht war ins bläuliche Licht des Tablets getaucht. Als er ihren Blick bemerkte, sah er auf und nickte ihr zu.

»Morgen.« Seine Stimme war gefasst, doch Johanna konnte einen Hauch von Müdigkeit in seinen Augen erkennen.

»Morgen.« Ihre Stimme klang rau von der trockenen Luft im Habitat. »Gut geschlafen?«

Chris zuckte mit den Schultern und nahm einen Schluck aus seinem Trinkbeutel. »So gut man eben schlafen kann, wenn man weiß, dass man auf dem Mond ist.«

Johanna nickte langsam.

»Alles okay?«

Sie zwang sich zu einem Lächeln. »Ja, alles gut. Nur ... merkwürdige Träume.«

Chris nickte verständnisvoll, ohne weiter nachzufragen. Auf dem Mond zu sein, konnte einem den Schlaf rauben. Die ständige Anspannung, die fremde Umgebung, das Wissen, dass sie hier draußen allein waren – das alles setzte einem zu. Aber es war mehr als das. Der Traum hatte eine Unmittelbarkeit gehabt, die sie beunruhigte. Trotzdem musste sie sich zusammenreißen; sie hatten eine Mission zu erfüllen.

Irgendetwas an diesem Traum ließ sie nicht los, sosehr sie es auch wollte. Etwas war dort draußen, etwas, das versuchte, zu ihr zu sprechen.

Sie rieb sich das Gesicht und gähnte, in der Hoffnung, dass ihr Gehirn auf andere Gedanken kam. Sie hatten viel Arbeit vor sich.

Sie ging zum Vorratsschrank und suchte sich ihr Frühstück zusammen. Ein Proteinriegel und ein Beutel rehydrierter Kaffee – das typische Astronautenfrühstück. Sie setzte sich zu Chris an den Tisch und öffnete die knisternde Verpackung des Riegels. Sie biss ein Stück ab und kaute, während sie ihn musterte.

»Heute steht der Kraterrand auf dem Programm«, sagte Chris, ohne den Blick vom Bildschirm zu nehmen. Seine Stimme klang ruhig, beinahe monoton, doch etwas an seiner Art schien verändert. Es war subtil, aber sie spürte eine Distanz, die gestern noch nicht da gewesen war.

»Das wird ein langer Tag«, antwortete sie ausweichend.

Chris nickte, nahm einen weiteren Schluck Kaffee und schloss eine Reihe von Fenstern auf dem Bildschirm. »Wir sollten sicherstellen, dass die Instrumente vollständig kalibriert sind, bevor wir losfahren. Der Nethron-Krater ist nicht gerade ein freundlicher Ort.« Etwas an seiner Stimme ließ sie innehalten. War es Nervosität? Sie konnte es nicht genau sagen, aber es nagte an ihr.

»Alles klar, dann sollten wir das Starship vorbereiten und den Rover beladen«, sagte sie schließlich und biss erneut in ihren Riegel.

Sie beendeten ihr Frühstück schweigend, danach nahmen die Routinearbeiten ihre Aufmerksamkeit in Anspruch. Aber Johannas Gedanken kehrten immer wieder zu diesem unbestimmten Gefühl zurück – dem Gefühl, dass sie beobachtet wurden. Dass etwas am Kraterrand auf sie wartete.

Chris und Johanna arbeiteten im Cockpit des Starships die Checklisten ab.

Paul und Ralf hatten bereits ihre morgendlichen Grüße von der Orion übermittelt. Auch sie begannen mit ihrer Arbeit.

»Houston, hier ist Artemis. Wir sind bereit, mit den Vorbereitungen für den Außeneinsatz zu starten«, funkte Chris, als er die letzten Diagnosen durchführte.

»Verstanden, Artemis. Die Orion und wir überwachen euch«, kam die Antwort aus Houston. Die Verbindung zur Erde und zur Orion war stabil und das beruhigte Johanna etwas. Sie waren nicht allein, auch wenn sie so weit von der Heimat entfernt waren.

Chris öffnete die äußere Schleuse und grelles Sonnenlicht flutete die kleine Nebenschleuse. Die raue graue Oberfläche des Mondes erstreckte sich vor ihnen, unberührt und still. Johanna trat unter dem Starship hervor und ließ den Blick

122

über die Ausrüstung schweifen, die ordentlich neben dem Starship lag.

Chris trat neben sie und blickte in die Ferne. »Der Kraterrand ist da drüben«, sagte er und deutete zum Horizont. »Wir haben eine Menge Arbeit vor uns.«

Johanna atmete tief durch, ihre Augen folgten Chris' Fingerzeig zu der dunklen, gezackten Rand. Die Distanz war schwer einzuschätzen; die fehlende Atmosphäre auf dem Mond sorgte für Täuschungen.

»Ja, das wird kein Spaziergang«, antwortete sie, den Blick fest auf das Ziel gerichtet.

»Gut, dass wir den Rover haben«, erwiderte Chris lächelnd. »Schalte dein Licht an, wir werden uns heute nur im Schatten der Gebirge und in dem Tal bewegen.«

Sie aktivierte über ihr Armdisplay die beiden Lampen, die rechts und links am Helm montiert waren.

Nachdem sie sich einen Moment genommen hatte, um die surreale Schönheit der Mondlandschaft in sich aufzunehmen, verlud sie gemeinsam mit Chris die wissenschaftlichen Instrumente auf den Rover.

»Hilf mir mal mit dem Seismometer«, sagte Chris. Johanna hob das schwere Gerät an und reichte es ihm, damit er es in einer der Halterungen des Rovers verankern konnte. Das Seismometer war ein zentrales Stück ihrer Ausrüstung, entscheidend, um mögliche seismische Aktivitäten oder Erschütterungen unter der Oberfläche zu messen. Bis heute gab es noch zu wenig Daten, um eindeutig zu klären, woher die Mondbeben kamen. Dazu reichten die Sensoren, die die Apollo-Astronauten installiert hatten, nicht aus. Neben ihrer inoffiziellen Mission hatten sie auch die Aufgabe, Daten über die Region zu sammeln, was für die Planung kommender Missionen entscheidend war.

Johanna überprüfte den Sitz des Bodenradars, das sie auf der gegenüberliegenden Seite des Rovers angebracht hatte. Dieses Instrument würde ihnen helfen, die Struktur des Untergrunds zu analysieren, mögliche Hohlräume oder dichte Gesteinsschichten zu erkennen.

»Radar ist auch bereit«, bestätigte sie und warf einen Blick zu Chris hinüber. »Wie sieht's mit dem Magnetometer aus?«

»Alles klar. Das Magnetometer ist sicher verstaut.«

Johanna ging um den Rover herum, um sicherzustellen, dass alle Geräte befestigt und betriebsbereit waren. Die Werkzeuge konnten nicht nur wertvolle wissenschaftliche Daten liefern, sondern auch Hinweise auf mögliche Gefahrenquellen unter der Mondoberfläche. Das war entscheidend, denn hier draußen war jeder Fehler potenziell tödlich.

»Dann sollten wir los.« Ihr Blick wanderte erneut zum Kraterrand und ein seltsames Kribbeln breitete sich in ihrem Nacken aus.

Ein leises Brummen erfüllte die Luft, als Chris den Rover startete.

»Haben wir die Lampen?«, fragte er.

»Verdammt, nein. Warte, ich hole sie«, erwiderte Johanna und sprang vom Beifahrersitz.

»Soll ich dir helfen?«

Johanna hüpfte auf zwei schwarze Kisten zu, die nahe des HLS lagen. »Nein, das schaffe ich schon, ich habe mein Leben lang Sport getrieben, um stark genug zu sein, dass ich auch ohne die Hilfe eines Mannes auskommen kann. Du weißt, dass ich im Fitnesstest deutlich besser abgeschnitten habe als du.«

»Okay, ich wollte ja nur höflich sein.«

Sie griff sich die Kisten, die nicht sonderlich schwer waren, und machte sich auf den Rückweg. »Ja, wie alle anderen Männer auch, die eine Frau sehen, und schon regt sich ihr

124

Beschützerinstinkt.« Sie drückte sich bei ihren letzten Schritten sanfter ab, um nicht gegen die Ladefläche zu prallen. Das würde ihr jetzt noch fehlen, dass sie mit zwei Kisten beladen gegen den Rover knallte und die Mission gefährdete, nachdem sie ihn belehrt hatte. Warum hatte sie das eigentlich? Chris' Frage war vielleicht gar nicht abwertend gemeint gewesen, aber warum hatte sie diese Bemerkung so schnell gereizt? Lag es an der unruhigen Nacht?

»Alles klar?«, fragte Chris, als sie auf ihren Sitz neben ihn kletterte.

»Ja, alles klar. Tut mir leid, dass ich dich so angefahren habe.«

»Schon vergessen, dann lass uns mal unseren Ausflug starten«, erwiderte er lächelnd und aktivierte die Scheinwerfer des Rovers.

Feiner Staub wirbelte auf und sank langsam wieder zu Boden, als sie über die kraterübersäte Ebene fuhren. Die Stille des Mondes wurde nur durch das leise Summen des Fahrzeugs und das Rauschen ihres eigenen Atems im Helm durchbrochen.

»Houston, wir sind auf dem Weg zum Nethron-Krater«, meldete Johanna über Funk.

»Verstanden, Artemis. Behaltet die Instrumente im Auge und meldet euch, sobald ihr den Kraterrand erreicht habt.«

Johanna ließ ihren Blick über die karge, unwirtliche Landschaft schweifen. Hier draußen gab es keine Anzeichen von Leben, kein Grün, kein Wasser, nur endlose Weiten aus Gestein, Staub und schroffe Gebirgszüge. Und doch hatte dieser Ort eine eine unwiderstehliche Faszination, die sie nicht losließ.

Nach einer Weile wurden die Umrisse des Kraters klarer. Die Schatten wurden tiefer, die Kanten schärfer. Johannas Anspannung wuchs, je näher sie kamen. Da war etwas an

125

diesem Ort, das ihr ein unangenehmes flaues Gefühl im Magen bereitete, aber auch ihre Neugier weckte. Was war, wenn es mehr als ein Traum gewesen war? Wenn dort in dem Krater etwas verborgen lag, das sie auf irgendeine Weise beeinflusste?

Chris steuerte das Fahrzeug auf eine Anhöhe hinauf, die zu einer gut zweihundert Meter breiten Öffnung im Wall führte. Die flankierenden Bruchkanten des Kraterwalls ragten mehr als hundert Meter in die Höhe. Am Ende der Anhöhe öffnete sich der Nethron-Krater. Wenige Meter vom Kraterrand entfernt brachte Chris den Rover zum Stehen.

Er deaktivierte den Motor und schlagartig war die Stille allumfassend. Vor ihnen erstreckte sich eine gewaltige dunkle Senke, ein gähnender Abgrund. Die Kanten des Kratergebirges, rechts und links neben ihnen, waren steil, schroff und unregelmäßig.

Johanna atmete tief ein und versuchte, das Nagen in ihrer Brust zu ignorieren. Der Traum schien plötzlich wieder greifbar nah und für einen Moment hatte sie das Gefühl, als würde sie erneut über den Kraterrand hinwegschweben, hinab in die unbekannte Tiefe, hinab zu dem Licht ...

»Wir sind am Rand des Kraters angekommen«, meldete Chris nüchtern über Funk. Seine Stimme holte Johanna zurück in die Realität und sie schüttelte unmerklich den Kopf, um die düsteren Gedanken zu vertreiben.

»Verstanden, Artemis. Flight wünscht, dass ihr zuerst das Magnetometer und das Seismometer installiert.«

Chris stieg aus. »Verstanden, Houston.«

»Artemis, hier Orion. Na, wie ist das Wetter bei euch da unten?«, drang Pauls Stimme aus den Lautsprechern.

»Herrlicher sternenklarer Himmel, bei knapp minus hundertsechzig Grad. Johanna packt gerade den Liegestuhl aus.«

126

»Verstanden, Artemis. Ralf mixt euch die Margaritas und wir schicken sie euch per Luftpost runter.«

»Ich würde ein kühles Bier bevorzugen.«

»Sorry, Johanna, das Bier ist schon alle«, antwortete Paul lachend.

Es tat gut, etwas Unsinn zu reden, es löste die Anspannung.

»Artemis, unser Doc ist besorgt, wenn ihr die Helme öffnet, um euren Drink einzunehmen, dass ihr euch dabei einen Schnupfen holen könntet.«

»Roger, Houston, dann verschieben wir das auf später«, antwortete Chris belustigt. »Okay, fangen wir an. Ich nehme das Magnetometer, du kannst das Seismometer positionieren.«

»Mir kommt da gerade ein Gedanke«, erwiderte sie.

»Was meinst du?«

»Du erinnerst dich an das seltsame geschmolzene Gestein, das wir gestern gefunden haben?«

»Klar, was ist damit?«

»Sieh dir mal die Kanten des Gebirges an, die uns flankieren. Fällt dir etwas auf?«

Chris wandte sich den beiden Hängen abwechselnd zu. »Sehen für mich wie normale Felshänge aus. Du bist die Geologin, was siehst du?«

»Ich sehe Bruchkanten, und zwar glaube ich, das, was auch immer dafür gesorgt hat, dass der Gesteinsboden auf der Ebene verschmolzen ist, durchaus dafür verantwortlich sein könnte, dass hier dieses Loch hineingesprengt wurde.«

Chris blickte sie grinsend an. »Was meinst du damit, wenn du sagst *gesprengt*?«

»So wie es klingt. Sieh dich um, auf der gesamten Ebene liegen Felsbrocken herum, wir mussten praktisch Slalom um sie herumfahren.«

127

»Nehmen wir mal an, das stimmt, dann passt es aber nicht zu dem Bild des Kraters, das haben doch die Satellitenaufnahmen gezeigt.«

Da hatte Chris recht, das alles passte nicht zusammen, auch nicht die Tatsache, dass der Felswall des Kraters beinahe perfekt rund war. »Es ist seltsam, ich habe dafür keine Erklärung, aber mir würde spontan nur eine Ursache für das geschmolzene Gestein einfallen.«

»Und zwar?«, fragte er fordernd.

»Eine hoch energetische Strahlung«.

Chris starrte sie an und lachte. »Das ist nicht dein Ernst, du hast wohl zu viel Star Wars geschaut. Wieso sollte hier auf dem Mond jemand mit einer Laserwaffe herumballern? Die müsste riesig sein, um das hier anzurichten.«

»Ich weiß es nicht. Es kommt nicht immer auf die Größe an, viel mehr auf die kinetische Leistung. Wenn sie extrem hoch war, könnte das durchaus von einer kompakten Quelle erzeugt worden sein.«

»Wie passt da die Topografie des Gebiets hier ins Bild?«

»Meine Theorie ist, dass das, was für den Bruch des Gebirges verantwortlich ist, nicht das Objekt ist, das den Krater ursprünglich geformt hat. Es könnte durchaus sein, dass der Krater durch einen Asteroiden entstanden ist und später ein zweites Objekt hineingestürzt ist. Bevor du fragst, was das war – ich habe keine Ahnung.«

»Das klingt jedenfalls logischer als deine Laserwaffen-Theorie.«

Sie warf einen letzten Blick auf die Umgebung. All das war rätselhaft wie ein Puzzle, bei dem man gerade einmal die vier Eckfelder gefunden hatte.

»Johanna? Komm schon, wir haben noch einen Haufen Arbeit vor uns.«

»Bin schon da.« Sie ging zur Ladefläche und griff nach der Kiste mit dem Seismometer. Das Gerät war schwer und unhandlich, doch die niedrige Schwerkraft des Mondes machte es ihr leichter, es zu tragen.

Langsam bewegte sie sich auf den Rand des Kraters zu, während Chris mit dem Magnetometer auf die andere Seite des Rovers ging. Ein elektrisches Knistern lag in der Luft, das ihre Nackenhaare aufstellte.

Als sie schließlich eine geeignete Stelle gefunden hatte, kniete sie sich hin und positionierte das Seismometer. Der feine Mondstaub ließ sich nur schwer beiseiteschieben, und sie musste geduldig sein, um das Gerät stabil aufzustellen. Ihre Finger arbeiteten routiniert, aber ihre Gedanken schweiften immer wieder ab.

Was war das Licht, das sie in ihrem Traum gesehen hatte? Was bedeutete es? Und warum fühlte sie sich hier draußen so unbehaglich, als ob sie beobachtet würde?

»Wie weit bist du?«, drang Chris' Stimme in ihr Bewusstsein. Er beobachtete sie, während er das Magnetometer installierte. Die LED-Lämpchen im Inneren seines Helms erhellten sein Gesicht. Er schien besorgt zu sein, sie konnte die wenigen Falten auf seiner Stirn erkennen.

»Ja, ich bin fertig«, antwortete sie mit einem gequälten Lächeln. »Das Seismometer ist bereit.«

Sie richtete sich auf und trat einen Schritt zurück, während Chris das Magnetometer aktivierte. Die Geräte summten leise, als sie begannen, die magnetischen Felder und seismischen Aktivitäten unter der Oberfläche des Kraters zu erfassen. Der Abgrund war keinen Meter entfernt, eine dunkles Loch, so tief, dass sie den Boden nicht erkennen konnte. Ein absolutes Dunkel füllte diesen Schlutt. Sie spürte eine Angst in sich, die sie das letzte Mal gefühlt hatte, als sie vor Belize getaucht war und in den Abgrund des Great Blue Hole geblickt hatte. Tief, dunkel und kalt strahlte es eine Präsenz aus, als würde sie etwas aus der Finsternis beobachten und nur darauf lauern, dass sie hinabsteigen würde.

Chris brach das Schweigen. »Magnetometer ist aktiv. Die ersten Daten kommen rein.«

Johanna warf einen Blick auf den Bildschirm an ihrem Handgelenk. »Verstanden. Das Seismometer ist auch online. Die Werte scheinen innerhalb der Norm zu liegen, aber ich werde eine längere Aufzeichnung machen, um sicherzugehen.«

Sie stand auf und trat zurück, um das Seismometer zu fixieren. Ihr Blick wanderte unwillkürlich über den Kraterrand, wo die Schatten länger und dunkler wurden. Ein leichter Schauer lief ihr über den Rücken, doch sie schüttelte das Gefühl ab. Es war nur die Kälte des Mondes, nichts weiter.

Chris schien ihre Anspannung zu spüren. »Alles in Ordnung bei dir?«

»Ja, ich bin nur müde, denke ich.« Johanna prüfte ein letztes Mal das Seismometer, bevor sie sich wieder zu ihm gesellte.

»Ich weiß, wie du dich fühlst.« Chris sah auf den Krater, seine Stimme klang gedämpft, fast nachdenklich. »Das hier draußen ... es ist anders. Irgendwie fühlt sich alles ... schwerer an.«

»Vielleicht sind es die Erwartungen«, sagte Johanna, während sie mit Chris die Verkabelung der Geräte überprüfte. »Wir haben so lange auf diesen Moment hingearbeitet. Jetzt sind wir hier und ...«

»Und es fühlt sich seltsam leer an«, beendete Chris ihren Satz.

»Genau.« Sie wollte mehr sagen, doch eine leichte Verzerrung auf dem Bildschirm ihres Kommunikationsgeräts ließ sie innehalten. Die Daten des Magnetometers zeigten ungewöhnlich hohe Ausschläge, die keinen Sinn ergaben.

»Chris, schau dir das an.«

Er beugte sich über das Gerät und zog die Stirn in Falten. »Das ist seltsam. Die Magnetfeldstärke sollte hier viel niedriger sein. Vielleicht eine Störung?«

»Vielleicht gibt es hier unterirdische Metalle oder ...«

Bevor Chris antworten konnte, registrierte das Seismometer ein tiefes, rhythmisches Vibrieren. Es war nicht stark, aber es war da – ein konstantes, leises Pochen, das durch den Boden unter ihnen lief.

Sie erstarrte. Als würde etwas Lebendiges unter der Oberfläche pulsieren. Als ob der Mond atmen würde. Sie drehte sich zu Chris um, dessen Gesicht vor Anspannung versteinert war.

»Hast du das gehört?«, fragte sie leise.

»Ja«, antwortete Chris, seine Augen suchten ihren Blick. »Das ist nicht normal. Wir sollten –«

Doch bevor er den Satz beenden konnte, wurde das Pochen lauter und der Boden unter ihren Füßen bebte. Es war, als ob etwas aus der Tiefe des Kraters emporsteigen wollte, etwas, das seit Ewigkeiten dort unten schlummerte.

»Kann das ein Mondbeben sein?«, fragte Chris.

»Vielleicht, ich weiß es nicht. Das würde zwar die Vibrationen erklären, aber nicht die Veränderung des Magnetometers.«

Chris nickte ihr zu. »Houston, hier ist Artemis. Wir empfangen ungewöhnliche Werte sowohl vom Magnetometer als auch vom Seismometer. Könnt ihr das bestätigen?«

Es dauerte einen Moment, bevor eine Antwort kam. »Artemis, hier ist Houston. Negativ, wir können nichts Ungewöhnliches feststellen. Die Werte, die wir empfangen, sehen gut aus. Wir registrieren die schwache

131

elektromagnetische Signatur, sonst gibt es keine Auffälligkeiten, wir werden das weiter beobachten. Fahrt fort mit euren Experimenten und bleibt in der Nähe des Rovers. Flight möchte, dass ihr uns sofort informiert, wenn sich die Situation ändert.«

»Unsere Instrumente spielen verrückt. Bitte erneut bestätigen: Ihr seht keine ungewöhnlichen Werte?«, fragte Chris.

Eine eigenartige Unruhe machte sich in Johanna breit, als sie die Geräte überprüfte. Die Vibrationen des Seismometers setzten sich fort.

»Negativ, beide Werte liegen in den erwarteten Parametern«, gab Houston durch.

»Vielleicht ist es einfach nur eine tektonische Bewegung«, sagte Chris, als ob er Johannas Gedanken erraten hätte. Doch seine Stimme klang unsicher.

»Vielleicht, aber warum sieht Houston es nicht?« erwiderte Johanna leise. Sie konnte den Gedanken nicht abschütteln, dass etwas nicht stimmte.

»Orion, hier Artemis, wie sehen die Werte bei euch aus?« Wenige Sekunden vergingen, ohne dass eine Antwort kam.

»Sind sie außer Reichweite?«, fragte Johanna.

Chris blickte sie nicht an, stattdessen behielt er die Anzeigen des kleinen, in die Kiste eingebauten Bildschirms im Blick.

»Eigentlich müssten sie jetzt in Reichweite sein. Houston, wir können Orion nicht erreichen, haben wir Probleme mit der Verbindung?«

Die Sekunden zogen sich wie Kaugummi.

»Houston?«, fragte Chris nun lauter in sein Mikrofon. Keine Antwort. »Verdammt, der Funk ist tot.«

»Was machen wir jetzt?«, fragte Johanna.

132

Chris zögerte einen Moment. »Wir machen weiter. Es könnte nur eine temporäre Störung sein. Wir können jetzt nicht einfach aufhören, wir haben eine Mission zu erledigen. Wir sammeln alle Daten, die wir bekommen können. Hohl das Bodenradar, vielleicht erhalten wir so mehr Informationen.«

Johanna war nicht begeistert, doch sie stimmte zu. Sie wusste ebenso wie Chris, wie wichtig ihre Mission war. Auch wenn das Pochen unter ihren Füßen sie beunruhigte, arbeiteten sie schweigend weiter.

Während sie das Bodenradar auf einer ebenen Fläche in der Nähe des Kraterrands positionierte, versuchte sie, das Flüstern im Hinterkopf zu ignorieren. Aber es war hartnäckig und wollte nicht verstummen.

»Chris, ich stelle das Radar hier auf.«

»Verstanden.« Er klang abwesend, als ob seine Gedanken woanders waren.

Chris stand still am Rand des Kraters und blickte in die Tiefe. Sein Gesichtsausdruck war seltsam leer. Hatte er etwas gesehen?

»Chris? Was ist los?« Ihre Stimme klang lauter, als sie beabsichtigt hatte.

Er reagierte nicht sofort, dann schüttelte er leicht den Kopf, als würde er aus einem Traum erwachen. »Ja ... ja, alles gut. Ich habe nur nachgedacht.«

Johanna wandte sich wieder dem Radar zu, aber das Unbehagen ließ sie nicht los. Sie aktivierte die Systeme und beobachtete die Daten auf ihrem Display. Es schien keine Auffälligkeiten im Gestein zu geben, in direkter Umgebung gab es keine Hohlräume oder Lavaröhren. Der Untergrund bestand aus einem leukokraten plutonischen Gestein, das auch auf der Erde vorkam. Es hieß Anorthosit und machte einen Großteil der Mondkruste aus.

133

Chris kehrte mehrmals zum Rand des Kraters zurück – es war, als ob der Krater ihn rief, eine stumme Einladung, die er nicht ignorieren konnte.

»Chris, wir sollten uns auf die Arbeit konzentrieren«, sagte Johanna, als sie neben ihm am Kraterrand zum Stehen kam.

»Ja, das sollten wir«, flüsterte er.

Für einen Moment standen sie still nebeneinander und blickten in die Tiefe. Bis Johanna etwas wahrnahm, irgendetwas Schnelles. Ein vorbeihuschender Schatten im dichten Nebel, nicht greifbar und dennoch so präsent, dass ihre Instinkte Alarm schlugen.

»Chris ... hast du das gesehen?«

Er blickte auf, schüttelte den Kopf. »Was meinst du?«

» Ich weiß nicht, es war wie ein Schatten. Vielleicht war es auch nichts.« Sie versuchte, ihre Stimme ruhig zu halten, doch ihre Worte klangen hohl.

»Chris?«, fragte sie, doch er reagierte nicht. Sekunden vergingen, in denen er nur dort stand, unbeweglich, auf die Dunkelheit des Kraters starrend.

»Was hast du? Hast du doch etwas gesehen?«

Langsam drehte er sich zu ihr, in seinen Augen lag ein Ausdruck, den sie nicht deuten konnte – eine Mischung aus Verwirrung, Angst und einem anderen, undefinierbaren Gefühl, das begann sie für einen Augenblick lähmte.

»Es ... es ist nichts. Lass uns weitermachen.«

»Chris, hör doch, das Pochen, es ist verschwunden«, stellte sie fest, als sie auf halbem Weg zum Seismometer stehen blieb.

»Ja, die Anzeigen sind wieder normal, auch das Magnetometer ist unauffällig.«

»Artemis, könnt ihr uns hören? Artemis, bitte kommen.«

Johanna atmete auf, als sie Tims Stimme aus den Lautsprechern vernahm.

134

»Houston, hier Artemis, wir dachten, wir müssten die ganze Arbeit allein erledigen«, scherzte Chris. Er wirkte wieder mehr wie er selbst, seitdem die Anomalien nachgelassen hatten.

»Schön, von euch zu hören, es gibt offenbar Probleme mit der Funkverbindung. Ist alles klar bei euch?«

»Ja, alles bestens, anscheinend hatten unsere Geräte einige Fehlfunktionen. Sie arbeiten jetzt normal und die Werte sind in den erwarteten Bereichen.«

Johanna blickte Chris entsetzt an, es schmeckte ihr gar nicht, was Chris gerade tat.

»Roger. Dann packt zusammen und macht euch auf den Heimweg. Wir registrieren erhöhte Energiewerte eurer Anzüge. Flight möchte, dass ihr sie einer Diagnose unterzieht.«

»Roger, Houston, wir machen uns auf den Weg.«

»Hier Orion. Chris, Johanna? Alles klar bei euch?«

»Orion, hier Artemis, alles klar bei uns, Paul. Wir machen uns jetzt auf den Rückweg.« Während Chris sprach, kam er auf sie zu. Er legte eine Hand auf ihre Schulter. »Es ist okay. Der Stress kann uns Streiche spielen. Wir werden morgen in den Krater hinabsteigen, aber für heute kümmern wir uns um die Analyse der Daten, sobald wir im HLS sind.«

Er schien wie ausgewechselt zu sein.

Auf der Rückfahrt zum Starship schwiegen sie. Johanna wusste nicht, was sie sagen sollte. Was ging hier nur vor? Das alles wirkte wie in einem bizarren Tagtraum, in dem man nicht mehr wusste, was Realität oder Fiktion war.

135

Ammonium

Mittwoch, 25. April 2029, Marsa Matrouh Rd, Ägypten

Der Flug nach Kairo hatte Sam mehr Energie gekostet, als er zugeben wollte. Zehn Stunden in der Economy-Class fühlten sich an wie eine Ewigkeit, besonders wenn drei Kinder beschlossen hatten, sich abwechselnd lautstark zu beschäftigen. Jeder Versuch, etwas Schlaf zu bekommen, war gescheitert. Nun, einige Stunden später, saß Sam erschöpft auf dem Beifahrersitz eines gemieteten Geländewagens, der sich auf der dunklen Küstenstraße entlangschlängelte. Die Stille der Nacht war eine willkommene Abwechslung zu dem Chaos an Bord, und der Vollmond spiegelte sich auf den ruhigen Wellen des Mittelmeers.

Agent Porter saß am Steuer, sie hatte während des gesamten Flugs in der Business-Class geschlafen. Sam beneidete sie insgeheim dafür. Sie hatte ihm nach der Landung nicht ohne eine gewisse Selbstzufriedenheit unter die Nase gerieben, wie erholt sie sich nach dem Flug fühlte. Porter hatte ihm erklärt, dass es wichtig sei, unauffällig zu bleiben. Ein teures Ticket hätte Misstrauen erregt, falls jemand ihn erkannte – und Sam wusste, dass es bei ihrer Mission besser war, kein Aufsehen zu erregen.

Zwei Stunden hatten sie bereits hinter sich gebracht auf dem Weg in die Wüste, mehr als sechs lagen noch vor ihnen, und auch jetzt konnte er keinen Schlaf finden. Er hatte es

136

versucht, doch sein Kopf ließ ihn nicht. Er hatte die Arme vor dem Bauch verschränkt, den Kopf zum Fenster gewandt und starrte in die Nacht. Die Lichter von Alexandria und einigen Siedlungen leuchteten wie Schwärme von Glühwürmchen im Nildelta.

Als sie an einem Straßenschild vorbeifuhren, das die Abzweigung nach Alexandria anzeigte, erinnerte er sich an die Worte seines Vaters, der ihm bereits als Kind viel über den legendären Feldherren und König der Makedonier erzählt hatte.

»Alexandria, ein Ort der Vision«, sagte Sam mehr zu sich selbst als zu Porter, ehe er sich in dem Sitz aufrichtete. »Wissen Sie, als Alexander der Große Ägypten erreichte, sah er nicht nur eine weitere Eroberung. Er sah die Gelegenheit, etwas Größeres zu schaffen. Als Pharao von Ägypten erkannte er die kulturelle und religiöse Bedeutung dieses Landes und wie es ihm helfen konnte, seine Vision einer vereinten Welt zu verwirklichen. Deshalb gründete er Alexandria – als Symbol seiner Macht, aber auch als Schnittstelle der Kulturen, als einen Ort, an dem Wissen und Menschen sich vereinen sollten.«

Porter warf ihm einen kurzen Blick zu, bevor sie sich wieder auf die Straße konzentrierte. »Ja, er war ein großer Eroberer und hat ein gewaltiges Reich erschaffen. Aber nach seinem Tod zerbrach es und seine Vision von einem Reich, in dem es mehrere Alexandrias geben sollte, in denen die Menschen frei sein konnten, verblasste. Was blieb, waren nur die Spuren seiner Ambitionen.«

»Ja, das stimmt«, antwortete Sam nachdenklich. »Aber es ist bemerkenswert, wie tiefgreifend diese Spuren noch heute sind. Alexandria war nicht nur eine Stadt. Es war ein Zentrum der Gelehrsamkeit und Kultur, ein Ort, an dem die berühmteste Bibliothek der Antike stand. Alexander wollte

137

mehr als nur Macht; er wollte eine neue Weltordnung schaffen, in der Wissen und Weisheit regierten. In gewisser Weise hat er es geschafft, auch wenn sein Reich zerfiel.«

Als der Wagen Alexandria hinter sich ließ und die Straßen allmählich leerer wurden, wandte sich Sam wieder dem Fenster zu und ließ seine Gedanken schweifen.

»Wussten Sie, dass Alexander auch Siwa besuchte? Die Oase in der Wüste, weit entfernt von den großen Städten Ägyptens. Nachdem er sich in Memphis zum Pharao ausrufen ließ, suchte er das Orakel von Siwa auf, um seine göttliche Abstammung bestätigen zu lassen.

Er marschierte durch die Wüste, eine Reise, die so gefährlich war, dass viele vor ihm dabei ihr Leben ließen.

Doch Alexander mit seinem unerschütterlichen Glauben an seine Bestimmung schaffte es und wurde vom Orakel als Sohn des Amun anerkannt.«

Porter sah ihn prüfend an. »Vielleicht sollten Sie auch mal bei einem Orakel vorsprechen. Dann erfahren Sie, ob Sie ebenfalls Erfolg mit Ihren Theorien haben werden.«

Sam lachte leise. »Ich wusste gar nicht, dass Sie Humor haben. Aber leider gibt es das Orakel schon seit über tausend Jahren nicht mehr. Vom Tempel des Amun sind nur noch Überreste übrig.«

Die Straße führte weiter nach Osten, ihr Auto war das einzige Fahrzeug weit und breit. Die Oase von Siwa lag noch einige Stunden entfernt, doch die Geschichte, die mit diesem Ort verbunden war, schien ihm in diesem Moment präsenter als jemals zuvor.

»Was wissen Sie über die Oase?«, fragte Porter, ihre Stimme war kühl und geschäftsmäßig.

Sam dachte einen Moment nach, bevor er antwortete.

»Nun, der Ort heißt auf ägyptisch *Sekhetam*, was so viel wie Palmland bedeutet. Dort wachsen überwiegend

138

Dattelpalmen und Olivenbäume. In der Antike war Siwa unter dem Namen Ammonion oder Ammonium als Orakelstadt der Beduinen bekannt. Die Geschichte dieses Ortes reicht bis in die achtzehnte Dynastie zurück, also etwa tausendfünfhundert Jahre vor Christi Geburt.«

»Das ist interessant, aber das meinte ich nicht. Haben Sie Kenntnisse über die Menschen dort? Gebäude oder militärische Strukturen? Gibt es dort öffentlich bekannte Milizen oder sonstige bewaffnete Gruppen?«

Eine kurze Pause entstand, ehe er fortfuhr: »Ich war selbst noch nicht in Siwa, aber durch meine Arbeit auf dem Plateau von Gizeh und in der Nekropole von Sakkara weiß ich, was man sich unter den Einheimischen erzählt. Es gibt Geschichten über lokale Milizen. Offiziell ist die Gegend relativ ruhig, aber man hört immer wieder von Spannungen, insbesondere seit die politische Instabilität im Land zugenommen hat. Siwa selbst ist ein Ort, der sowohl wegen seiner historischen Bedeutung als auch seiner Abgeschiedenheit immer wieder ins Visier von verschiedenen Gruppen gerät. Es kam häufiger vor, dass mir Leute erzählt haben, dass gestohlene Kostbarkeiten nach Siwa gebracht wurden, um sie von dort aus dem Land zu schaffen. Ich denke, dass einige der Milizen da ihre Finger im Spiel haben.«

Porter schwieg einen Moment. Sam konnte spüren, dass sie etwas beschäftigte, also beschloss er, die Stimmung aufzulockern.

»Darf ich Sie eigentlich beim Vornamen nennen? Ich meine, wir sind gemeinsam auf einer ziemlich gefährlichen Mission unterwegs. Da sollten wir uns zumindest ein bisschen vertraut fühlen, oder?«

Porter warf ihm einen kurzen Blick zu, und ein Lächeln huschte über ihre Lippen. »In Ordnung, Sam. Wir sind

139

tatsächlich in einer besonderen Situation. Du kannst mich Kathrin nennen.«

Sam lächelte. »Danke. Ich weiß, du bist nicht gerade die gesprächigste Person, aber es würde mich interessieren, wie du zur DARPA gekommen bist.«

Kathrin zögerte, als ob sie überlegte, wie viel sie preisgeben wollte. Schließlich sprach sie, ihre Stimme war etwas weicher als zuvor. »Ich war lange beim Militär so wie mein Vater und mein Bruder, bevor ich zur DARPA kam. Meine Disziplin und mein Fokus stammen aus dieser Zeit. Nach Einsätzen in verschiedenen Krisengebieten habe ich beschlossen, dass ich meine Fähigkeiten in einem Bereich einsetzen möchte, der mehr auf Prävention als auf direkte Konfrontation abzielt. Die Arbeit bei der DARPA bietet genau das. Wir verhindern Gefahren, bevor sie überhaupt entstehen können.«

Sam nickte. »Das klingt nach einer verantwortungsvollen Aufgabe. Und es erklärt, warum du so gut vorbereitet bist. Wie war es für dich, den Übergang vom Militär zu einer eher zivilen Rolle zu vollziehen?«

Kathrin zog die Schultern leicht hoch. »Es war eine Herausforderung. Die Strukturen sind anders und die Ziele sind nicht immer so klar definiert. Beim Militär weiß man genau, wer der Feind und was das Ziel ist. Bei der DARPA sind die Bedrohungen oft subtiler, komplexer. Aber das macht die Arbeit auch interessanter. Es geht nicht nur um Muskelkraft, sondern auch um Köpfchen.«

Sam lachte. »Das ist ein guter Punkt. Intelligenz schlägt Muskelkraft in unserem Job. Aber ich nehme an, dass deine militärische Erfahrung dir auch jetzt noch zugutekommt.«

»Ja, das tut sie. Vor allem in Situationen wie dieser, wo wir uns in einem unsicheren Gebiet bewegen und auf uns allein gestellt sind. Man muss wachsam sein, den Überblick

140

behalten und immer einen Plan B in der Hinterhand haben. Solche Missionen, die nicht offiziell laufen, sind immer mit besonders hohem Risiko verknüpft. Es gibt zwar ein CIA-Team in Kairo, aber die brauchen mit dem Helikopter zwei Stunden. Zu lange, um uns zur Hilfe zu kommen. Das heißt, unsere Kontaktperson, du und ich müssen das hier erledigen. Mach dir keine Sorgen, ich kenne Agent Said. Ich habe ihn in Afghanistan kennengelernt, bevor er zur CIA gegangen ist.«

Sam dachte einen Moment nach, bevor er fortfuhr. »Ich muss sagen, ich bewundere deinen Mut und deine Entschlossenheit.«

Kathrin hielt den Blick fest auf die Straße gerichtet, ihre Gedanken schienen jedoch einen Moment abzuschweifen. »Mut und Entschlossenheit sind Teil des Jobs, ebenso wie beim Militär. Glaube mir, in einem Kriegsgebiet sind deine Instinkte so geschärft und dein Geist abgestumpft, dass du dir zweimal überlegst, ob du dich gefangen nehmen lässt als Frau. Aber manchmal frage ich mich, was ich dafür alles aufgegeben habe. Ein normales Leben, Familie ... Aber dann denke ich daran, was auf dem Spiel steht, und ich weiß, dass ich die richtige Entscheidung getroffen habe.«

Sam nickte nachdenklich. »Es erfordert eine besondere Art von Menschen, um so eine Entscheidung zu treffen. Ich habe Respekt vor dem, was du tust, Kathrin. Aber es ist auch wichtig, dass wir uns gegenseitig unterstützen. Wenn du jemals reden möchtest oder einen Rat brauchst, ich bin für dich da.«

Kathrin lächelte leicht und dieses Mal hielt das Lächeln etwas länger. »Danke, Sam. Das bedeutet mir mehr, als du vielleicht denkst.«

Sie fuhren weiter in die Nacht hinein, das Meer auf der einen Seite und die endlose Wüste auf der anderen. Die

141

Straße führte sie tiefer in die Geschichte und Geheimnisse von Ägypten, näher an die Oase von Siwa, wo die alten Prophezeiungen und die modernen Gefahren auf sie warteten. Sam spürte eine seltsame Mischung aus Aufregung und Sorge.

»Weißt du«, sagte er nach einer Weile, »es ist faszinierend, wie sich die Geschichte immer wiederholt. Alexander der Große suchte nach Antworten in der Wüste, genauso wie wir jetzt. Er glaubte an seine göttliche Abstammung und suchte die Bestätigung seines Schicksals in Siwa. Was suchen wir hier eigentlich?«

»Vielleicht dasselbe. Antworten. Bestätigung. Oder vielleicht suchen wir einfach nur die Wahrheit. Was auch immer das sein mag. Aber ich würde gern etwas von dir wissen.«

»Klar, immer raus damit.«

»Glaubst du wirklich an das, was du in deinem Buch über die antiken Völker geschrieben hast?«

Sam zögerte. Es war eine Frage, die er sich selbst oft gestellt hatte, und die Antwort darauf war komplexer, als man auf den ersten Blick vermuten würde. »Ja«, sagte er schließlich, seine Stimme klang fest und überzeugt. »Das tue ich.«

Kathrin war nicht so leicht zu beeindrucken. »Also glaubst du wirklich, dass in der Antike Außerirdische auf der Erde waren?«

Sam seufzte leise und lehnte sich im Sitz zurück. »Warum glaubt jeder, dass die Leistungen der antiken Völker nur mit der Hilfe von Außerirdischen zu erklären sind? Ich habe nie behauptet, dass Außerirdische die Pyramiden gebaut oder den Menschen Wissen gebracht haben. Was ich gesagt habe, ist, dass es eine Verbindung gibt, ein Geheimnis, das in den alten Texten und Überlieferungen verborgen liegt. Nimm zum Beispiel Gilgamesch und den verschollenen Pharao, den

142

mein Vater vergeblich gesucht hat. Sie beide tragen ein Rätsel in sich. Was es ist, das weiß ich nicht. Aber das ist es, was uns antreibt, oder? Das Streben nach der Wahrheit, das Bedürfnis, das Unbekannte zu ergründen.«

Sie schwieg eine Weile und Sam konnte sehen, dass sie über seine Worte nachdachte. Er wollte sie fragen, was ihre Meinung zu den Dingen war. Es gab so viele ungeklärte Fragen, die über ihrem gemeinsamen Auftrag schwebten, und je näher sie ihrem Ziel kamen, desto drängender wurde das Bedürfnis, Antworten zu finden.

»Kathrin«, begann Sam schließlich, seine Stimme ruhig, aber entschlossen, »ich würde gern mehr erfahren über den Monolithen in der Kammer. Was denkt die DARPA darüber? Was glaubst du, wofür er da ist?«

Kathrin blieb eine Weile stumm, sodass Sam befürchtete, sie mit seinen Fragen verärgert zu haben. »Das ist eine schwierige Frage, Sam. Es gibt viele Theorien, aber wenige Fakten. Der Monolith, den wir auf den Aufnahmen gesehen haben, ist wie nichts, was wir bisher kennen. Er widerspricht allem, was wir über die Technologie der Antike wissen. Seit Jahren wird er untersucht und doch konnte seine Funktion nicht entschlüsselt werden.«

Sam beugte sich vor, neugierig auf das, was sie sagen würde. »Und was genau bedeutet das? Glaubt die DARPA, dass es sich um außerirdische Technologie handelt?«

Kathrin seufzte, sie wägte ihre Worte sorgfältig ab. »Offiziell gibt es keine definitive Einschätzung. Aber inoffiziell ... es gibt einige Wissenschaftler, die genau das glauben. Der Monolith könnte ein Gerät sein, das nicht von Menschenhand geschaffen wurde. Wir wissen nicht, wozu er dient, aber seine Struktur, seine Materialzusammensetzung, alles deutet darauf hin, dass er eine Funktion hat, die weit über unser Verständnis hinausgeht.«

Sam rieb sich die Stirn und dachte an das, was er auf dem Video gesehen hatte. Das Team, das den Monolithen untersucht hatte, die plötzliche Störung, die Schreie, dann der abrupte Abbruch der Aufnahmen. »Was glaubst du, was mit dem Team passiert ist?«, fragte er. »Sie schienen etwas aktiviert zu haben, etwas, das sie nicht verstanden haben.«

»Es könnte sein, dass sie den Monolithen versehentlich aktiviert haben. Vielleicht ist er eine Art Sicherheitssystem oder eine Kommunikationsvorrichtung. Alles, was wir haben, sind Spekulationen, doch die gängigste Theorie besagt, dass die Technologie auf Quantenebene funktionieren und somit auch ein Transportmittel sein könnte.«

»Ein Transportmittel auf Quantenebene? Du meinst, ein Portal zu einem anderen Ort oder vielleicht zu einem anderen Planeten?«

»Ich weiß es nicht, Sam, das weiß niemand. Es herrscht die höchste Sicherheitsstufe und die Untersuchungen ziehen sich, da keiner einen weiteren Zwischenfall, bei dem Menschenleben gefährdet werden, riskieren will.«

»Verstehe. Und wie passt die Strahlung auf dem Mond dazu?«, fragte er. »Die Anomalie, die im Krater am Südpol gemessen wurde – könnte sie mit dem Monolithen zusammenhängen?«

Kathrin zögerte einen Wimpernschlag lang, ehe sie antwortete. »Die Strahlung auf dem Mond ist ein weiteres Rätsel. Es gab Hinweise auf ungewöhnliche energetische Aktivität, aber nichts, was wir konkret zuordnen konnten. Es könnte ein Zufall sein. Wir wissen nicht, ob es ein zweites Artefakt dort gibt, das dem in der Kammer gleicht.

Wenn es tatsächlich eine außerirdische Technologie ist, wäre das ein Wendepunkt in der Geschichte der Menschheit. Es würde alles verändern – von der Art und Weise, wie wir

144

Technologie verstehen, bis hin zu unserer Rolle im Universum. Aber es wäre auch extrem gefährlich. Stell dir vor, was passieren würde, wenn so eine Technologie in die falschen Hände gerät.«

Sam nickte nachdenklich. »Und was würde die DARPA mit dieser Technologie tun, wenn sich herausstellen würde, dass sie wirklich außerirdischen Ursprungs ist? Würde sie sie geheim halten? Nutzen? Oder zerstören?«

Kathrin schnaubte. »Die DARPA würde alles tun, um diese Technologie zu verstehen und zu kontrollieren. Wenn es wirklich außerirdische Technologie ist, könnte sie potenziell revolutionäre, aber auch destruktive Anwendungen mit sich bringen. Die Regierung würde sie wahrscheinlich unter strenger Geheimhaltung untersuchen, bevor sie eine Entscheidung trifft, wie sie weiter verfahren soll.«

Sam konnte nicht anders, als an die Macht zu denken, die ein solches Wissen in den Händen weniger Menschen hätte. »Und du?«, fragte er leise. »Glaubst du, dass wir die Verantwortung tragen können, so etwas zu kontrollieren?«

»Ich weiß es nicht, Sam. Aber ich glaube, dass wir keine Wahl haben. Wir müssen herausfinden, was es ist, bevor jemand anderes es tut – jemand, der vielleicht nicht so verantwortungsbewusst damit umgeht.«

Die Fragen, die Sam beschäftigten, schienen mit jeder Antwort nur komplexer zu werden. »Und was denkst du persönlich über das Objekt in der Kammer?«, fragte er schließlich. »Glaubst du, dass es außerirdisch ist?«

»Ich weiß nicht, was es ist. Aber ich habe das Video gesehen. Ich habe die Berichte gelesen. Es gibt zu viele Unbekannte, zu viele Dinge, die nicht mit dem übereinstimmen, was wir zu wissen glauben. Ich bin nicht bereit, etwas auszuschließen. Vielleicht ist es außerirdisch.

145

Vielleicht ist es etwas, das die Menschheit schon lange vergessen hat.«

»Und was ist mit dir, Kathrin? Glaubst du an Außerirdische?«

Sie zögerte, bevor sie antwortete, und in dieser kurzen Pause konnte Sam die Schwere ihrer Gedanken spüren. »Ich glaube, dass das Universum viel größer und komplexer ist, als wir es uns je vorstellen können. Und ich glaube, dass es viele Dinge gibt, die wir noch nicht verstehen. Ob das Außerirdische einschließt? Vielleicht. Aber ich glaube auch, dass es unsere Aufgabe ist, die Wahrheit herauszufinden, egal, wo sie uns hinführt.« Sie hielt einen Moment inne, fuhr weiter, ihre Augen fest auf die Straße gerichtet. »Dennoch glaube ich an Fakten. An das, was ich sehen und beweisen kann. Theorien sind interessant, aber ohne Beweise bleiben sie eben nur Theorien. Und was ist mit dir?«

»Das verstehe ich. Aber manchmal sind Theorien der erste Schritt, um neue Fakten zu entdecken. Schau dir nur die Archäologie an. Viele Entdeckungen wurden gemacht, weil jemand eine Theorie hatte und den Mut, ihr nachzugehen. Wenn wir immer nur das akzeptieren würden, was wir bereits wissen, würden wir niemals Fortschritte machen.« Er schwieg für einen Augenblick und sammelte seine Gedanken. »Nimm zum Beispiel die Pyramiden. Lange Zeit wurde angenommen, dass sie von Sklaven gebaut wurden, bis man entdeckte, dass es gut organisierte Arbeitskräfte waren, die für ihre Arbeit entlohnt wurden. Oder die alten Karten, die angeblich unmöglich genau sein konnten – bis man erkannte, dass die antiken Völker eine erstaunliche Kenntnis der Geometrie und Astronomie besaßen. Es gibt so viele Beispiele dafür, wie unsere Wahrnehmung der Vergangenheit durch neue Entdeckungen verändert wurde.

146

Warum sollte es also nicht möglich sein, dass es Technologien gab, die uns heute unvorstellbar erscheinen?«

Kathrin schwieg h, aber Sam konnte sehen, dass sie seine Worte nicht einfach abtat. »Aber um deine eigentliche Frage zu beantworten«, fügte er hinzu, »ob ich an Aliens glaube: Ja, das tue ich. In Anbetracht der unvorstellbaren Größe des Universums, der Milliarden von Sternen, Planeten und Galaxien wäre es absurd zu glauben, dass unser kleiner Planet, der nicht mehr als ein Staubkorn im Kosmos ist, der einzige Ort wäre, an dem Leben existiert. Aber das bedeutet nicht, dass ich alles, was wir nicht erklären können, sofort als außerirdisch bezeichne.«

»Und was treibt dich an, Sam? Warum bist du so besessen von diesen Theorien und Geheimnissen?«

»Weil ich Antworten suche. Mein Vater hat sein Leben damit verbracht, diese Geheimnisse zu erforschen, und er ist dabei verschwunden. Ich glaube, dass er etwas gefunden hat, etwas, das ihm zum Verhängnis wurde. Und ich werde nicht ruhen, bis ich herausgefunden habe, was es war.«

Ein kurzes Schweigen folgte, bevor Kathrin leise fragte: »Glaubst du, dass das, was wir hier suchen, dich näher an diese Antworten bringen wird?«

»Ich hoffe es, aber selbst wenn nicht, ist es ein weiterer Schritt auf dem Weg, die Wahrheit zu finden. Und das ist es, was mich antreibt – das Wissen, dass irgendwo da draußen die Antworten warten. Ich muss nur hartnäckig genug sein, um sie zu aufzuspüren.«

Sams Nacken kribbelte, als im Seitenspiegel die Scheinwerfer eines Autos aufleuchtete. Das Licht kam näher.

»Kathrin, bist du sicher, dass niemand anderes von alldem weiß?«, fragte er. »Was ist mit der ägyptischen Regierung? Sie müssen doch irgendeine Ahnung haben, was in Siwa vor sich geht, oder?«

147

»Die ägyptische Regierung wurde über das Wesentliche informiert«, sagte sie sachlich. »Aber nur über das, was sie wissen müssen, damit wir keinen Verdacht erregen.«

Die Situation war brisanter, als Sam es sich vorgestellt hatte. »Und was ist mit anderen Nationen?«, fragte er. »Es muss doch mehr Leute geben, die die Strahlung auf dem Mond gemessen haben.«

Kathrin atmete tief durch. »Natürlich haben andere Nationen auch Untersuchungen angestellt. Aber die Ergebnisse der Strahlungsmessungen waren fragmentiert, unzusammenhängend. Die NASA hat die Daten mit den wichtigsten Verbündeten geteilt, doch ohne den Kontext des Monolithen in Siwa sehen die meisten einfach nur eine weitere Anomalie. Niemand hat die Puzzleteile so zusammengefügt wie wir – zumindest soweit wir wissen.«

Sam ließ ihre Worte einen Moment lang nachklingen, während er den nahenden Lichtkegel im Spiegel beobachtete. »Und wenn sie es doch tun?«, fragte er schließlich. »Wenn sie die Verbindung herstellen und verstehen, was wir wissen? Glaubst du, sie würden es einfach ignorieren?«

»Ich weiß es nicht, Sam. Aber ich weiß, dass die DARPA alles daransetzt, dass wir die Ersten sind, die die Wahrheit herausfinden.«

Die Unklarheit in ihrer Stimme beunruhigte ihn, doch er wusste, dass sie auf dieser Mission zusammenarbeiteten, weil sie beide dasselbe Ziel verfolgten – die Wahrheit zu finden, unabhängig davon, wie gefährlich sie sein könnte. Eine leise Beklemmung stieg in seinem Magen auf.

»Und was ist mit den Chinesen?«, fragte er schließlich. »Ich habe gelesen, dass ihre Mission zum Mondsüdpol in sechs Monaten starten soll. Wenn sie die gleiche Strahlung

148

messen – könnten sie nicht darauf stoßen, was wir entdeckt haben?«

Kathrin ließ ihre Augen kurz zur Seite gleiten, als ob sie überlegte, wie viel sie ihm sagen sollte. Dann antwortete sie, ihre Stimme fast resigniert: »Es ist möglich, dass sie es herausfinden. Die Chinesen sind sehr fortschrittlich, was ihre Weltraumtechnologie betrifft, und sie haben in den letzten Jahren massive Fortschritte gemacht. Ihre Mission wird zweifellos gut vorbereitet sein und sie werden früher oder später auf die Strahlung stoßen, so wie wir es getan haben.«

Sam kratze sich am Bauch, so sein Gürtel ihm schon seit einiger Zeit auf die Haut drückte. »Was, wenn sie den Monolithen ebenfalls ins Visier nehmen?«

Kathrin sah ihn ernst an. »Wir müssen schneller sein. Deshalb sind wir hier, Sam. Wir können es uns nicht leisten, langsamer zu sein oder Fehler zu machen. Was auch immer die Chinesen herausfinden könnten, wir müssen ihnen immer einen Schritt voraus sein.«

»Also wird die Welt nicht erfahren, dass wir womöglich vor der größten Entdeckung der Menschheit stehen und dass wir nicht allein Universum sind. Auch hier wiederholt sich die Geschichte: Das Staatsorgan, das seinem Volk dienen sollte, belügt die Menschen und lässt sie im Dunkeln.«

Sie warf ihm einen belustigten Blick zu. »So wie in Roswell, Area 51, Area 52, beim Kennedy Attentat und dem Stargate-Programm.«

Sein Gesichtsausdruck musste sie belustigen, denn sie lachte laut. »Mann, Sam, das war ein Scherz. Du solltest diesen ganzen Theorien um Regierungsverschwörungen nicht so viel Glauben schenken. Sei versichert, dass es keinen Erstkontakt gab und die Regierung auch nicht Kennedy ermordet hat. Was das Stargate betrifft, bleibt es eine Serie, eine gute, zugegeben, aber es ist Fiktion. Ich mag dich irgendwie, du bist erfrischend anders als die anderen Menschen, mit denen ich zu tun habe. Aber du bist zu leichtgläubig. Die Regierung hat dafür Sorge zu tragen, dass die Nation mit all ihren Bürgern geschützt wird. Wenn herauskommt, dass sich auf der Erde Technologie einer anderen Spezies befindet, was denkst du, was dann passieren würde? Es werden Kriege ausbrechen, die Offenbarung könnte sogar den Dritten Weltkrieg auslösen, Millionen von Menschen könnten sterben oder müssten fliehen. Jede Nation würde sich Verbündete suchen und versuchen, diese Technologie in ihren Besitz zu bringen. Hier steht mehr auf dem Spiel als die Erkenntnis, dass wir nicht allein im Kosmos sind. Du solltest dir vielleicht mal die Frage stellen, was mit der Spezies passiert ist, die diese Technologie hiergelassen hat. Wieso ist sie nicht mehr da? Denn das ist die entscheidende Frage.«

Kathrins Worte hallten in seinem Kopf wider, während er die Augen schloss. Unrecht hatte sie nicht damit. »Ich hatte eigentlich mehr an die vertuschten Dinge gedacht wie die erweiterten Verhörtechniken der CIA an Terrorverdächtigen in den Geheimgefängnissen der USA oder die Falschinformationen, die verbreitet wurden, um den zweiten Irak-Krieg zu rechtfertigen. Die irakischen Atomwaffen, die nie existierten, obwohl es mehrere CIA-Berichte dazu gab. Die Watergate-Affäre, die NSA-Affäre, die durch Snowden bekannt wurde. All das sind nur Beispiele, wie die US-Regierung systematisch die Menschen zu getäuscht, sie ausspioniert und ihre Privatsphäre zu missachtet hat. Das hier kann die Regierung ebenso wenig unter den Teppich kehren, es wird rauskommen.«

»Du hast keine Ahnung, wie dieses System funktioniert. Es ist auch nicht wichtig, denn wir haben einen Job zu erledigen. Ich kann dir nur raten, dich an deine Verschwiegenheitserklärung zu halten, denn die US-Regierung möchtest du nicht zum Gegner haben.

Es sind noch vier Stunden, vielleicht solltest du mal etwas schlafen, denn wenn wir da sind, wirst du wenig Zeit dafür haben.« Ihre Stimme klang kühl.

Trotz seiner Erschöpfung konnte Sam seine Gedanken nicht einfach abschalten. Kathrin hatte ihm nicht alles erzählt. Vielleicht aus Sicherheitsgründen, vielleicht aus einem anderen Grund. Aber das nagende Gefühl, dass ihm wichtige Informationen vorenthalten wurden, ließ ihn nicht los.

»Ich hab schon verstanden, Job erledigen und keine Fragen stellen. Dann werde ich jetzt etwas schlafen«, sagte er schließlich mehr zu sich selbst als zu ihr.

Er warf einen letzten Blick in den Seitenspiegel. Die Scheinwerfer des Wagens hinter ihnen hielten noch immer Abstand. Vielleicht war es nur ein Bus, der Reisende von Kairo nach Siwa brachte. Dennoch konnte er das mulmige Gefühl nicht abschütteln, dass etwas nicht stimmte. Der Wagen war ebenfalls von der Küstenstraße abgebogen und folgte ihnen nun auf der Straße durch die Wüste.

Sam schloss die Augen und zwang sich, die Gedanken loszulassen. Er benötigte Ruhe, um für das, was vor ihnen lag, gewappnet zu sein. Doch in der Dunkelheit hinter seinen Augenlidern flackerten Bilder auf: der Monolith in der verborgenen Kammer, das beunruhigende Video, die unerklärlichen Strahlungswerte auf dem Mond.

Allmählich entspannten sich seine Muskeln und der Schlaf ergriff von ihm Besitz.

Mit einem letzten bewussten Gedanken ließ Sam sich vom Schlaf übermannen und driftete in eine traumlose Dunkelheit ab, die ihm zumindest für einen kurzen Moment die Ungewissheit und die Angst nahm, die ihn seit Beginn dieser Reise begleitet hatten.

Der Krater

Mittwoch, 25. April 2029, unerforschter Mondkrater Nethron

Johanna lag wach und starrte an die Decke des Moduls. Schlaf hatte sie diese Nacht kaum gefunden. Sie drehte sich auf die Seite und versuchte, Chris zu erkennen, aber die Dunkelheit des Raums verschluckte alles. Ihr Atem ging ruhig, doch innerlich brodelte eine Unruhe, die sie nicht abschütteln konnte.

Sie gähnte und kroch aus ihrem Schlafsack. Als sie auf den kalten Boden trat, erschauderte sie.

Mit einem Seufzen ging sie zu ihrem Spint und schlüpfte in ihren Overall. Währenddessen aktivierte sie das Display auf dem zentralen Kontrollpanel und rief die letzten Daten auf. Die Sensoren am Kraterrand hatten in der Nacht keine ungewöhnlichen Werte gesammelt. Es ergab einfach keinen Sinn, sie wusste, was sie gesehen und was sie unter ihren Füßen gespürt hatte. Wenn sie es nicht besser wissen würde, hätte sie geglaubt, dass das, was auch immer in diesem Krater lauerte, sich über sie lustig machte. Dass es wollte, dass sie ihren Verstand hinterfragte. Auf dem Bildschirm waren mehrere Datenfelder zu sehen, die ihr die Livedaten der Messinstrumente zeigte. Was, wenn das Objekt ihre Neugierde wecken wollte? Wenn es wollte, dass sie zu ihm kam?

153

Ein leises Rascheln hinter ihr ließ sie aus ihren Gedanken schrecken. Chris hatte sich in seinem Schlafsack gedreht, er schien einen unruhigen Traum zu haben.

Johanna schüttelte ungläubig den Kopf, als sie ihren absurden Gedanken erneut in den Fokus nahm. *So etwas existiert nicht, Johanna, komm schon, du bist Wissenschaftlerin. Es gibt immer eine logische Erklärung, also finde sie.* Sie schlich sich zur kleinen Kochnische des Habitats und holte einen Beutel mit gefriergetrocknetem Kaffee aus dem Schrank.

»Schon wach?« Chris' Stimme klang rau, er fuhr sich mit der Hand über das Gesicht.

»Ja, konnte nicht mehr schlafen. Irgendetwas ist ... ich weiß nicht, irgendwie anders.« Sie füllte heißes Wasser in den Trinkbeutel, bevor sie sich zu ihm umdrehte.

Chris rieb sich die Augen. Er wirkte genauso erschöpft wie sie, was kein gutes Zeichen war. »Ich weiß, was du meinst. Aber wir müssen es durchziehen. Wir müssen heute da runter. Die NASA will Antworten haben und ich will sie auch, damit wir hier wieder verschwinden können.« Er öffnete den Reißverschluss seines Schlafsacks und kletterte hinaus. »So habe ich mir das nicht vorgestellt, ich dachte, wir machen hier ein paar Experimente und erkunden diesen verdammten Krater. Doch irgendetwas passiert hier, etwas Seltsames, was ich nicht erklären kann.«

»Hier, nimm, dann geht es dir besser.« Sie reichte ihm den heißen Beutel mit Kaffee. »Es geht mir nicht anders. Es ist, als ob mir etwas in diesem Krater was sagen will, verstehst du, als ob es mich ruft.«

Chris nahm einen Schluck, sah sie entsetzt an und griff nach seiner Kleidung. »Was meinst du damit?«

154

Sie setzte sich auf einen Hocker und blickte auf den silbrigen Trinkbeutel in ihren Händen. Die Wärme, die von ihm ausging, belebte ihre Finger. »Ich habe dir doch erzählt, dass ich gestern Nacht einen sehr verstörenden Traum hatte?«

Er nickte. »Und?«

Sie erzählte ihm von der Person am Krater, die sie für Chris gehalten hatte, von ihrem Sturz, der Anziehungskraft des Kraters und dem grellen Licht in seinem Innern.

Chris setzte sich zu ihr an den Tisch. »Das war nur ein Traum. Diese Abgeschiedenheit hier lässt dich manchmal sehr seltsame Dinge träumen.«

Sie sah ihm in die Augen. »Gestern, als wir am Kraterrand waren, habe ich dieses merkwürdige Gefühl wieder verspürt, wie den Gravitationssog eines Schwarzen Lochs. Je länger ich hier bin, umso stärker wird dieses Gefühl.« Sie lachte verzweifelt und senkte den Blick. »Du musst glauben, dass ich verrückt werde, aber ich schlafe schlecht, und ich verspüre diese Unruhe in mir, als hätte ich sieben Tassen Kaffee getrunken. Ich habe dich gestern beobachtet. Du hast oft in die Tiefe geschaut, warst nicht ansprechbar und dann diese seltsamen Anomalien, die unsere Sensoren registriert haben. Wir haben es mit eigenen Augen gesehen und dennoch wurde nichts davon aufgezeichnet. Das alles ergibt keinen Sinn, es ist nicht logisch, was hier passiert.«

Sie spürte seine Hand auf ihrem Arm. »Ich glaube nicht, dass du verrückt wirst. Ich spüre es auch. Und ich habe bemerkt, wie du mich seit gestern ansiehst – als ob ich ein verletztes Tier wäre, bei dem man nicht weiß, ob man ihm helfen oder es laufen lassen soll, damit es einen nicht auffrisst. Ich habe keine Erklärung für die fehlende Aufzeichnung der Werte, die wir detektiert haben. Aber was ich weiß, ist, dass da unten etwas ist, und wir werden heute

155

herausfinden, was es ist.« Er nahm seine Hand von ihrem Arm und lächelte aufmunternd. »Setz dich nicht so unter Druck. Das alles hier ist eine Extremsituation, und ich bin mir sicher, dass es eine rationale und logische Erklärung gibt. Wir sollten etwas essen und uns dann auf den Weg machen.«

»Ja, vielleicht hast du recht.«

Chris stand auf und nahm zwei Rationsbeutel aus dem Schrank und füllte Wasser hinein. »Hast du die aktuellen Daten denn schon gecheckt?«

»Ja, aber die Sensoren haben seit gestern nichts mehr aufgenommen. Wie erklärst du, dass in unserem Speicher unsere Messergebnisse nicht existieren?«

Er setzte sich wieder an den Tisch. »Vielleicht eine Übertragungsstörung«, erwiderte er und gab ihr einen der Beutel. »Iss das, das ist der Proteinbrei, du brauchst heute Energie.«

»Schön, das erklärt das Fehlen der Daten in unseren Speichern, selbes gilt für die Orion und Houston. Aber wie kann es sein, das die Speicher der Geräte selbst keine Aufzeichnungen besitzen?«

Plötzlich lag etwas Kaltes in seinem Blick, das Johannas Nackenhaare sich aufstellen ließ.

»Ich weiß es nicht, es ist auch nicht von Belang. Iss dein Frühstück auf und dann mach dich fertig. Ich werde in der Zeit mit Houston sprechen.« Er stand auf und warf seinen halb aufgegessenen Beutel in den Abfall, auch seinen noch vollen Kaffee entsorgte er. Er ging zur Leiter, die hinauf ins Cockpit führte. »Hör auf, immer alles zu hinterfragen, ich kann dir die Antworten nicht geben. Der Krater kann es, und ich will, dass du dich jetzt darauf konzentrierst, das ist unsere Priorität. Verstanden?«

156

Ihre Zunge war wie gelähmt, als sie fassungslos seinen Hinterkopf anstarrte. Er hatte bereits eine Hand und einen Fuß auf die Sprosse gesetzt und verharrte schweigend.

Sie ließ ihren Frühstücksbeutel sinken.

Er drehte den Kopf, sodass sie sein Profil erkennen konnte.

»Hast du das verstanden?«

»Ja«, brachte sie heiser heraus.

Eilig kletterte er die Stufen hinauf und verschwand in der Luke der Zwischendecke.

Für einen Moment saß sie dort wie vom Donner gerührt, sie wusste nicht, was sie machen sollte. Es mochte an dem Schlafmangel und der bevorstehenden Tagesmission liegen, aber Chris' Verhalten bereitete ihr zunehmend Sorge. Er war leicht reizbar geworden, impulsiv und schien allmählich zu vergessen, dass zu einer wissenschaftlichen Mission auch gehörte, Fragen zum Ursprung von unerwarteten Anomalien zu stellen.

Sie würgte einiges von ihrem Nährstoffbrei hinunter, auch wenn ihr der Appetit vergangen war. In diesem Punkt hatte Chris recht, sie brauchte die Energie.

Anschließend bereitete sie sich still für den Tag vor. Sie musste professionell bleiben, schließlich waren sie beide aufeinander angewiesen, wenn sie beide lebend diesen Ort verlassen wollten. Sie zog ihren schweren Anzug an, überprüfte jeden Schritt doppelt, um sicherzugehen, dass keine Fehler passieren würden.

Chris kam nach einiger Zeit zu ihr in den Ausrüstungsraum heruntergeklettert. »Houston bestätigt, dass die Daten und Geräte einwandfrei funktionieren. Es gibt keine Erklärung für unsere gestern gesehenen Messwerte.«

»Und was schlagen sie vor? Sollen wir die Instrumente neu kalibrieren?«

Chris ging zu seinem Anzug. »Nein, Houston will, dass wir in den Krater hinabsteigen. Es gibt wohl Gerüchte darüber, dass die Chinesen ihre Bemühungen intensivieren, ihre Mission so schnell wie möglich zum Mond zu bringen, und zwar schon in drei Monaten.«

»Okay, also ignorieren wir einfach, was wir gesehen haben.«

Chris war gerade dabei, seine Handschuhe an seinen Händen zu fixieren. »Herrgott Johanna, was willst du von mir hören? Was denkst du denn, was Houston machen soll? Sie haben keine Anzeichen gefunden, dass irgendetwas nicht stimmt. Vielleicht solltest du dir mal die Frage stellen, ob du wirklich das gesehen hast, was du glaubst. Ich für meinen Teil weiß es nicht.« Er kämpfte mit der Verriegelung, die einfach nicht in die Rastung am Arm gleiten wollte.

»Ich weiß, was ich gesehen und gehört habe. Was ist mit dir los, Chris? Verlierst du deine Objektivität für das, was hier passiert? Ich habe mehr und mehr das Gefühl, dass es dir ausschließlich darum geht, dass du in diesen beschissenen Krater kannst.«

Er schleuderte seinen Handschuh gegen die Wand, aufgrund der geringen Schwerkraft taumelte er lächerlich langsam durch die Luft.

Johanna musste lachen. Chris stimmte ein.

Sie hob den Handschuh auf und wedelte damit. »Soll ich dir helfen? Oder willst du damit weitermachen?«

Er schnaufte. »Schon okay, tut mir leid. Ja, kannst du mir helfen?«

Johanna warf einen Blick auf das HUD in ihrem Helm. »Wir sind fast da«, sagte sie, während sie die Umrisse des Kraterrands in der Ferne erblickte.

»Alles in Ordnung mit den Systemen?«

»Ja, alle Anzeigen sind grün. Ich werde sicherheitshalber noch einmal alles checken, bevor wir den Abstieg beginnen.« Johanna tippte auf das Kontrollpanel, die Anspannung in ihrem Magen wuchs.

Sie erreichten die Stelle, an der sie am Vortag ihre Instrumente installiert hatten. Die kleinen Geräte blinkten ruhig, während sie Daten sammelten. Es war eine fast surreale Szene – modernste Technologie inmitten der uralten, stillen Landschaft des Mondes.

»Die Werte des Seismometers sind unauffällig«, sagte Johanna. »Ebenso das Radar. Nur das Magnetometer registriert die uns bereits bekannte elektromagnetische Strahlung.« Sie blickte sich um. »Aber ich trau dem Frieden nicht. Wir sollten die Geräte kalibrieren, bevor wir weitergehen.«

Chris holte bereits die Seilausrüstung aus dem Rover. »In Ordnung. Ich überprüfe währenddessen die Seile und den MMU-Status. Wenn wir hinabsteigen, gibt es keinen Raum für Fehler.«

Johanna kniete sich neben das Seismometer und ging die Einstellungen durch. Ihre Finger glitten über die Kontrollen, und sie versuchte, das nagende Gefühl zu ignorieren. Die Geräte zeigten weiterhin stabile Werte, aber etwas war hier nicht richtig.

Chris hatte inzwischen das Seil an einem großen Felsvorsprung befestigt, der stabil genug wirkte, um ihr Gewicht zu tragen. Er überprüfte die Spannung und sicherte es zusätzlich an einem zweiten Punkt. »Das sollte halten. Die MMUs sind voll aufgeladen und betriebsbereit. Wir haben genug Energie für den Abstieg und den Rückweg, aber wir müssen trotzdem sparsam damit umgehen.«

Johanna überprüfte die Verankerung. Ihre Hände zitterten leicht, als sie das Seil festzog. »Das sieht gut aus. Wenn die

MMUs ausfallen, können wir uns daran wieder hochziehen. Es wird nicht einfach, aber machbar.«

Chris sah sie an. »Hast du die Kommunikation mit Houston eingerichtet?«

»Ja, Verbindung steht. Ich werde ihnen Bescheid geben, dass wir bereit sind.« Sie aktivierte das Kommunikationssystem in ihrem Helm. »Houston, hier ist Artemis. Wir sind am Kraterrand und bereiten uns auf den Abstieg vor. Die Instrumente zeigen normale Werte an, keine Anomalien bisher.«

Die Antwort kam nach einer kurzen Pause, ein leichtes Rauschen begleitete Tims Stimme. »Verstanden, Johanna. Wir haben leichte Interferenzen in der Übertragung. Lasst zuerst die Ausrüstung runter.«

»Roger, Houston, lassen jetzt die Ausrüstung über das Seilsystem herunter.«

Die Ausrüstungskoffer hatte Chris bereits am Kraterrand aufgestapelt.

»Die Kisten mit den Lampen zuerst«, sagte Johanna, als sie den ersten Koffer aufhob. Chris befestigte ihn an einem Seil und ließ ihn vorsichtig herunter.

»Das geht einfacher als gedacht«, bemerkte Chris.

»Ja, hoffen wir, dass sie unten ankommt. Meine Ausrüstung lassen wir als Letztes herunter.«

Chris nickte. »Es wäre noch einfacher, wenn es hier Luft gäbe, dann könnten wir die Dinger einfach mit einem Fallschirm runterbringen. So brauchen wir allein für die Kisten fünf Seile.«

»Du könntest ja auch schon runter gehen und sie auffangen.«

Chris warf ihr einen unmissverständlichen Blick zu, der Johanna zum Grinsen brachte. »Also sind wir uns einig, dass wir so weitermachen«, sagte sie und ließ die Kiste mit dem Bodenradar herunter.

»Houston, wir haben die Ausrüstung sicher runtergebracht. Wir werden jetzt in den Krater absteigen«, meldete Johanna einige Minuten später.

»Verstanden, Johanna. Wir überwachen die Situation. Denkt daran, langsam vorzugehen und bei den ersten Anzeichen von Problemen sofort umzukehren.«

»Wird gemacht, Houston.«

Sie warf Chris einen Blick zu, er nickte ihr aufmunternd zu, dann half er ihr, die mobile Einheit anzulegen. Das rucksackähnliche Gerät verfügte über mehrere Kaltgasdüsen, die über einen internen Tank gespeist wurden. Sie verriegelte den Brustgurt, der sicherstellte, dass sie nicht unkontrolliert aus den Armschlaufen rutschen konnte. Über einen Joystick, der auf dem rechten Arm installiert war, konnte sie die Richtungsbefehle an die Steuerung weitergeben.

Sie schalteten ihre MMUs ein und überprüften ein letztes Mal die Einstellungen. Johannas Magen zog sich zusammen.

»Los geht's.« Chris befestigte das Seil an seinem Gurt und setzte vorsichtig die ersten Schritte in die Tiefe. Johanna hakte das Seil an ihrem Gurt ein und folgte ihm, ihre Augen auf den unebenen Boden vor sich gerichtet.

»Ich nehme die rechte Seite«, sagte Chris, als er einen weiteren Schritt nach unten machte. Seine Stiefel rutschten leicht auf dem feinen Staub, aber das Seil hielt ihn sicher.

»Pass auf die Felsbrocken auf. Manche von ihnen scheinen lose zu sein«, sagte Johanna.

»Lass uns langsam vorgehen. Wenn wir hier stolpern, wird das eine verdammt lange Rutschpartie.«

Der Boden unter ihnen wurde zunehmend instabiler, was den Abstieg schwieriger machte. Johanna konzentrierte sich auf ihre Schritte, jeder Bewegungsablauf war kalkuliert und durchdacht. Plötzlich fühlte sie ein leichtes Ziehen am Seil und sah, wie Chris ins Straucheln geriet.

»Vorsicht!«

Chris fing sich gerade noch, sein rechter Fuß war auf einem losen Felsbrocken abgerutscht. »Alles okay, ich hab's.« Er atmete tief durch und richtete sich wieder auf. »Dieses verdammte Geröll ...«

»Ich hab's dir ja gesagt.«

»Schon gut, nichts passiert. Los weiter.«

Mit jedem Meter, den sie tiefer in die Finsternis eindrangen, wurde die Atmosphäre dichter. Die Dunkelheit schien sie zu umschließen, als wollte der Krater sie verschlingen. Johannas Atemzüge hallten in ihrem Helm wider, verstärkten die Einsamkeit und die Stille, die sie umgaben.

»Siehst du etwas?«, fragte Johanna.

Chris richtete seinen Scheinwerfer nach unten, aber die Tiefe schien endlos. »Noch nichts ... Aber es fühlt sich an, als werden wir beobachtet.«

Johanna starrte in die Schwärze unter sich. Das Gefühl, das sie beide seit Tagen begleitete, verstärkte sich, als sie tiefer und tiefer hinabstiegen.

»Alles okay bei dir?«, fragte Chris, als sie eine kurze Pause auf einem Vorsprung einlegten.

»Ja«, antwortete Johanna, obwohl die Anspannung in ihrer Stimme nicht zu überhören war. »Es fühlt sich nur ... falsch an, als ob wir nicht hier sein sollten.«

Chris stimmte ihr schweigend zu, bevor sie den Abstieg fortsetzten. Schließlich erreichten sie den Boden des Kraters. Feiner Staub wirbelte unter ihren Stiefeln auf.

Sie lösten sich von den Seilen und blickten sich um. Zuerst stellte Johanna fest, dass die Ausrüstung sicher auf dem

Boden angekommen war. Die Fläche vor ihr war riesig und erstreckte sich, so weit das Auge reichte – oder vielmehr so weit das Licht reichte. Es gab keine offensichtlichen Merkmale, keine Felsen oder Gesteinsbrocken, nur den glatten, feinkörnigen Staub, der den Boden bedeckte.

»Hier ist etwas … nicht richtig«, murmelte Chris und ging ein paar Schritte vorwärts, während er das Terrain mit seinen Lichtkegeln abtastete. »Es ist zu perfekt. Kein Kraterboden sollte so aussehen. Es gibt keine Unebenheiten oder Ähnliches.«

»Houston, wir haben den Boden erreicht«, meldete Johanna.

»Verstanden, Johanna. Was seht ihr?«, kam die knisternde Antwort.

Chris richtete seinen Scheinwerfer nach vorne. »Es ist flach … und ruhig.«

»Verstanden, Artemis, dann beginnt mit der Erkundung. Over.«

»Rodger, Houston«, antwortete Chris und wandte sich Johanna zu. »Lass uns herausfinden, was hier unten wirklich los ist.«

»Das könnte ein guter Ort sein, um die ersten Sensoren zu installieren«, schlug Johanna vor.

Chris schaute sich um. »Ja, das sieht gut genug aus. Wir sollten hier die Strahlung und die seismischen Aktivitäten messen, bevor wir weitergehen.«

Sie breiteten die Ausrüstung aus, während die Schwärze des Kraters sie wie ein lebendiges Wesen umgab. Johanna stellte die Sensoren auf und aktivierte die Messgeräte. Die Geräte begannen sofort, Daten zu sammeln, doch die Anzeigen blieben stabil.

163

»Keine Anomalien«, murmelte sie. »Ich verstehe es nicht. Gestern haben wir massive Ausschläge gesehen, und jetzt ... nichts.«

Chris stellte sich neben sie und schaute ebenfalls auf die Anzeigen. »Es ist fast zu ruhig.« Seine Stimme war leise, als ob er befürchtete, etwas zu stören.

»Stell du die Lampen auf. Ich werde hier ein paar Bodenproben nehmen, schließlich wollen wir ja auch erfahren, ob es hier Wassereis gibt.«

»Verstanden.«

Chris stellte die ersten Lampen auf, um die die Dunkelheit fernzuhalten.

»Hast du es?«, fragte er schließlich.

»Gib mir einen Moment.«

Johanna beförderte mit einer kleinen Schaufel etwas von der kristallinen Masse in einen metallischen Behälter. Diesen schob sie in die dafür vorgesehene Öffnung der Kiste mit dem Gaschromatographie-Massenspektrometrie-Instrument, das über einen kleinen Monitor auf der Oberseite verfügte.

»Gleich werden wir wissen, ob es sich um gefrorenes Wasser handelt.«

»Chris, hörst du mich?« Pauls Stimme lenkte ihn ab.

»Laut und deutlich, Orion. Wie geht es euch da oben? Langweilt ihr euch schon?«

»Wir halten uns hier mit Ping-Pong bei Laune, und Ralf macht gerade das Essen warm. Wir sollen euch eine dringende Bitte von Houston weiterleiten. Wir sollen euch daran erinnern, dass ihr zwei Stunden für die Untersuchung des Kraters habt. Ihr sollt nicht auf die Idee kommen, diese Deadline zu überschreiten.«

Johanna betrachtete ihr Head-up-Display, das ihr Aufschluss über den Status des Anzugs gab. Die Energie lag bei zweiundsechzig Prozent, was bedeutete, dass sie sich in

164

dieser extremen Umgebung bei zweihundertvierzig Grad Celsius unter null noch maximal zwei Stunden aufhalten durften, bevor sie wieder zurückmussten.

»Wir haben die Anzeige im Blick. Zwei Stunden sind viel Zeit, und Johanna hat gerade sehr viel Spaß mit ihren Proben. Du kannst Houston sagen, dass wir rechtzeitig zurückkehren, bevor das Licht ausgeht.«

»Verstanden. Habt ihr schon etwas gefunden?«

»Johanna untersucht gerade die erste Probe, aber sonst haben wir bisher nur Dunkelheit und Kälte gefunden.«

»Klingt, als würdest du meine Ex-Frau beschreiben.« Paul lachte über seinen Scherz.

Chris schüttelte den Kopf. Paul war ein netter Kerl und ein Genie, wenn es darum ging, etwas zu reparieren oder zu berechnen, aber von Frauen hatte er so viel Ahnung wie eine Mücke vom Weinanbau.

Johanna reckte den Hals, während sie auf das Ergebnis wartete, sodass sie den Sternenhimmel sehen konnte. Irgendwie war es ein merkwürdiger Anblick. Von hier unten betrachtet hob sich der Rand des Kraters deutlich von dem darüber liegenden Sternenhimmel ab.

»Ich werde noch ein paar Meter weitergehen und eine letzte Lampe aufstellen, dann scanne ich die Mitte des Kraters«, sagte Chris.

»Ist gut, die Analyse ist gleich durch, dann packe ich zusammen.«

Ein beklemmendes Gefühl erfasste sie, als Chris sah, wie die Dunkelheit Chris verschluckte. Eine tiefsitzende Angst, wie ein Instinkt vor einer drohenden Gefahr, kroch langsam von hinten an sie heran und drohte sie zu verschlingen. Nur das Licht seiner Helmlampen war zu sehen. Der Boden schimmerte im Schein des Lichts, als würde er über einen Teppich aus Diamantenstaub wandeln.

»Der Laser des Entfernungsmessers misst knapp zwei Kilometer bis zur anderen Seite.«

Johanna beobachtete ihn aus der Mitte der Lichtinsel, die durch die vier LED-Lichtsäulen entstand. Zwei weitere befanden sich in der Kiste, die Chris trug.

»Das muss reichen, ich stelle die nächste hier auf.«

»Ist gut.«

Er kniete sich hin und öffnete den Deckel. Er ergriff eine der beiden weißen Kunststoffsäulen, die über eine Teleskopvorrichtung verfügten und auf eine Höhe von drei Metern anwachsen konnten, dabei aber nur einen Durchmesser von zwanzig Zentimetern hatten. Es waren Spezialanfertigungen, die für die extreme Umgebung entworfen worden waren. Allein die Entwicklung der Akkus hatte mehrere Hunderttausend Dollar verschlungen. Es gab Lichtbänder auf allen vier Seiten des Stabes, die in einem Bereich von dreihundertsechzig Grad und einhundert Metern Licht spendeten.

Er klappte gerade die vier breiten Standfüße aus, als ein blinkendes Feld auf dem Display vor ihr Johannas Aufmerksamkeit erregte.

»Chris?«

»Ja?«

»Wir könnten Glück haben. Die erste Analyse zeigt, dass es hier Wassereis gibt. Zwar ist die Konzentration geringer als erhofft, aber zumindest gibt es welches.«

»Ist es sauber?«

»Spuren von Ammoniak und Kohlendioxid, nichts, was sich nicht rausfiltern ließe. Habe ich noch Zeit, eine weitere Probe zu nehmen?«

Sie fixierte den unerbittlich herunterlaufenden Countdown, der ihr am oberen Sichtbereich der Helmverglasung eingeblendet wurde.

»Wenn du dich beeilst, kann ich dir noch ein paar Minuten geben, wir müssen noch den gesamten Krater untersuchen. Und unterschätze nicht unseren Aufstieg, das sind achthundert Meter.«

»Daran musst du mich nicht erinnern. Dafür wurden wir ausgebildet, und du solltest nicht vergessen, dass ich bis jetzt jeden Aufstieg schneller geschafft habe als du.«

Sein hellweißer Anzug leuchtete im grellen Licht der Lampen.

»Das sind hier nicht die Olympischen Spiele, sondern einer der lebensfeindlichsten Orte, die man sich vorstellen kann«, sagte er.

Sie verstaute das Spektrometer und schloss den Deckel der Kiste. Dann ging sie auf Chris zu. »Glück für dich, dass es nicht Olympia ist, von mir würdest du nur meine Rückseite sehen.«

»Das wäre nicht das Schlechteste«, murmelte er.

»Hast du was gesagt?« Sie wusste, dass er sie attraktiv fand. Das hatten ihr seine Blicke verraten, die manchmal lange auf ihr geruht hatten, besonders morgens, wenn sie aus ihrem Schlafsack kroch, mit nicht mehr als einem Slip und T-Shirt bekleidet. Damit konnte sie leben, schließlich war er nicht der erste Mann, der sie mit seinen lüsternen Blicken musterte.

So, wie sie es gelernt hatte, stieß sie sich routiniert bei jedem Schritt ab und schwebte für einen Moment in der geringen Anziehungskraft. Chris schloss den Deckel der Kiste, als sie an ihm vorbeiglitt.

»Selbstverständlich würdest du mich abhängen. Ich habe auch schon zehn Jahre mehr als du auf dem Buckel, auch wenn ich fitter bin als die meisten in meinem Alter.«

Ihre Lichtfinger versuchten verzweifelt, das Ungewisse zurückzudrängen, das sich in der Schwärze versteckte. Der

Entfernungsmesser zeigte an, dass die gegenüberliegende Wand nur noch anderthalb Kilometer entfernt war.

Der Boden vor ihren Füßen hatte sich verändert.

»Was hast du?«, fragte Chris, als er sie eingeholt hatte.

»Siehst du das?«

»Was ist das?«

Sie streckte die Hand aus. Keinen halben Meter von ihr entfernt war der Boden pechschwarz, als wäre er extremer Hitze ausgesetzt gewesen. Aber das konnte nicht sein, dann wäre hier alles geschmolzen.

»Siehst du den Übergang von der hellen Krateroberfläche? Die Linie ist absolut perfekt, als hätte sie jemand mit einem Zirkel gezogen.«

»Was denkst du? Könnte das natürlichen Ursprungs sein? Vielleicht vor Millionen von Jahren, als der Asteroid hier eingeschlagen ist?«

Sie legte die Hand auf die dunkle Fläche. »Ich weiß es nicht, aber das Material scheint hart zu sein, als wäre es geschmolzen und dann schockartig erstarrt. So wie auf der Ebene des Tals, nördlich von hier.«

Johanna blickte auf. Soweit ihr Lichtkegel reichte, sah sie schwarzen Untergrund.

»Was es auch ist, wir haben nicht viel Zeit. Wir sollten Proben nehmen und alles aufzeichnen, dann kann Houston entscheiden, ob sie eine weitere Artemis-Mission mit der Erforschung beauftragen«, sagte sie.

»Was ist ...«

Johanna erhob sich. »Was ist los, warum sprichst du nicht weiter?«

»Dort vorne ist etwas, hundert Meter voraus. Vielleicht der Grund für die Veränderung des Untergrunds.«

168

»Du hast recht, und zwar ziemlich genau dort, wo ich schätze, dass der Mittelpunkt sein muss. Wir sollten uns das ansehen.«

Chris blickte Johanna an. »Wir müssen uns beeilen, die Energie unserer Anzüge reicht sonst nicht aus. Sonst wird das hier unser eisiges Grab.«

»Du bist der Kommandant dieser Mission und hast die Verantwortung. Ich muss wissen, was hier geschehen ist.«

Der Countdown zeigte eine Stunde und zwölf Minuten an.

»Na schön«, sagte er und packte ihren Arm. »Ich meine das ernst. Wir machen Aufnahmen, scannen den Bereich, du nimmst eine Probe und wir verschwinden, verstanden?«

Johanna nickte und griff nach ihrem Koffer. »Dann los.«

Chris ging voran. Er suchte den Punkt, wo das Objekt sein musste. Am wahrscheinlichsten war, dass sie die Überreste des Felsbrockens finden würden, der für den Krater verantwortlich war. Doch würde das nicht erklären, warum der Boden in einem Radius von hundert Metern wie Obsidian wirkte. Das Licht seiner Lampen spiegelte sich wie auf der Oberfläche eines Sees, die vom Wind in Bewegung versetzt wurde.

»Der Scanner erfasst die schwache, aber konstante elektromagnetische Strahlung, die etwas stärker geworden ist«, bemerkte Johanna, als sie die Werte auf dem kleinen Display studierte.

»Könnte das irgendwelche Reststrahlung sein?«

»Nein, das glaube ich nicht. Mein Magnetometer registriert eine leichte Veränderung des Magnetfeldes. Entweder ist das ein Eisenasteroid gewesen, oder dort vorne befindet sich ein Objekt mit metallischer Hülle. Aber da ist noch etwas anderes.«

»Was meinst du?«

»Spürst du es denn nicht? Die Angst, sie ist weg, stattdessen ist dieses Gefühl wieder da, dieser Sog.«

Chris wandte sich von ihr ab. Im Schein seiner Lampen konnte sie bereits schemenhafte Umrisse erkennen. »Ja, ich fühle es auch.«

Er legte seinen Koffer ab und setzte sich in Bewegung. Ein unheimliches Gefühl durchfuhr sie, als sie das bizarr wirkende Objekt in seinem Lichtschein erblickte. Es steckte im Boden, ragte knapp sechzig Meter in die Höhe und hatte einen Durchmesser von dreißig Metern. Auf den ersten Blick sah es aus wie ein Felsbrocken, der sich in die Oberfläche gebohrt hatte. Die Außenschicht wirkte ausgefranst, als bestünde sie aus Lava, die an der Hülle nach oben geflossen und erstarrt war. Tausende kleinere und größere Stalagmiten aus einem schwarzen Material zeigten wie dürre Äste in den Sternenhimmel.

»Es sieht aus wie ein Asteroiden-Einschlagkegel, aber die Werte des Infrarot- und des Magnetometers sind äußerst merkwürdig. Irgendetwas im Inneren erzeugt Energie und ein sehr schwaches magnetisches Feld«, sagte Johanna mit Blick auf ihr Armdisplay.

Chris ging etwas näher. »Sieh dir diese hauchdünne Fuge im erstarrten Material an. Da ist ein kaum wahrnehmbarer Schimmer wie von einer Biolumineszenz. So etwas kenne ich nur von dem Meeresleuchten, das durch Dinoflagellaten erzeugt wird. Einzeller, die in ihrem Inneren durch chemische Prozesse bläuliches Licht erzeugen, wenn sich ihre Umgebung ändert. Aber irgendwie scheint das hier anders zu sein, mal abgesehen davon, dass wir uns in einem Krater am Mondsüdpol befinden. Um uns herum herrscht Vakuum und es ist weit unter null Grad Celsius.«

Sie trat näher an ihn heran und sah es ebenfalls.

Das konnte keine Lebensform sein, wie sollte diese hier draußen überleben? Oder bestand die Möglichkeit, dass diese Art von Lebewesen eine ähnliche Robustheit aufwies wie zum Beispiel das Bärtierchen?

»Was ist das?«, fragte Johanna.

Chris war gerade dabei, die Fuge genauer zu untersuchen, als Pauls Stimme aus dem Funkgerät drang. »Artemis, hier Orion, ihr habt noch vierzig Minuten. Ihr solltet langsam eure Experimente beenden.«

»Verstanden, Paul, einen Moment noch, vielleicht haben wir hier etwas gefunden. Johanna, kannst du etwas von dem Gesteinsmantel entfernen?«

»Ich werde versuchen, ein Loch hineinzubohren.« Sie holte aus einer der beiden Transportkisten einen modifizierten Akkubohrer und setzte ihn neben der Fuge an. Der Bohrkopf senkte sich langsam in das Material. Als sie ihn wieder herauszog, blieb ein Loch zurück, in das sie hineinleuchtete. »Das sieht aus wie ein metallisches Objekt, Chris. Das Gestein ist porös und nicht sehr hart.« Sie bearbeitet den Felsen mit einem Hammer und einem Meißel.

»Chris, Houston wird unruhig, was ist bei euch los?«, fragte Paul.

»Wir haben ein Objekt im Kratermittelpunkt gefunden, das gänzlich von geschmolzenem Gestein umhüllt ist. Johanna hat eine Testbohrung durchgeführt und eine metallische Oberfläche freigelegt. Wir konnten es als Quelle der elektromagnetischen Strahlung ausmachen.«

»Eine metallische Oberfläche?« Ein statisches Knacken begleitete Ralfs Stimme. »Habt ihr einen Eisenasteroid gefunden?«

»Das wissen wir noch nicht. Die Beschaffenheit der Oberfläche deutet nicht darauf hin, dafür ist das Material zu glatt. Johanna entfernt gerade etwas von dem Material mit

171

einem Meißel, dann kann ich euch mehr Informationen mitteilen.«

»Ich hab's gleich.« Mit präzisen Schlägen auf das Ende des Meißels schaffte sie es, ein größeres Stück des rauen Materials zu entfernen, was dazu führte, dass ein weiteres großes Stück herausbrach und zu Boden fiel.

»Das ... das kann nicht sein«, stammelte Chris entsetzt, als er die glänzende Oberfläche betrachtete, in der sich ihr Gesicht spiegelte.

»Was ist los? Jetzt redet schon«, forderte Paul.

»Es ist ein metallisches Objekt und es ist definitiv nicht natürlich. Das Material ist vollkommen glatt, als wäre es poliert und ich kann feine Linien erkennen, die zu einem Kreis führen. Entweder haben die NASA oder die Sowjets hier eine Sonde verloren, oder wir haben ein außerirdisches Objekt gefunden.« Er streckte die Hand aus.

»Nicht, ich denke es ist besser, wenn wir es nicht berühren«, sagte Johanna.

Seine Hand verharrte für einen Augenblick über der Oberfläche. »Ich habe Handschuhe an. Ich will nur überprüfen, ob es fest ist.«

»Natürlich ist es fest, sonst wäre es doch bei dem Aufprall zerbrochen.«

»Houston sagt, dass ist nichts von uns und sie haben auch keine Daten darüber, dass die Sowjets, Chinesen, Inder oder sonst wer dort eine Sonde verloren haben.«

Chris senkte seine Hand und legte sie auf der glatten ovalen Fläche ab. »Dann stammt es nicht von Menschen.«

Johanna spürte eine Vibration, die aus dem Inneren kommen musste. »Wir sollten gehen.«

Sie legte Chris eine Hand auf den linken Arm. »Unser Countdown ist fast abgelaufen, lass uns hier morgen weitermachen.«

»Houston möchte, dass ihr Fotos macht und dann zum Starship zurückgekehrt. Wir sammeln euch in achtundvierzig Stunden ein, bis dahin sollt ihr die Daten und Proben sichern und morgen umfassende Untersuchungen des Objekts anfertigen.«

»Die Intensität der elektromagnetischen Spannung baut sich weiter auf, als ob etwas hochfährt, und auch das Magnetfeld wird stärker«, stellte Johanna alarmierend fest.

Plötzlich ertönte ein lautes, elektronisches Knacken in ihren Helmen, und die Anzeigen ihrer Scanner flackerten auf. Die Sensoren begannen, unregelmäßige Daten zu senden, als ob sie von einer unbekannten Quelle gestört würden.

»Was zum ...?« Chris' Stimme war von Rauschen unterbrochen. »Houston, wir haben ein Problem. Unsere Messgeräte spielen verrückt!«

Doch die Verbindung zu Houston war plötzlich abgebrochen, auch die Orion antwortete nicht. Statisches Rauschen füllte die Funkfrequenzen und die Anzeigen in ihren Helmen flackerten.

Johanna packte Chris' Arm. »Wir müssen zurück!«

Bevor er reagieren konnte, tauchte unter seiner Hand, die auf dem unidentifizierten Gegenstand ruhte, ein grünes Licht auf. Es umhüllte seine Hand und breitete sich über seinen Arm aus.

Dann bebte der Boden. Johanna zerrte an Chris – doch es war vergebens, er konnte seine Hand nicht entfernen. Das Licht hatte bereits seine Brust erreicht.

Johanna sprang zurück, doch ihre Augen blieben auf das pulsierende Licht fixiert. »Chris, was ist mit dir? Lass es los, bitte.«

Ein Lichtstrahl schoss aus der Einkerbung hervor, durchbohrte die Dunkelheit und tauchte den Krater in ein unnatürliches Licht. Johanna und Chris wurden zurückgeschleudert, ihr Helm prallte hart auf den Boden, und für einen Moment war alles nur ein greller, schmerzender Schein.

Als das Licht erlosch, blieb eine unheimliche Stille zurück. Johanna blinzelte in die Dunkelheit. Ihre Ohren klingelten, und ihre Glieder fühlten sich schwer und träge an.

»Chris ... bist du okay?«, fragte sie schwach.

Keine Antwort. Panik kroch in ihr hoch, als sie sich aufrichtete und umsah. Chris lag ein paar Meter von ihr entfernt, reglos und mit dem Gesicht im Staub.

»Chris!«, rief sie und krabbelte hastig zu ihm. Mit zitternden Fingern packte sie ihn an der Schulter und drehte ihn vorsichtig um. Sein Visier war intakt, doch seine Augen waren geschlossen, sein Atem ging flach und unregelmäßig.

»Houston, bitte meldet euch!«, schrie sie ins Funkgerät. Doch die Antwort war wieder nur Stille.

Chris' Gesicht war blass – sie war seine einzige Hoffnung.

Sie sah zu dem Objekt, das jetzt still und reglos im Boden steckte, als ob es nie aktiviert worden wäre. Das Licht war verschwunden und der Krater war wieder in die tiefe, trostlose Dunkelheit getaucht.

Johannas Magen zog sich zusammen. Sie musste schnell handeln.

Sie richtete sich auf und versuchte, Chris auf die Beine zu ziehen. »Komm schon, wir müssen hier weg«, flüsterte sie, als sie ihn stützte und langsam zum Seil zurückschleppte.

Doch ein leises Rumpeln in der Ferne ließ sie innehalten. Die Wände des Kraters vibrierten, und der Boden unter ihnen bebte erneut. Johanna schaute panisch um sich, während der Krater in ein tiefes, drohendes Grollen verfiel.

Dann hörte sie es – ein ein tiefes, rhythmisches Pochen, das sich näherte. Es war kein Geräusch, das aus der Erde oder von einer Maschine stammte. Es hörte sich irgendwie ... organisch, lebendig an.

Blanke Panik erfasste sie, als sie an etwas Großes, Uraltes, dachte, das sich in der Dunkelheit bewegte, und sie nun angreifen würde.

Johanna spürte die kalte Hand der Angst, die sich um ihr Herz legte. Sie packte Chris fester und zog ihn mit letzter Kraft in Richtung des Seils. Ihr MMU würde sie nicht zu zweit den Abhang hinaufbringen, sie musste sich etwas einfallen lassen.

»Chris, bitte wach auf«, flehte sie, während sie ihn weiterzog. Doch er rührte sich nicht. Das Pochen wurde lauter, die Wände schienen sich zu verengen, und die Dunkelheit wurde immer undurchdringlicher. Sie musste sich entscheiden, so schwer es war: Entweder versuchte sie, ihn mit sich zu nehmen, und würde bei dem Versuch elend verrecken oder sie ließ ihn zurück, um ihr Überleben zu sichern. Die NASA musste erfahren, was hier passiert war, um weitere Missionen zu warnen und Menschleben zu retten.

Ihre einzige Hoffnung war jetzt, das Seil zu erreichen und irgendwie den Weg nach oben zu finden, bevor das Unaussprechliche, das sich in der Finsternis verbarg, sie erreichte.

Die Warnung

Donnerstag, 26. April 2029, Oase Siwa, Ägypten

Sam blinzelte verschlafen, als er die ersten Strahlen der Morgensonne auf seiner Haut spürte. Der Geländewagen rollte über die staubigen Straßen von Siwa. Die Stadt lag in einer der abgelegensten Oasen Ägyptens. Die sandigen Wege, gesäumt von Lehmbauten und Palmenhainen, waren menschenleer. Das Geräusch des Motors klang seltsam laut in der stillen, kühlen Morgenluft. Er rieb sich den Schlaf aus den Augen, als der Wagen schließlich vor einem kleinen Hotel zum Stehen kam. Das Gebäude war ein traditionelles Lehmhaus, in warmen Erdtönen gestrichen, das sich harmonisch in die Umgebung einfügte. Eine Handvoll Palmen warf lange Schatten über den Eingangsbereich, wo ein schlichtes Schild mit arabischen Schriftzeichen das Hotel *Haus der Palmen* auswies.

Kathrin parkte in einer der leeren Parkbuchten. »Wir sind da«, sagte sie leise, ihre Stimme drang nur schwer durch den Schleier der Müdigkeit, der Sam immer noch umgab. Ein Blick auf seine Armbanduhr verriet ihm, dass es fünf Uhr morgens war. Er musste mehr als vier Stunden geschlafen haben, was bei Weitem nicht ausreichend war. Vielleicht würde ein Kaffee seine Sinne wiederbeleben.

Sam stieg langsam aus dem Wagen, streckte sich und sog die klare Luft tief in seine Lungen. Die Wüste hatte eine

176

besondere Frische am frühen Morgen, bevor die Sonne den Sand wieder in glühende Hitze verwandelte.

Die Stadt Siwa lag friedlich da, als würde sie in der ersten Wärme des Tages baden. Die Architektur war schlicht und traditionell, bestehend aus dicken Lehmwänden, die in den Sommermonaten kühlten und in den Winternächten die Wärme speicherten.

Das Hotel lag am Rande der Stadt auf einer kleinen Anhöhe, nicht weit von den berühmten Dattelpalmenhainen entfernt. Die Dattelpalmen waren für die Siwiten mehr als nur Pflanzen – sie waren Lebensgrundlage und Kulturgut. Überall in der Stadt konnte man die runden, turmartigen Silos sehen, in denen die Datteln getrocknet und gelagert wurden.

»Ich gehe uns zwei Zimmer besorgen«, sagte Kathrin, als sie zum Eingang des Hotels ging. Sam ließ den Blick über die flachen Dächer der Häuser schweifen, im Hintergrund konnte er den großen Siwa-See erkennen und am Horizont einen kleineren See. Die Oase war anders als alles, was er zuvor in Ägypten gesehen hatte. Es war eine Mischung aus der spröden Schönheit der Wüste und der fruchtbaren Fülle der Gärten, die von den artesischen Quellen gespeist wurden.

Ein paar Männer in weiten weißen Gallabijas – den traditionellen Gewändern der Region – schlenderten gemächlich die Straße entlang, mit Turbanen oder einfachen Kopftüchern schützten sie sich vor der Sonne. Ein älterer Mann, der einen Esel samt Holzkarren führte, warf Sam einen neugierigen Blick zu, bevor er weiterging. Die Siwans waren bekannt für ihre zurückhaltende, aber freundliche Art, über die Jahrhunderte hinweg hatten sie eine ganz eigene Kultur und Sprache entwickelt. Die Siwi-Sprache, ein Berber-Dialekt, wurde hier noch von den meisten

177

Bewohnern gesprochen, obwohl Arabisch ebenfalls geläufig war.

Kathrin kam aus dem Hotel zurück, einen alten, hageren Mann im Schlepptau, der die müden Augen eines Menschen hatte, der an die frühe Stunde gewöhnt war. »Das ist Achmed«, sagte sie, »er bringt uns zu unseren Zimmern.« Achmed, der offenbar der Besitzer des kleinen Hotels war, nickte höflich und führte sie ins Innere. Der Eingangsbereich war schlicht, aber sauber. Ein paar einfache, geflochtene Teppiche bedeckten den Boden, und an den Wänden hingen kleine Tücher, bestickt mit traditionellen Mustern. Der Duft von frischem Tee und Weihrauch lag in der Luft und durch ein offenes Fenster drang das entfernte Gurren von Tauben.

Sie wurden durch einen schmalen Flur. Achmed hielt vor zwei gegenüberliegenden Türen, schloss eine auf und ließ sie eintreten, dann übergab er ihnen die Schlüssel und ging. Das Zimmer war spartanisch eingerichtet: ein einfaches Bett, ein kleiner Tisch und ein Fenster, das einen Blick auf die Palmenhaine bot. Ein Ventilator summte leise an der Decke.

»Ich habe dafür gesorgt, dass wir ungestört bleiben«, sagte Kathrin. »Niemand weiß, dass wir hier sind.«

Sam setzte sich auf die Bettkante und rieb sich die Augen. Die Müdigkeit lag immer noch schwer auf ihm, aber seine Gedanken kreisten unaufhörlich. »Ich wusste gar nicht, dass du arabisch sprechen kannst.«

»Ich kann vieles, von dem du nichts weißt.«

»Und wann verrätst du mir die Dinge, die du mir verschweigst?«

Kathrin seufzte und setzte sich an den kleinen Tisch. Ihre Gesichtszüge verhärteten sich. »Wie kommst du darauf, dass ich dir etwas verheimliche?«

»Weil ich mir nicht vorstellen kann, dass die DARPA eine einzelne Agentin in die Wüste von Ägypten schickt, um einige Artefakte von einem Schwarzmarkthändler zu kaufen, ohne zu wissen, ob diese von Wert sind.«

»Den Wert der Gegenstände werden wir feststellen, nachdem wir sie haben. Deswegen bist du hier und das weißt du.«

»Ja, deswegen bin ich hier, aber offensichtlich befinden wir uns in einer gefährlichen Mission, wenn die US-Regierung ohne die Hilfe der ägyptischen Regierung vorgeht.«

»Was hast du gedacht, wie das hier läuft? Du weißt, was auf dem Spiel steht, das hier kann die wichtigste verdeckte Mission in der Geschichte sein. Du bist ein Spezialist auf deinem Gebiet und ich auf meinem. Das hier kann einfach alles verändern und wir dürfen das nicht vergeigen, denn sonst könnten Menschen sterben.«

Sam sah Kathrin aufmerksam an. Die Strahlen der Morgensonne tauchten den Raum in ein warmes goldgelbes Licht. Die Kühle der Wüste wich langsam der Hitze des anbrechenden Tages. Er konnte die wachsende Unruhe in sich nicht ignorieren.

»Wie ist der Plan für heute? Was hast du vor?«, fragte Sam.

Kathrin warf einen kurzen Blick auf ihre Armbanduhr. »In knapp vier Stunden werden wir uns mit Said in einem Café treffen. Dort wird er uns verraten, wo das eigentliche Treffen stattfinden wird.«

»Und was machen wir bis dahin?«, fragte er.

Kathrin erhob sich und nahm ihre Tasche. Sie lächelte müde. »Ich werde jetzt in mein Zimmer gehen und mich etwas frisch machen. Ich stinke wie ein Esel. Anschließend werden wir etwas frühstücken und uns in der Stadt umschauen.«

179

Sam schaute ihr nachdenklich hinterher. »Was soll ich tun?«, fragte er, als sie bereits die Hand auf der Türklinke hatte.

»Keine Ahnung«, sagte sie über die Schulter. »Nur solltest du nicht das Zimmer verlassen, bis ich wiederkomme.« Dann öffnete sie die Tür und verschwand ohne ein weiteres Wort aus dem Raum.

Sam blieb einen Moment sitzen, dann stand er auf und trat ans Fenster. Auf den staubigen Straßen von Siwa erwachte langsam das Leben. Frauen in traditionellen Gewändern trugen Wasserkrüge, während Männer mit Eseln durch die engen Gassen zogen. Der große Salzwassersee glitzerte in der Ferne, eingerahmt von den Palmenhainen, die die Oase wie eine grüne Insel in der endlosen Weite der Wüste erscheinen ließen.

Sam seufzte und wandte sich ab. Er hatte das Gefühl, in ein kompliziertes Spiel verwickelt zu sein, dessen Regeln ihm niemand erklärt hatte. Sam ließ sich auf den Stuhl sinken, starrte auf den kahlen Tisch vor sich und versuchte, seine Gedanken zu ordnen. Er hatte das Gefühl, dass etwas Großes auf sie zukam, etwas, das er noch nicht fassen konnte.

Plötzlich durchbrach ein leises Rascheln die Stille – ein brauner Umschlag wurde unter der Tür hindurchgeschoben. Sam stürzte zur Tür und riss sie auf. Doch der Flur war leer, nur der leichte Duft von Staub und Sand hing in der Luft. Er schloss die Tür wieder und öffnete vorsichtig den Umschlag.

Im Inneren fand er ein Foto, das offenbar heimlich aufgenommen worden war. Es zeigte einen Mann mit Sonnenbrille, der europäisch wirkte – vielleicht ein Südeuropäer. Er trug eine schwarze Lederjacke, Jeans und hatte kurze schwarze Haare. Irgendetwas an dem Mann kam Sam bekannt vor, aber er konnte ihn nicht einordnen. Er drehte das Foto um und entdeckte eine handschriftliche

Nachricht auf der Rückseite: »Die Schlange schläft, doch der Biss bleibt tödlich. Suche nach der schwarzen Pyramide.«

Ein kalter Schauer lief Sam über den Rücken. Es war eine Warnung, für ihn oder für Kathrin – vielleicht für sie beide.

Er setzte sich wieder auf die Bettkante, das Foto in den Händen, und versuchte fieberhaft, sich zu erinnern, wo er diesen Mann schon einmal gesehen hatte. Doch es wollte ihm nicht einfallen.

Er hörte Schritte auf dem Flur, und einen Moment später klopfte es an der Tür. Sam zuckte zusammen, ließ das Foto auf den Tisch fallen und ging zur Tür, das Herz schlug ihm bis zum Hals. »Wer ist da?«, fragte er, wobei er sich bemühte, seine Stimme ruhig zu halten.

»Ich bin's, wer sonst? Darf ich rein, oder bist du nackt?«

Sam atmete erleichtert aus und ließ Kathrin herein. Sie trug jetzt frische Kleidung, ihre Haare waren noch feucht von der schnellen Dusche. Ihr Ausdruck veränderte sich, als sie Sams Gesicht sah. »Ist etwas passiert? Du wirkst nervös.«

Sam sah auf ihr Gewand und das Kopftuch, das sie trug, und fragte abgelenkt: »Was hast du da an?«

Kathrin lächelte schwach. »Ich passe mich meiner Umgebung an, das solltest du auch tun. Du siehst aus wie ein Tourist, der Archäologe spielen will.«

Er zuckte mit den Schultern, warf ihr einen herausfordernden Blick zu und erwiderte harsch: »Ich spiele ihn nicht nur, ich bin einer.«

Er nahm das Foto vom Tisch und hielt es ihr hin. »Das hat vor ungefähr fünfzehn Minuten jemand unter meiner Zimmertür durchgeschoben.«

Kathrin betrachtete das Bild genau. »Jemand?«, fragte sie und schaute zu ihm auf.

»Ja, in diesem Umschlag. Als ich nachgesehen habe, war niemand zu sehen. Lies, was auf der Rückseite steht.«

Kathrins Augenbrauen zogen sich leicht zusammen. »,Die Schlange schläft, doch der Biss bleibt tödlich.'« Sie sah ihn mit einem undurchdringlichen Blick an. »Und was soll das bedeuten?«

Sam atmete tief durch. »Es ist ein altes ägyptisches Sprichwort. Es warnt vor Gefahren, die nicht offensichtlich sind. Jemand will uns anscheinend vor diesem Mann hier warnen, wer auch immer er ist. Dass die Botschaft auf Englisch geschrieben wurde, sagt mir, dass es kein Einheimischer war. Also müssen wir nach jemand Fremdem suchen, nach einem Touristen oder Geschäftsmann.«

Kathrin nickte langsam und sah erneut auf das Foto. »Es sieht aus, als wäre es bei einer Überwachungsaktion aufgenommen worden. Ich werde es nach Washington schicken. Vielleicht findet unser System die Identität dieses Mannes heraus.«

Sams Muskel spannten sich, als seine innere Anspannung wieder zu nahm. »Das war's? Wir sollen weitermachen, als wäre nichts passiert?«

Kathrin legte das Foto behutsam auf den Tisch zurück und verschränkte die Arme. Ihre Miene war unerschütterlich, fast kalt. »Genau das ist der Plan. Wir können uns nicht in eine Ecke drängen lassen, nur weil jemand uns eine Botschaft geschickt hat. Wir haben einen Auftrag und wir werden ihn durchziehen. Zudem, könnte dieses Bild auch gar nichts bedeuten, es könnte einfach von jemandem hier hinterlassen worden sein, der Touristen vielleicht Angst einjagen will. Dass die Botschaft auf Englisch geschrieben wurde, hat ebenfalls nichts zu bedeuten. Die könnte von jedem stammen.«

Sam schnaubte ungläubig und wandte sich wieder dem Fenster zu. Er versuchte, den See in der Ferne zu fokussieren, doch seine Gedanken kreisten unaufhörlich um das Bild.

182

»Du verstehst nicht, wo du hier bist. Die Menschen, die hier leben, sind Bauern, dieser Ort ist so isoliert, dass sich hier eine ganz eigene Lebensweise entwickelt hat. Bis vor wenigen Jahren gab es hier kaum Tourismus und die Leute hatten keinen Kontakt zur Außenwelt.« Er fuhr sich durch die Haare. »Und was, wenn dieser Mann ... wenn er uns schon beobachtet? Was, wenn er mehr über uns weiß, als wir ahnen? Sollten wir nicht irgendwelche Vorkehrungen treffen? Ich kann mich nicht verteidigen, ich habe keine Ahnung von Waffen oder Kampfsport.«

Kathrin trat näher an ihn heran, ihre Schritte waren kaum hörbar auf dem abgenutzten Boden. »Deshalb müssen wir wachsam bleiben. Aber Panik hilft uns nicht. Es wird immer Unbekannte geben, immer Gefahren, die wir nicht vorhersehen können. Das gehört dazu. Wenn es ernst wird, überlasst du mir die bösen Jungs und holst Hilfe.«

»Leicht gesagt«, murmelte Sam und lehnte seine Stirn gegen das kühle Glas des Fensters. Er fühlte sich erschöpft, und die ganze Situation fing an, ihm über den Kopf zu wachsen. »Ich habe keine Ahnung, was hier wirklich passiert. Ich bin kein Spion, ich bin Wissenschaftler, Kathrin. Ich bin hier, weil ich etwas über die Vergangenheit herausfinden will, nicht, um in irgendwelche Verschwörungen verwickelt zu werden.«

Kathrin legte ihm eine Hand auf die Schulter und zog ihn sanft vom Fenster weg. » Wir sind keine Spione«, sagte sie ruhig. »Bestenfalls Agenten in geheimer Mission, die nicht eine fremde Regierung ausspionieren, sondern die Welt retten wollen.« Sie lächelte schwach. »Wenn es dir besser geht, können wir uns die Stadt ein wenig ansehen und herausfinden, wie die Lage ist. Und du kannst mir etwas über die Menschen hier erzählen.«

Sam drehte sich zu ihr um, seine Augen fest auf ihre gerichtet. »Ist dir nicht klar, dass das ein Beweis dafür ist, dass jemand weiß, dass wir hier sind? Abgesehen von der DARPA und Said muss noch jemand anderes Bescheid wissen.«

Kathrins Augen zeigten, dass sie den Ernst der Lage durchaus verstand. »Das ist eine Tatsache, die ich nicht leugnen kann, aber für den Moment sollten wir weitermachen wie besprochen.« Sie zog ihr Handy hervor und machte ein Foto von dem Bild. »Ich setze unsere Leute hier drauf an. Mehr können wir jetzt nicht tun.«

»In Ordnung«, sagte Sam schließlich. Doch er konnte das Gefühl nicht abschütteln, dass sie auf etwas zusteuerten, das viel größer und gefährlicher war, als sie es sich vorgestellt hatten.

Sam und Kathrin traten in die heiße, trockene Luft der Wüste. Siwa war umgeben von endlosen Dünen, eine Oase mitten im Nichts, aber innerhalb ihrer Grenzen herrschte reges Leben. Die engen Gassen waren ein Labyrinth aus staubigen Wegen und schmalen, von Palmen gesäumten Straßen. Die Häuser aus Lehmziegeln leuchteten unter der Sonne in warmen Tönen, und die Fenster waren mit Holzläden verschlossen, die vor der Hitze schützten.

Männer in weißen Gewändern saßen in den Schatten, während Frauen in langen Gewändern und bunten Tüchern an ihnen vorbeigingen. Die Atmosphäre war ruhig, aber belebt, eine seltsame Mischung aus Lethargie und Geschäftigkeit, die für eine Wüstenstadt typisch war.

Sam zeigte auf eine Gruppe von Frauen, die etwas weiter entfernt den Markt durchquerten. Ihre Gesichter waren teilweise durch schwarze Schleier verhüllt und sie trugen lange, dunkle Gewänder. »Die Frauen hier sind sehr

184

traditionell. Sie nehmen am öffentlichen Leben weniger sichtbar teil und bleiben oft in der Nähe ihrer Häuser. Doch das bedeutet nicht, dass sie keinen Einfluss haben. Innerhalb der Familie und der Clans sind sie sehr einflussreich.«

Sie schlenderten weiter durch die Gassen, bis sie den Marktplatz erreichten. Der Platz war ein lebendiges Durcheinander von Ständen, die frisches Obst, Gemüse, Gewürze und handgefertigte Waren anboten. Der Duft von gebackenem Brot, Kräutern und gegrilltem Fleisch mischten sich mit dem Staub der Straßen.

»Das hier ist das Herz von Siwa«, sagte Sam und deutete auf die kleine, von Lehmhäusern umringte Plaza.

Kathrin sah sich um. »Es hat etwas Zeitloses, fast so, als hätte sich hier seit Jahrhunderten nichts verändert.«

»Das ist auch so. Siwa ist eine der isoliertesten Oasen Ägyptens und die Menschen hier legen großen Wert auf ihre Traditionen. Es gibt immer noch starke Bindungen an die alten Bräuche und Überlieferungen, die das Leben hier bestimmen. Aber durch den Tourismus, der in den letzten Jahren zugenommen hat, werden die Menschen offener für neue Dinge, wenn auch langsam.«

Kathrin blieb stehen, um sich die Stände anzusehen, während Sam weitersprach. »Die Menschen hier sind Siwaner, eine Berbergruppe, die ihre eigene Sprache sprechen – das Siwi. Sie sind stolz auf ihre Unabhängigkeit und ihre eigene kulturelle Identität. Und das sieht man auch im Alltag.«

Sie setzten sich schließlich in den Außenbereich eines kleinen Lokals, das an den Marktplatz grenzte. Das Lokal war einfach, mit Holztischen und -stühlen, die im Schatten eines großen, aus Palmwedeln geflochtenen Daches standen. Sie bestellten ein traditionelles Frühstück: Fladenbrot, Oliven,

Datteln, Feta und einen würzigen Dip aus lokal angebauten Zutaten.

»Schau dir die Männer dort an, mit den weißen Galabijas und den schwarzen Turbanen«, sagte Sam. »Sie gehören zu einem der mächtigsten Clans in Siwa, den Al-Mansuri. Offiziell gibt es eine Regierung, aber die wahren Entscheidungen werden bei den Treffen der Clanführer getroffen.«

Einer der Männer hatte vor dem Gesicht ein Tuch gespannt, das aus seinem Turban kam. Im ersten Moment erschien es nicht ungewöhnlich. Sam beobachtete ihn jetzt bereits einige Minuten und hatte bemerkt, dass er mehrmals in ihre Richtung geblickt hatte. Oder bildete er sich das nur ein? Der Mann schlenderte von Stand zu Stand und sah sich die Auslagen an, kaufte jedoch nichts, dann verschwand er in einer Gasse.

»Was ist los, hast du was gesehen?«

»Ich weiß nicht«, erwiderte Sam mechanisch. »Vermutlich war es nichts.« Er wandte den Blick ab und konzentrierte sich auf Kathrin. »Wo waren wir?«

Sie nahm einen Bissen von ihrem Fladenbrot. »Warum haben die Clans so viel Macht?«, fragte sie neugierig.

Sam lehnte sich zurück und blickte in die Ferne. »Das hat historische Gründe. Siwa war lange Zeit von der Außenwelt abgeschnitten. Die Clans sorgten für Ordnung und Schutz, als es keine staatliche Autorität gab. Sie besitzen das meiste Land, kontrollieren die Wasservorräte und haben das Sagen in den meisten wirtschaftlichen Belangen. Das macht sie zu den wahren Herrschern der Oase.«

»Und was passiert, wenn jemand gegen die Clans vorgeht?«

Sam lächelte bitter. »Das passiert selten. Die Siwaner wissen, dass sie von den Clans abhängig sind. Aber es gibt immer wieder Spannungen, besonders wenn es um Außenstehende geht, die hier Fuß fassen wollen.«

»Es klingt, als wären wir hier nicht gerade willkommen.«

Sam schüttelte den Kopf. »Nicht wirklich. Aber solange wir unauffällig bleiben und uns an die Regeln halten, sollte es keine Probleme geben.«

Sie aßen schweigend weiter, während sie die Menschenmengen beobachteten. Alte Männer, die Tee tranken und rauchten, junge Frauen, die mit schweren Körben auf dem Kopf durch die Straßen gingen, Kinder, die lachend zwischen den Ständen hindurchliefen.

Nachdem sie aufgegessen hatten, bezahlte Kathrin die Rechnung. Sie verließen das Lokal, die Sonne stieg langsam über den Lehmhäusern auf und die Hitze nahm zu.

»Wir sollten uns jetzt auf den Weg machen, es ist Zeit«, sagte Kathrin.

Kathrin führte Sam durch die verwinkelten Gassen, die von kleinen Geschäften und Straßenständen gesäumt waren. Die ersten Zeichen des Tourismus waren deutlich sichtbar: Souvenirstände, die Postkarten, handgefertigte Schmuckstücke und traditionelle Gewänder anboten. Arabische Musik drang aus den Lautsprechern der Cafés drang.

Sam beobachtete aufmerksam die Umgebung. »Ich verstehe jetzt, was unsere kleine Tour durch die Stadt bezwecken sollte«, sagte er. »Ich bin mir sicher, dass die DARPA oder die CIA genauestens über diesen Ort Bescheid wissen. Du hast nach Leuten Ausschau gehalten, die dir verdächtig vorkommen. Ob man uns folgt oder beobachtet.«

Kathrin lächelte ihm flüchtig zu. »Vielleicht.«

Sam schüttelte den Kopf, während sie sich durch die zunehmende Menge von Touristen und Verkäufern schlängelten. »Mir war von Anfang an klar, dass du mich

187

absichtlich im Dunkeln tappen lässt. Ich kann mir beim besten Willen nicht vorstellen, dass eine Regierungsorganisation keine Informationen über die sozialen und politischen Strukturen dieses Ortes hat, gerade wenn hier so eine wichtige Mission stattfindet.«

»Natürlich wissen wir alles über diesen Ort. Im Moment fliegt ein Satellit über uns und macht gestochen scharfe Bilder von jedem Winkel hier unten.«

Sam schielte zum Himmel, als ob er den winzigen Satelliten entdecken könnte.

Sie erreichten die Promenade, die sich entlang des Sees zog. Die Holzstege knarrte unter den Füßen der Touristen. Das Geschrei der Verkäufer und das Lachen der Menschen erfüllte die Luft, Wassers schlug plätschernd gegen die Stelzen schlug, auf denen die Häuser standen.

Kathrin deutete auf einen länglichen Steg, der von der Promenade zu einer kleinen Erhebung im Wasser führte. Auf dieser kleinen Insel stand ein größeres auf Stelzen errichtetes Haus, das eine überdachte Terrasse hatte. Einige Gäste saßen dort, genossen den Ausblick und tranken Kaffee.

»Dort drüben ist unser Treffpunkt. Wir sind etwas früh, aber ich habe gehört, dass sie dort arabischen Kaffee servieren.«

Als sie den Steg betraten, der sich über das klare Wasser spannte, konnte Sam das sanfte Schwingen des Holzes unter seinen Füßen spüren. Es war, als würden sie langsam auf das Wasser hinausgleiten. Die Brise, die vom See herüberwehte, war eine willkommene Erfrischung nach dem heißen und geschäftigen Tag.

Sie setzten sich an einen Tisch in der Nähe des Geländers. Kathrin sah das Menü durch, während Sam auf das Wasser und die hügelige Landschaft im Hintergrund schaute.

Nachdem sie ihre Bestellung aufgegeben hatten, wandte sich Sam an Kathrin. »Weißt du, wie Said aktuell aussieht?«, fragte er.

»Nein, aber er wird uns finden.«

Der Kellner brachte ihren Kaffee und einige Gebäckstücke.

Kurz darauf setzte sich ein Mann zu ihnen, ohne vorher um Erlaubnis zu fragen. Er war mittelgroß, hatte ein wettergegerbtes Gesicht und trug ein schlichtes Hemd. »Ich bin Said.« Er legte sein Handy auf den Tisch und tippte schnell auf das Display, bevor er es ihnen reichte. Eine Karte erschien darauf, die den Treffpunkt zeigte – ein kleines Holzhaus, das einsam an einem Wasserloch inmitten der Wüste stand, etwa dreißig Kilometer von Siwa entfernt.

»Das ist der Ort«, sagte Said in ruhigem Ton. »Der Al-Mansuri Clan ist involviert. Aber es gibt mindestens eine weitere, bisher unbekannte Partei, die Interesse an den Artefakten hat.«

Sam beugte sich vor, seine Stimme war angespannt. »Werden alle Artefakte angeboten, die aus der Ausgrabungsstelle in Hermopolis Magna gestohlen wurden?«

»Ja, meinen Informationen nach wird alles gezeigt. Der Deal lautet, dass wir alles zu sehen bekommen. Allerdings konnte ich meinen Kontakt nicht davon überzeugen, dass wir das Erstkaufrecht haben. Es wird darauf hinauslaufen, dass der die Artefakte bekommt, der am meisten zahlt und dem der Clan vertraut. Ich habe von einer bisher anonymen Quelle einen Hinweis erhalten, dass dort ein sehr wichtiges Artefakt zum Kauf angeboten wird, das uns bisher nicht bekannt ist. Dabei soll es sich um ein Objekt handeln, dass sich von allen anderen unterscheidet. Die Quelle hat mir

189

mitgeteilt, dass Sie, Dr. Jackson, wissen würden, was gemeint ist, wenn Sie es sehen.«

»Ich?«, fragte Sam. »Das hat Ihnen eine anonyme Quelle gesagt? Das würde bedeuten, dass jemand weiß, dass ich hier bin, und weiß, wer ich bin. Sie sind sich sicher, dass Sie nicht wissen, wer das war?«

»Nein«, sagte Said knapp.

Sam spürte, dass Said ihm etwas verschwieg.

»Du vertraust der Quelle?«, fragte Kathrin.

Said blickte sie an. »Fürs Erste ja. Es spielt auch keine Rolle, wir müssen das hier wie geplant durchziehen.«

Sam zwang sich, sein ungutes Bauchgefühl zu ignorieren. Wer auch immer Said diese Botschaft hatte zukommen lassen,, war vielleicht dieselbe Person, die ihm die Nachricht unter der Tür durchgeschoben hatte. Entweder, um ihn in eine Falle zu locken, oder, um ihm einen Vorteil zu verschaffen. »Wie kann es sein, dass der Al-Mansuri Clan dahintersteckt? Normalerweise halten sich die Clans aus solchen Dingen heraus.«

Said schüttelte den Kopf. »Nicht immer. Es kommt vor, dass Clans solche Geschäfte abwickeln, um anderen Gruppierungen zuvorzukommen. Sie wollen verhindern, dass sich fremde Einflüsse hier festsetzen.«

Kathrin, die bisher schweigend zugehört hatte, fragte jetzt nach. »Gibt es in der Nähe potenzielle Gefahren?«

»Eine kleine Miliz hat ihre Basis zehn Kilometer südlich, an der Grenze zu Libyen. Nach meinen Informationen geht von ihnen keine unmittelbare Bedrohung aus«, erklärte Said. »Die größte Gefahr geht jedoch vom Clan selbst aus. Sie sind bewaffnet und äußerst misstrauisch.«

»Die Situation könnte eskalieren, falls ihnen irgendetwas an uns nicht passt«, sagte Sam.

190

»Genau«, sagte Said. »Deshalb muss alles reibungslos ablaufen. Wenn wir auffallen oder misstrauisch wirken, könnte das schnell gefährlich werden.«

»Wie ist der Plan?«, fragte Kathrin, bevor Sam weitersprechen konnte.

Said schaute auf die Uhr. »Ich hole euch morgen früh um sieben ab. Dann brechen wir auf. Habt ihr alles dabei, was ihr braucht?«

Kathrin nickte.

Said deutete auf die Karte auf seinem Handy. »Seht ihr diese Anhöhe hier? Von dort aus hat man einen perfekten Überblick über das gesamte Areal. Dort sollte Agent Porter sich positionieren – als unsere Rückendeckung.«

Sam runzelte die Stirn. »Was soll das heißen? Sie kommt nicht mit?«

Said sah ihn ernst an. »Agent Porter kann nicht zu diesem Treffen kommen, weil sie eine Frau ist. Das würde sofort Misstrauen erregen und den Deal gefährden. Aber das gibt uns die Möglichkeit, für unsere Sicherheit zu sorgen. Ich habe das beste Scharfschützengewehr organisiert, das ich auftreiben konnte. Ein deutsches G36, von einer Rebellengruppe, die es aus dem Palast von Gaddafi erbeutet hat. Saubere Munition, das Gewehr ist in einwandfreiem Zustand. Ich habe es überprüft.«

Sam warf Kathrin einen ungläubigen Blick zu. »Willst du dich wirklich dort oben mit einem Scharfschützengewehr hinlegen?«

Kathrin zuckte mit den Schultern. »In Afghanistan habe ich Said schon mal den Arsch gerettet. Ich denke, ich kann das noch mal tun. Wenn du möchtest, kann ich auch im Hotel auf euch warten«, fügte sie sarkastisch hinzu.

Said blickte beide an und unterbrach das Geplänkel. »Das muss schnell und lautlos ablaufen. Dr. Jackson und ich gehen rein, identifizieren die Artefakte und kaufen die wichtigsten. Dann verschwinden wir so schnell wie möglich. Je kürzer wir dort sind, desto geringer das Risiko.«

Sam rieb sich nachdenklich das Kinn. »Mir ist nicht wohl dabei. Was, wenn jemand auf mich schießt?«

»Dann suchst du dir sofort Deckung und hältst den Kopf unten«, sagte Kathrin kühl. »Said und ich kümmern uns um den Rest.«

Sam schnaubte. »Das klingt nach einem sehr riskanten Plan.«

Said tippte mit dem Zeigefinger auf die Tischplatte. »Es ist unser einziger Plan und er muss funktionieren. Ich habe solche Operationen schon zweimal erfolgreich durchgeführt. Der Clan will genauso wenig wie wir eine Konfrontation. Alles verstanden?«

»Ja, alles klar«, sagte Kathrin.

Said erhob sich. »Gut, dann bis morgen.« Ohne weitere Worte ließ er Sam und Kathrin allein zurück.

»Dieser Plan gefällt mir überhaupt nicht«, sagte Sam. »Das war nicht abgemacht, dass ich für die Verhandlungen verantwortlich bin.«

Kathrin sah ihn ernst an, ihre Stimme blieb ruhig. »Sam, du bist hier, weil es Leute in der Regierung gibt, die an deine Expertise glauben. Auch ich glaube an dich. Deine Aufgabe ist es, die Artefakte zu bewerten und Said reden zu lassen. Mehr nicht. Rein, Artefakte untersuchen, bezahlen und raus. Fertig.«

Sam lachte verzweifelt auf. »Rein und wieder raus, ganz einfach. Wann hat das schon jemals funktioniert?« Sein Blick wanderte rastlos zu den Touristen, die das Café bevölkerten. Plötzlich verkrampfte sich sein Magen und er flüsterte: »Kathrin ...«

»Was ist?«

»Links hinter dir, etwa zehn Meter entfernt, auf der seitlichen Außenterrasse. Der Mann vom Foto sitzt dort mit einer Frau und trinkt Kaffee. Ich kann die Frau nicht erkennen, aber sie scheint schwarzes Haar unter ihrem Kopftuch zu haben. Wir sollten hier verschwinden.«

Kathrin setzte das Gespräch in normalem Tonfall fort, als wäre nichts passiert. »Sieht er her zu uns?«

»Bisher nicht. Was machen wir jetzt?«

Kathrin schien über seine Frage kurz nachzudenken, bevor sie gelassen sagte: »Ich glaube, ich werde mir jetzt etwas zu essen bestellen. Vielleicht etwas Süßes. Du weißt doch, die Araber sind bekannt für ihre Süßspeisen.«

Sam schaute sie ungläubig an. »Ich will jetzt kein Dessert. Kathrin, das ist die Schlange, der Mann, vor dem man uns gewarnt hat. Sollten wir nicht irgendetwas unternehmen?«

Kathrin beugte sich leicht zu ihm, ihre Augen funkelten, als sie ironisch lächelte. »Du kannst ja rübergehen und fragen, wer er ist und warum er auf dem Foto ist. Vielleicht gesteht er dann, dass er ein Auftragskiller ist, der dich eliminieren will.«

Ihr Lachen war leise und unauffällig, doch in ihren Augen lag ein Ernst, der Sam einen Schauer über den Rücken jagte. »Mann, Sam, du solltest dein Gesicht sehen. Du solltest wirklich etwas bestellen. Wir bleiben einfach noch etwas hier sitzen und genießen den Tag. Verstehst du?« Ihre letzten Worte sprach sie, ohne zu lächeln, was ihm deutlich machte, dass sie keineswegs unbesorgt war, sondern wie ein Profi agierte und eine Strategie verfolgte.

Sam schluckte und nickte leicht. Er verstand, dass jetzt nicht der Moment war, sich in Panik zu verlieren. Also spielte er mit. Während sie auf den Kellner warteten, beobachtete er unauffällig den Mann auf der Terrasse, der immer noch in ein Gespräch mit seiner Begleiterin vertieft war.

Kathrin schien nur Augen für die Karte zu haben. »Also, Sam«, sagte sie beiläufig, »was hältst du von Baklava?«

»Ich ... äh ... hab ich nur einmal gegessen, ist mir zu süß«, murmelte Sam.

»Ich werde dir dennoch eines bestellen und einen Kaffee«, erwiderte Kathrin mit einem kleinen, gezwungenen Lächeln.

Aber Sam wusste, dass jeder ihrer Sinne wachsam war, bereit zu reagieren, wenn es nötig wurde. Es war ein stiller Kampf um Kontrolle, den sie in diesem Moment führten – und Sam wusste, dass er lernen musste, sich auf Kathrin zu verlassen.

Das Treffen

Freitag, 27. April 2029, Oase Siwa, Ägypten

Die Sonne war gerade aufgegangen und tauchte das kleine Hotel in Siwa in ein sanftes goldenes Licht. Es klopfte an Sams Tür.

»Wer ist da?«, fragte er, als er den letzten Knopf seines Hemdes zuknöpfte.

»Ich bin es«, drang Kathrins Stimme von der anderen Seite der Tür.

Er öffnete ihr. Sie hielt ihm eine kleine Tüte und einen Pappbecher entgegen.

Er blickte sie an, wenn er die Stimme nicht erkannt hätte, würde er nicht wissen, wer diese vermummte Person neben ihm war. Kathrin trug ein langes weißes Gewand, ein Kopftuch, das auch ihr Gesicht verdeckte und eine Sonnenbrille. »Du hast dich aber schick gemacht.«

»Das ist der beste Schutz vor der aggressiven Sonne«, sagte sie und breitete die Arme aus, drehte sich demonstrativ und lachte hörbar. »Ausgeschlafen?«, fragte sie.

Er trat in den Flur und zog die Tür hinter sich ins Schloss. »Keine Ahnung, ich fühle mich nicht müde, aber wirklich geschlafen habe ich nicht.« Er nahm den Becher und die Tüte entgegen. »Danke, Frühstück?«

»Zwei Sesamringe und Kaffee.«

195

Sam setzte seine Sonnenbrille auf. »Ich hab Angst, Kathrin.«

»Vertrau auf dein Können«, sagte Kathrin. »Sieh es als Sichtung von antiken Gegenständen, die du katalogisieren willst. Das hast du doch bestimmt schon tausendmal gemacht. Und das Drumherum solltest du einfach ausblenden, darum kümmert sich Said.«

»Sicher habe ich das schon hunderte Male gemacht, aber nicht unter solchen Bedingungen. Mein Magen fühlt sich an, als wäre er ein kleiner Klumpen Lehm, und mir ist schlecht.«

Kathrin grüßte Achmed, der hinter der Empfangstheke saß und ihnen zulächelte. Draußen parkte ein älterer japanischer Geländewagen neben ihrem Fahrzeug. Said stieg aus und kam auf sie zu.

»Das wird schon, steig bitte schon mal bei Said ein«, sagte Kathrin. Sam grüßte Said beim Vorbeigehen und setzte sich auf den Beifahrersitz. Er trank seinen Kaffee und aß etwas von dem Sesamring, während Kathrin und Said sich kurz unterhielten. Dann kamen sie auf die Autos zu. Sam sah im Rückspiegel, dass Said eine schwarze Tasche von der Ladefläche nahm und in Kathrins Kofferraum legte. Dann nahm er einen kleinen Rucksack von Kathrin entgegen, schloss die Heckklappe und setzte sich auf den Fahrersitz.

Er reichte Sam den Rucksack. »Hier«, sagte er.

»Was ist da drin?«

Said holte eine Pistole an seinem Rücken hervor, die zuvor von seinem Leinenhemd verdeckt wurde, und verstaute die Waffe im Handschuhfach. »Mit irgendetwas müssen wir bezahlen«, erwiderte er knapp, schnallte sich an und startete den Motor. »Schnallen Sie sich an.«

Sam stellte den Rucksack zwischen seine Füße. »Womit bezahlen wir denn? Der Rucksack ist so leicht.«

196

Said fuhr los. »Diamanten im Wert von eineinhalb Millionen Dollar.«

Sam stockte der Atem und er blickte zu dem Rucksack im Fußraum. »Anderthalb Millionen Dollar? Und Sie meinen so viel werden wir ausgeben müssen?«

»Ja, was dachten Sie denn, dass wir die Sachen für ein paar Hundert Dollar erhalten? Wir werden sehen. Sie werden mir sagen, was wir brauchen, und dann werde ich über den Preis verhandeln.«

Sie folgten der Straße entlang durch die Stadt, bis die Gebäude weniger und die Palmen und Olivenbäume mehr wurden. Dann sah Sam nur noch Sand vor sich, soweit das Auge reichte. »Ich bin mir nicht sicher, ob ich das kann.«

»Sie können, denn jetzt gibt es kein Zurück mehr. Reißen Sie sich zusammen. Das sind keine einfachen Bauern, sondern knallharte Geschäftsmänner. Glauben Sie mir, dass Sie denen nicht zeigen wollen, dass Sie Angst haben. Denn das werden sie gegen Sie verwenden.«

Sam wollte sich am liebsten mit einer Schaufel ein Loch in den Sand buddeln und sich dort verstecken, bis alles vorbei war.

Die flimmernde Hitze ließ die Landschaft verschwimmen und der endlose Horizont war nur eine stumme Erinnerung daran, wie fern die Zivilisation hier war.

»Dr. Jackson, ich würde Sie gern mal etwas fragen«, sagte Said plötzlich, ohne den Blick von dem GPS-Gerät in seiner Hand abzuwenden.

Sam wusste bereits, worauf das hinauslaufen würde. Es war immer dasselbe. Jeder, der ihn neu kennenlernte, stellte früher oder später die Frage.

»Ich habe mich über Sie informiert, als ich erfuhr, dass man Sie hierherschicken würde.« Said machte eine Pause, als wähle er die nächsten Worte mit Bedacht. »Das mit Ihrem

Vater und Ihrer Mutter tut mir leid. Aber glauben Sie tatsächlich daran, dass Aliens zur Zeit der Pharaonen auf der Erde waren?«

Sam schnaubte. Früher hatte ihn diese Frage aufgeregt, jetzt stellte sich eher eine geduldige Resignation ein. Als »Prä-Archäologe« abgetan zu werden, war ihm nicht mehr neu. Doch das, was er in den letzten Jahren entdeckt hatte, ließ ihn glauben, dass es mehr gab – viel mehr, als die Wissenschaftler bisher wahrhaben wollten.

»Nennen Sie mich, wie Sie möchten«, antwortete Sam schließlich, den Blick stur auf den Horizont gerichtet. »Für meinen Teil weiß ich, dass wir hier einer Spur folgen, die die Theorie meines Vaters und mir untermauern wird. Aber ich habe auch eine Frage an Sie.«

Said warf ihm einen flüchtigen Blick zu, seine Augen hinter den schwarzen Gläsern der Sonnenbrille verborgen. »Sie wollen wissen, warum ich bei der CIA bin?«

»Ja, das auch. Aber vielmehr interessiert mich, wie Sie dieses Leben führen können – im Geheimen, ohne Beachtung von der Gesellschaft. Was Sie leisten, wird niemand erfahren. Sie bekommen keine Anerkennung für Ihre Arbeit. Wie können Sie damit leben?«

Said lächelte, ein fast trauriges Lächeln, und dann brach er in ein tiefes, herzliches Lachen aus. »Dr. Jackson, Sie gefallen mir. Sie würden einen guten Agenten abgeben. Sie verdrängen die Tatsachen und bringen es so überzeugend rüber, dass man Ihnen glaubt.«

Sam wartete und Said fuhr nach einem kurzen Moment fort: »Fragen Sie sich mal, wie sehr sich Ihr Leben von meinem unterscheidet. Soweit ich weiß, sind Sie nicht verheiratet, haben keine Kinder und Ihre Kollegen ignorieren Ihre Theorien. Das, was Sie als Ihr Lebenswerk betrachten, wird ebenfalls nie jemand erfahren. Wenn alles nach Plan läuft, retten Sie vielleicht Tausende oder Millionen Menschen, und niemand wird jemals davon hören.«

Sam lehnte sich in seinem Sitz zurück und starrte aus dem Fenster. Die Sanddünen zogen in einem gleichmäßigen Rhythmus an ihm vorbei und die raue, tödliche Schönheit der Wüste legte sich wie ein schwerer Schleier über seine Gedanken. Said hatte nicht unrecht – sie führten beide ein Leben im Schatten, ohne Aussicht, dass irgendwer jemals ihre Erfolge anerkennen würde.

»Machen Sie sich bereit, wir sind gleich da«, sagte Said und lenkte den Wagen sanft an den Fuß einer flachen Düne. Dann zog er sein Handy aus der Tasche und tippte eine Nachricht ein. Sam beobachtete ihn aus dem Augenwinkel, sein Herzschlag wurde schneller.

Ein leises Piepen signalisierte den Empfang einer Antwort und Said las kurz die Nachricht, bevor er das Handy wegsteckte. Er steuerte den Wagen über den Kamm der Düne zu einem Wasserloch. Es war mehr ein Senkloch in der Landschaft, gesäumt von verblassten Pflanzen, die in der erbarmungslosen Hitze kaum überlebten. Einige alte Holzhütten standen verstreut um das Loch herum, ihre Dächer verfallen, ihre Wände schief und von der Zeit und dem Sand gezeichnet.

Said parkte den Geländewagen neben einem der Häuser und stellte den Motor ab. Sams Herz pochte immer lauter in seinen Ohren. Jetzt gab es kein Zurück mehr.

Said deutete auf drei Geländewagen am anderen Ende der Senke. »Sie sind schon da.«

»Das bedeutet also, dass es mindestens drei oder maximal fünfzehn Personen sein könnten.«

»Sie vergessen die Ladeflächen der beiden Pick-ups. Da passen jeweils noch sechs oder acht Männer drauf«, sagte Said trocken.

199

»Sie haben echt ein Talent, Menschen zu beruhigen«, murmelte Sam.

»Es ist besser, mit dem Schlimmsten zu rechnen, als von einer Wolke der Illusion zu fallen«, erwiderte Said und öffnete die Tür des Geländewagens. »Sie warten hier. Wenn ich Ihnen ein Zeichen gebe, kommen Sie zu mir.«

Said schloss die Tür hinter sich und eine beklemmende Stille legte sich über Sam. Plötzlich tauchten aus dem Schatten der Hütten mehrere Männer auf. Sie waren in weite Gewänder gehüllt, ihre Gesichter von Tüchern verdeckt, nur die Augen funkelten in der Sonne. Einer von ihnen trat vor und hob die Hand zum Gruß. Er war groß, seine Haltung selbstbewusst. Seine Begleiter hielten russische Maschinengewehre in den Händen.

Sam hielt den Atem an und fühlte, wie die Angst in ihm hochkroch.

Die Männer sprachen kurz mit Said und schließlich drehte sich dieser um und winkte Sam zu. Sam atmete tief durch, griff nach dem Rucksack und stieg aus dem Wagen. Die brutale Hitze schlug ihm entgegen, Schweiß perlte auf seiner Stirn. Mit wackeligen Beinen machte er sich auf den Weg zu den Männern, seine Augen fest auf Said gerichtet.

»Danke, dass ihr uns empfangen habt«, sagte Said. »Das ist Dr. Samuel Jackson, der Archäologe, von dem ich euch erzählt habe. Er wird die Artefakte bewerten.«

Sam nickte unsicher, während der Mann, den er für den Anführer hielt, ihn mit durchdringendem Blick musterte. Es fühlte sich an, als würde er jeden Zweifel, jede Schwäche in Sam sofort erkennen. Sam zwang sich, den Blick zu erwidern. Er wusste, dass er jetzt stark wirken musste. Der Clanführer betrachtete Sam mit unverhohlener Skepsis und sprach mit seiner tiefen, bedächtigen Stimme, die von einem schweren Akzent gefärbt war: »Ich bin Al-Mansuri, Oberhaupt des

200

Clans. Ich kannte Ihren Vater. Er hat viel für dieses Land getan, den Menschen geholfen, ihre Geschichte zu verstehen. Ob Sie seines Erbes würdig sind, werden wir sehen.«

Die Worte lösten in Sam eine Mischung aus Stolz und Unsicherheit aus. Bevor er antworten konnte, drehte sich Al-Mansuri um und winkte ihnen, ihm ins Innere der Hütte zu folgen. Sam zögerte einen Moment, sein Herz schlug schneller. Während er hinter Said und dem Clanführer ging, fiel sein Blick in die Ferne, auf eine höher gelegene Sanddüne, etwa einen Kilometer entfernt. Dort blitzte es plötzlich auf, als ob Sonnenlicht von einer glänzenden Oberfläche reflektiert wurde. Sam spürte ein Ziehen in seinem Magen. Kathrin. Wenn sie so professionell war, wie er annahm, war diese Reflexion kein Zufall. Es war ein Zeichen, absichtlich in dem Moment, als nur er in die Richtung schaute.

Sein Puls beruhigte sich ein wenig, als er aus der brütenden Hitze in die kühlere Hütte betrat.

»Das sind sie«, sagte Al-Mansuri und trat zur Seite. »Schauen Sie sie sich an.«

Die Artefakte waren auf Tischen ausgebreitet. Jedes Objekt lag auf einem blassblauen Stofftuch, das im Kontrast zu dem staubigen Boden des Raums stand.

Sam drückte Said den Rucksack in die Hand und näherte sich dem Tisch. Bevor er auch nur einen Schritt weitergehen konnte, traten drei der Männer vor und versperrten ihm den Weg. Al-Mansuri hob eine Hand, als wolle er die Situation beruhigen.

»Nur anschauen, Dr. Jackson. Nicht anfassen. Wir warten noch auf einen weiteren Käufer. Jeder soll die gleichen Chancen haben.«

Sam ließ seinen Blick über die Artefakte schweifen. Er durfte nichts überstürzen. Also konzentrierte er sich auf das, was vor ihm lag. Fein gearbeitete Skulpturen aus schwarzem Basalt und vergoldetem Holz. Einige dieser Stücke waren Fälschungen.

»Interessant«, murmelte er.

Direkt vor ihm, auf dem vordersten Tisch, stand eine beeindruckende Statue des Gottes Anubis. Der Gott der Totenwache war in schwarzem Basalt gehauen und trug die vertraute Gestalt eines Menschen mit einem Schakalkopf.

Der Sockel der Statue war mit filigranen Hieroglyphen verziert, die den Titel des Gottes und seine Rolle in der Unterwelt erklärten. Die Linien waren zu sauber, zu perfekt. Sam konnte sehen, dass es sich hier um eine Nachbildung handelte, die vermutlich nicht älter als einige Jahrzehnte war.

Er ließ sich jedoch nichts anmerken und fuhr fort, die Auslagen zu begutachten. Ein weiteres auffälliges Artefakt auf dem Tisch war ein goldenes Medaillon, das in kunstvoller Handarbeit gefertigt worden war. Es hing an einer Kette aus feinen Goldgliedern und in der Mitte prangte das Auge des Horus, das Schutz und Macht symbolisierte. Das Medaillon war mit winzigen Edelsteinen besetzt, die im Licht funkelten.

Daneben stand eine kleinere Statue aus vergoldeter Bronze von Amun Ra, dem Sonnengott, dessen strahlendes Antlitz im schwachen Licht des Raums glänzte. Diese schien echt zu sein.

Ein weiteres Amulett lag daneben, das laut einem kleinen Etikett aus der Zeit Ramses II. stammen sollte. Es sah auf den ersten Blick imposant aus, doch die Inschriften darauf waren seltsam. Sie wirkten wie eine Mischung aus mehreren Epochen – ein Trick, der oft von Fälschern verwendet wurde, um Laien zu täuschen. Sam wusste, dass er dies nicht offen ansprechen konnte, ohne Al-Mansuri und seine Männer zu verärgern, also gab er sich beeindruckt.

Er entdeckte eine antike Waffe – ein kurzes goldenes Schwert, das möglicherweise aus der Zeit der Pharaonen stammte. Die Klinge war von erstaunlicher Schärfe und der Griff war mit filigranen Verzierungen versehen, die Szenen aus dem ägyptischen Leben darstellten: Nilpferdjagd, religiöse Zeremonien und Opfergaben für die Götter. Das Schwert strahlte eine kraftvolle Aura aus, als ob es in vergangenen Kämpfen verwendet worden wäre, um das Schicksal von Königreichen zu entscheiden.

Besonders faszinierend war jedoch das schwarze Pyramidion, das eine Kantenlänge von etwa sechzig Zentimeter hatte. Es war das größte und zugleich schlichteste Stück in der Sammlung – ein tiefschwarzer perfekt geschliffener Stein, der auf einem separaten, leicht erhöhten Tisch inmitten der anderen Artefakte ruhte. Die Oberfläche war so glatt, dass sie das Licht der Wüstensonne, die durch die Löcher in der Decke und Fenster hineinfiel, reflektieren müsste. Das Material schien das Licht jedoch auf seltsame Weise zu absorbieren. Doch es waren die Gravuren auf den vier Seiten, die Sams volle Aufmerksamkeit beanspruchten.

Auf der ersten Seite prangte das Symbol der Sonne, die in strahlenden Linien dargestellt war. Die Hieroglyphe der Sonne, die als *Ra* bekannt war, der ägyptische Sonnengott, zeigte sich in ihrer einfachsten Form – ein Kreis mit einem Punkt in der Mitte. Diese Darstellung der Sonne symbolisierte die Quelle allen Lebens, das zyklische Erscheinen und Verschwinden am Himmel und auch das Göttliche, das die Pharaonen und ihre Reiche durchdrang.

Er ging zur nächsten Seite, die den Mond zeigte. Die Hieroglyphe bestand aus einer Sichel, die nach oben geöffnet war – ein Symbol für den Mondgott Thot. Thot, der Herr der Weisheit und der Magie, wurde oft mit der Nacht und den Geheimnissen des Universums in Verbindung gebracht. Das Symbol schien wie ein Tor zur Unterwelt, ein Schimmer des Verborgenen, der nicht direkt zu erkennen war, sondern in der Dunkelheit lauerte. Feine Linien umgaben den Mond, als ob sie andeuten wollten, dass die Kraft des Pyramidions nicht nur in der physischen Welt, sondern auch in der spirituellen Realität zu finden war.

Als er zur dritten Seite des Pyramidions trat, erkannte er das Symbol der Erde. Die Hieroglyphe zeigte einen einfachen Kreis, der in mehrere horizontale Linien unterteilt war – eine stilisierte Darstellung des Horizonts und der Erdschichten. Dieses Symbol war ein uraltes Zeichen für die materielle Welt, das Reich der Sterblichen und der physischen Existenz. Sam wusste, dass die Alten Ägypter die Erde als Zentrum des Universums sahen, als den Ort, an dem das Göttliche mit dem Menschlichen zusammentraf. Der Stein schien eine Verbindung zwischen Himmel und Erde zu symbolisieren, als ob er die Kräfte der Götter kanalisierte, aber gleichzeitig fest in der irdischen Welt verankert wäre.

Schließlich kam Sam zur vierten Seite des Pyramidions. Hier war das Symbol der Unterwelt dargestellt durch das Zeichen für *Duat*. Es war ein mystisches Symbol, das aus verschlungenen Linien und Formen bestand, die sich zu einem Kreis schlossen. Die *Duat*, das Reich der Toten, war ein Ort, an dem die Seelen der Verstorbenen gerichtet wurden. Der Symbolismus der Unterwelt war unmissverständlich – es repräsentierte das Ende und gleichzeitig den Anfang, den Übergang vom Leben in den Tod und die Möglichkeit der Wiedergeburt. Diese Gravur war die düsterste, aber auch die faszinierendste.

Die Sonne, der Mond, die Erde und die Unterwelt. Das Pyramidion symbolisierte den Zyklus von Leben, Tod und Wiedergeburt. Ein Gleichgewicht zwischen den Welten. Er trat einen Schritt zurück und betrachtete das Artefakt erneut in seiner Gesamtheit. Die Hieroglyphen erzählten eine Geschichte, die so alt war wie die Zivilisation selbst. In der ägyptischen Mythologie waren diese Symbole von zentraler Bedeutung für das Verständnis des Kosmos. Die Sonne war das Leben, der Mond die Zeit, die Erde die Menschheit und die Unterwelt das Mysterium des Todes. Es war, als würde das Pyramidion den Kreislauf des Universums in einer einzigen, symbolischen Form darstellen.

Welche Bedeutung dieses spezielle Objekt wohl hatte? War es eine Grabbeigabe für einen mächtigen Pharao? Oder vielleicht ein ritueller Gegenstand, der bei Zeremonien verwendet wurde, um das Gleichgewicht des Kosmos zu ehren? Sam konnte es nicht mit Sicherheit sagen, aber eines war klar: Es war kein gewöhnliches Artefakt, es wirkte zu perfekt, als ob es nicht von Menschenhand erschaffen wurde. Die Gravuren waren vollkommen symmetrisch, als hätte eine Maschine sie gestochen. Sam kannte kein Gestein, das so makellos war und die Eigenschaft besaß, Licht zu absorbieren.

Eine schwarze Pyramide, der Gedanke zuckte durch Sams Geist. War das die Pyramide aus der Botschaft, nach der er Ausschau halten sollte? Er konnte sich nicht daran erinnern, dass sie unter den Artefakten war, die sein Vater entdeckt hatte. War es ein bisher nicht katalogisiertes Fundstück? Was durchaus sein konnte, manchmal konnte es Monate oder Jahre dauern, bis alles ordnungsgemäß in die Register eingetragen wurde, und die Tatsache, dass die Artefakte bereits wenige Wochen nach der Entdeckung gestohlen wurden, erhärtete diese Theorie.

Er verspürte den Drang, das Objekt zu berühren, die Perfektion des Materials zu spüren. Ein Verlangen in ihm war entfacht worden. Er musste dieses Relikt haben, auch wenn er nicht wusste, ob es überhaupt etwas mit seiner Mission zu tun hatte oder ob es alt war. Er zwang sich, den Blick abzuwenden.

Ein weiteres bemerkenswertes Stück war ein kleiner goldener Stab, der mit detaillierten Gravuren von Nilpferden, Krokodilen und anderen Tieren verziert war. Er war vielleicht eine königliche Insignie oder ein zeremonieller Gegenstand, der in Ritualen verwendet wurde, um den Kontakt zu den Göttern herzustellen.

Dann fiel Sams Blick auf das Gerät, das in Hermopolis Magna von seinem Vater entdeckt worden war. Es war aus Gold und Bronze gefertigt und sah von der Form her einem Brillenetui ähnlich. Feine Zahnräder und Mechanismen waren darauf angebracht und auf dem Deckel befanden sich Hieroglyphen, die Sam nicht zuordnen konnte. Es schien eine technische Funktion zu haben, doch was genau, blieb unklar. Sam wusste nur, dass sein Vater es als ein Gerät von großer Bedeutung betrachtet hatte.

Schließlich entdeckte Sam ein Set antiker Waffen, darunter Speere, Dolche und Äxte, die in erstaunlich gutem Zustand waren. Ihre Klingen funkelten, als wären sie erst kürzlich geschärft worden, und die Schäfte der Waffen waren mit Lederbändern umwickelt. Sie sahen aus, als wären sie bereit, erneut im Kampf eingesetzt zu werden.

Jedes dieser Objekte erzählte eine Geschichte, doch es war das Gesamte, das Sam überwältigte – die schiere Bedeutung, die all diese Artefakte zusammenhielten. Sie waren nicht nur Relikte einer vergangenen Zeit, sondern Schlüssel zu Mysterien, die noch immer auf ihre Entschlüsselung warteten.

»Sind Sie fertig?«, ertönte Al-Mansuris Stimme hinter ihm.

Sam trat einen Schritt zurück. »Ich denke schon.«

»Dann setzen Sie sich«, befahl Al-Mansuri.

Er nahm neben Said auf einem Stuhl nahe der Tür Platz. In diesem Moment trat ein weiterer Mann in die Hütte und flüsterte Al-Mansuri etwas ins Ohr. Der Clanführer nickte und folgte dem Mann aus der Hütte. Zurück blieben acht schwer bewaffnete Männer, die Said und Sam mit unerbittlichen Blicken musterten.

Said beugte sich leicht zu Sam hinüber und flüsterte kaum hörbar: »Haben Sie alles gesehen?«

Sam nickte, seine Gedanken noch immer bei dem Pyramidion und dem mysteriösen Gerät, das einst sein Vater gefunden hatte.

»Gut«, murmelte Said. »Ich denke, der andere Käufer ist eingetroffen.«

Sams Gedanken wurden unterbrochen, als Al-Mansuri eintrat, gefolgt von einer dunkelhaarigen Frau ohne Kopftuch. Sie trug ein schlichtes schwarzes Gewand und ihr Auftreten war selbstbewusst, fast herausfordernd. Sam war verwirrt. Eine Frau? Kathrin und Said hatten ihm doch erklärt, dass diese Männer nicht mit einer Frau verhandelten.

Said schien ebenfalls überrascht, doch keiner von ihnen sprach. Stattdessen beobachteten sie die Frau, die sich mit Al-Mansuri leise unterhielt. Dann fiel Sams Blick auf ihr Handgelenk und sein Herz setzte für einen Moment aus. Die Uhr, die sie trug – es war dieselbe, die er gestern an der Frau gesehen hatte, die mit dem mysteriösen Mann im Café am See gesessen hatte.

Panik stieg in Sam auf. Er musst Said informieren, dass sie in Gefahr waren, aber wie?

207

Die Männer in der Hütte waren bewaffnet und jede falsche Bewegung könnte tödlich enden.

Al-Mansuri warf der Frau einen prüfenden Blick zu. »Sie können sich die Artefakte anschauen, wenn Sie möchten, Mrs O'Hara.«

Die Frau hielt inne, ihre Miene kühl und distanziert. »Das brauche ich nicht. Ich weiß, was ich will.«

Al-Mansuri wandte sich an Sam. »Gut, dann können wir beginnen. Dr. Jackson, wollen Sie anfangen?«

In dem Moment, als sie Sams Namen hörte, drehte sich Mrs O'Hara erstmals in seine Richtung. Ihre Augen verengten sich und für einen flüchtigen Augenblick durchzog eine Spur von Nervosität ihre Züge. Doch ihr Gesicht nahm schnell wieder den kalten Ausdruck an.

Bevor Sam antworten konnte, mischte sich Said ein. »Bitte, wir sind Gentlemen. Die Dame sollte zuerst Ihre Interessen kundtun.«

»In Ordnung«, sagte Al-Mansuri. »Mrs O'Hara. Für welche Artefakte interessieren Sie sich?«

Ihr Gesicht kam Sam merkwürdig bekannt vor, als wäre sie jemand aus einer längst vergessenen Vergangenheit – eine Klassenkameradin vielleicht, deren Namen er nicht mehr wusste. Eine vertraute Fremde.

Für einen Augenblick war ihm, als hätte er einen aufheulenden Motor gehört, flüchtig, weit entfernt und vom Wind fortgetragen. Vielleicht nur ein paar Touristen, die einen Trip machten, oder er hatte sich getäuscht.

Mrs O'Hara wies auf eine Steintafel aus Granit, bevor sie zu dem kleinen goldenen Kästchen ging, das Sam als Schlüssel zu allem ansah. Er war nicht überrascht, dass ihr Interesse genau darauf fiel. Dann zeigte sie auf das Medaillon mit dem Horus-Auge und blieb abschließend vor dem Pyramidion stehen, das in der Mitte des Raums ruhte. Sam

208

atmete erleichtert auf, als sie Al-Mansuri zunickte. »Das wäre es.«

Al-Mansuri wandte sich an Sam. »Jetzt sind Sie dran, Dr. Jackson.«

Sam ging zu dem Pyramidion und dem Kästchen, die für ihn von größter Bedeutung waren. Er betrachtete für einen Moment das Medaillon mit dem Horus-Auge, fragte sich, weshalb es für sie von Interesse sein könnte. Abgesehen vom Symbol des Horus konnte er nichts Bemerkenswertes daran finden. Schließlich richtete er seine Aufmerksamkeit auf die Steintafeln. Es gab insgesamt drei und sie erzählten vom kosmischen Zyklus, in einer der ältesten ägyptischen Schriften verfasst, die Sam je gesehen hatte. Diese Tafeln waren faszinierend und von immenser historischer Bedeutung, aber für ihre Mission schienen sie irrelevant zu sein.

Sam nickte Al-Mansuri zu. »Wir interessieren uns nur für die beiden Stücke.«

Al-Mansuri lächelte dünn. »Gut, dann kommen wir zum Geschäft. Wie vereinbart akzeptieren wir nur makellose Diamanten.«

Sams Handflächen wurden feucht vor Nervosität, als Al-Mansuri fortfuhr. »Beginnen wir mit dem goldenen Kästchen. Wie viel bieten Sie, Mrs O'Hara?«

In diesem Moment durchbrach ein lautes Krachen die Stille. Holz splitterte und ein dumpfes Geräusch erklang neben Sam. Einer der bewaffneten Männer neben Al-Mansuri brach zusammen, sein weißes Gewand von einem roten Fleck an der Brust durchtränkt. Sam duckte sich instinktiv.

Chaos brach aus. Draußen waren aufgebrachte Schreie zu hören, gefolgt von ohrenbetäubendem Maschinengewehrfeuer. Al-Mansuri brüllte etwas in seiner

209

Muttersprache, das Sam nicht verstehen konnte. Said warf sich neben Sam zu Boden, Mrs O'Hara kroch unter einen Tisch. Weitere Schüsse krachten und der Boden vibrierte unter den Motorengeräuschen von Fahrzeugen, die in die Senke einfuhren.

»Was machen wir jetzt?«, fragte Sam atemlos.

»Schnappen Sie sich das Kästchen«, erwiderte Said kühl.

Sam spähte zur Tür, der Instinkt drängte ihn zur Flucht. »Wir müssen hier raus.«

»Nehmen Sie das Kästchen an sich«, presste Said hervor, der sich vorsichtig zum Fenster vorarbeitete.

Al-Mansuri nahm unterdessen ein Gewehr von der Wand und rief seinen Männern Anweisungen zu. Er bereitete sich darauf vor, den Angreifern entgegenzutreten. Draußen tobte bereits eine regelrechte Schlacht. Sam blickte zu dem Tisch, auf dem das Artefakt lag. Er krabbelte los, den Kopf möglichst weit unten haltend. Mrs O'Hara tauchte in seinem Blickfeld auf, sie ging auf den Tisch zu, griff nach dem Kästchen und rannte los. Sie stieß Al-Mansuri an, der gegen seine Männer prallte, und sprintete in Richtung Ausgang. Sam sah sie nur flüchtig, als er bemerkte, dass auch die Tafeln verschwunden waren.

»Said!«, rief Sam verzweifelt. »Sie hat das Kästchen! Wir müssen hinter ihr her.«

»Verfluchte Scheiße«, fluchte er. »Okay, wir müssen hier raus.«

Al-Mansuri schickte brüllend die verbliebenen Männer nach draußen, um sich den Angreifern zu stellen. Sam nutzte den Moment, packte das Pyramidion und stopfte es hastig in den Rucksack. Die Spitze ragte oben heraus, doch er schaffte es gerade so, den Reißverschluss zu schließen.

»Said, wir müssen abhauen«, drängte Sam.

210

Said spähte durch das Fenster. »Ich sehe unseren Wagen. Er scheint unbewacht. Die Kämpfe toben auf der anderen Seite des Wasserlochs. Wir könnten es schaffen.«

»Was ist mit der Frau? Wir brauchen dieses Kästchen, es ist der Schlüssel zu allem.«

Said schüttelte den Kopf. »Erst mal verschwinden wir, dann sehen wir weiter.«

Eine Kugel zischte durch die Luft und zersplitterte das Holz nur wenige Zentimeter über Sams Kopf.

»Und Kathrin?«, fragte Sam panisch.

»Die weiß, was zu tun ist. Verlass dich drauf. Wenn ich ›jetzt‹ sage, rennst du, so schnell du kannst, zum Auto. Nicht stehen bleiben, nicht umdrehen. Verstanden?«

Sam nickte, obwohl er sich alles andere als bereit fühlte.

Said streckte den Kopf aus dem Türrahmen. Die Clanmitglieder hatten sich verteilt, versteckten sich hinter den Häusern und lieferten sich Schusswechsel mit den Angreifern.

»Jetzt!«, brüllte Said und sie rannten los. Said schoss auf jemanden, den Sam nicht sah. Sam spürte das Adrenalin durch seine Adern rauschen, während sie über den offenen Platz sprinteten, er hatte den Wagen im Blick, nichts anderes. Er wollte keine Leichen sehen, keine Männer mit Waffen, die auf ihn schossen, er wollte nur weg von hier, so weit, wie er nur konnte. Saids Wagen schien unerreichbar, auch wenn es nur ungefähr hundert Meter waren, waren es doch verdammt weite hundert Meter für einen Mann mit seinem Fitnesslevel. Said hatte die Fahrertür fast erreicht, als eine Kugel den Sand vor Sams Füßen aufwirbelte.

Sam stürzte zu Boden. Ein stechender Schmerz breitete sich in seinem Rücken aus, seine Atmung wurde flach. Der Rucksack unter ihm war schwer, aber er hielt ihn fest, als wäre er der einzige Anker, der ihn noch mit der Realität verband. Alles verschwamm vor seinen Augen. Ein heißer, brennender Schmerz zog sich durch seinen Körper, und für einen Moment dachte er, er würde ohnmächtig.

»Said!« Seine Stimme klang schwach, erstickt. Said rannte los ihn Sams Richtung, nur um Sekunden später hart in den Sand zu fallen – getroffen von einer Kugel. Er lag reglos da, der Sand färbte sich dunkel um ihn herum. Sam wollte aufstehen, zu ihm laufen, doch seine Beine gehorchten ihm nicht. Alles in ihm schrie nach nach Flucht, doch seine Glieder waren wie gelähmt.

Er versuchte, sich hochzudrücken, doch der Schmerz in seinem Rücken zwang ihn wieder zu Boden. Sein Körper fühlte sich schwer an. Er rollte sich auf den Rücken und starrte in den endlosen Himmel. Das Dröhnen der Schüsse, das Schreien und die Motorengeräusche vermischten sich zu einem dumpfen Rauschen in seinen Ohren, als würde die Welt langsam aus seinem Bewusstsein gleiten.

Der blaue Himmel über ihm wirkte friedlich, so unberührt von dem Chaos um ihn herum. Sam blinzelte, seine Sicht verschwamm. Der Schmerz ließ nach, als ob sein Körper langsam aufgab, als ob er sich dem unausweichlichen Moment näherte.

Plötzlich tauchten verschwommene Gestalten in seinem Sichtfeld auf. Zwei Männer, oder waren es nur Schatten? Es war ihm egal. Der Schmerz in seinem Rücken war inzwischen einem warmen, tauben Gefühl gewichen und eine seltsame Ruhe legte sich über ihn. Alles – die Kämpfe, das Geschrei, der Staub und die Hitze – rückte in weite Ferne. Es fühlte sich an, als würde er in einem endlosen Ozean aus Licht treiben.

»Said …«, flüsterte er, seine Stimme war kaum mehr als ein Hauch. Er wollte ihn rufen, ihn zu sich holen, aber die Worte blieben ihm im Hals stecken. Der Himmel über ihm schien

212

sich auszudehnen, als würde er in eine tiefe, friedliche Leere fallen.

Die beiden Gestalten beugten sich über ihn. Ihre Gesichter waren verschwommen.

Sam fühlte nur noch die Erschöpfung, die sich wie ein schwerer Mantel über ihn legte. Seine Lider wurden schwer, seine Atmung flacher.

Er war müde. So müde. Alles, was er wollte, war, die Augen zu schließen und sich endlich der Dunkelheit hinzugeben, die ihn sanft umschlang. Ein friedliches Lächeln legte sich auf sein Gesicht, während er den letzten Anflug von Bewusstsein in sich spürte. Seine Gedanken lösten sich auf, trieben davon wie Blätter im Wind.

Dann wurde es schwarz.

Johanna Carter

Donnerstag, 10. Mai 2029, Forest Hill, Boston, Massachusetts, USA

Wie kleine durchsichtige Geschosse schlug der Regen auf den Betonplatten auf und zerplatzte. Die Pflanzen in den Blumenkästen stemmten sich mit aller Macht gegen den Wind, der durch den Garten jagte und versuchte, alles mit sich zu reißen, was sich nicht gegen ihn wehren konnte. Selbst einer der vier Metallstühle wurde aus seiner ursprünglichen Position geschoben und drohte nun, gegen die Wand aus grauen Betonsteinen geschleudert zu werden, die den Hofgarten umfasste. Vereinzelt trafen Regentropfen die Fensterscheiben und liefen in dünnen Fäden hinunter.

Johanna saß in dem bequemen Sessel, in dem sie bereits zweimal in der vergangenen Woche Platz genommen hatte, und starrte hinaus. Der Sturm draußen wirkte wie eine Spiegelung ihres Inneren. Chaos, das sie nicht kontrollieren konnte. Ihr Kopf war schwer von Erschöpfung, die sich wie ein dichter Nebel in ihren Gedanken festsetzte.

»Woran denken Sie, wenn Sie das sehen?«

Seine Stimme war ruhig und doch fühlte sich Johanna, als hätte er eine unsichtbare Schlinge um ihren Hals gelegt. Der Druck auf ihrer Brust nahm zu und die Worte in ihrem Kopf flossen ineinander, bis sie nur noch ein Rauschen wahrnahm. Sie wollte antworten, aber die Worte kamen nicht. Sie dachte an den Mond, an das grelle Licht, das Chris verschluckt hatte. Ihr Atem wurde flacher.

Ihre Kehle war trocken und sie sehnte sich nach ihrem Bett, ihre Glieder waren müde, zu lange hatte sie schlecht geschlafen und nachts wachgelegen mit denselben Bildern, die sie Nacht für Nacht heimsuchten.

Nur aus einem einzigen Grund, hatte sie sich dazu bereit erklärt, hierherzukommen: Sie musste unbedingt herausfinden, was geschehen war, ob Chris noch lebte. Und sie wollte zurück – auf den Mond, zu diesem Krater. Sie versuchte, dem Orkan aus Gedanken in ihrem Kopf Herr zu werden, einen klaren Satz zu formulieren. Sie fixierte den Mann, der ihr in dem bequemen dunkelbraunen Designer-Ledersessel gegenübersaß. Dr. Brown hatte die Beine übereinandergeschlagen, wodurch seine schwarzen Socken sichtbar geworden waren.

Alles an dem hageren, Mann Mitte fünfzig, mit welligem silbergrauem, penibel nach hinten gekämmten Haar, wirke teuer. Selbst die dünne Ledermappe auf seinem Schoss schien alles andere als billig zu sein. Das ganze Zimmer war mit Kunst, antiken Artefakten und teuren Möbeln geschmackvoll eingerichtet. Sie selbst hätte sich hier wahrscheinlich keine Therapie leisten können. Nur weil die NASA für die Kosten aufkam und durch den Zuspruch ihrer Eltern sowie ihres Sohnes hatten sie dazu veranlasst, eine Therapie zu machen. Ohne eine Behandlung würde die NASA sie nie wieder in eine Rakete steigen lassen.

Dr. Browns Frage hallte in ihren Ohren nach. Woran dachte sie, wenn sie das Chaos draußen betrachtete? Sie wusste es nicht.

Dr. Brown legte den goldenen Kugelschreiber auf die Mappe vor sich, stützte die Ellenbogen auf den Armlehnen ab und schob die Brille etwas auf dem Nasenrücken hoch,

215

ehe er sich räusperte. »Erzählen Sie mir doch, wie Sie zur NASA gekommen sind.«

Johanna zog die Augenbrauen zusammen. »Wie jeder andere Astronaut auch. Ich habe mich vor Jahren beworben und wurde für das Trainingsprogramm ausgesucht. Haben wir das nicht bereits besprochen?«

In seinem Blick lag etwas Ruhiges, Abwartendes, das Johanna nicht einschätzen konnte. »Das haben wir, aber mich würde interessieren, warum wurden ausgerechnet Sie für das Trainingsprogramm des Artemis-Programms ausgewählt?«

Sie lächelte. »Ich verstehe jetzt, was Sie versuchen, nur wird das nichts bringen.«

Dr. Brown zog eine Augenbraue hoch. »Nun, was habe ich denn vor?«

Johanna stand auf und ging die drei Schritte zum Fenster. Eine Amsel suchte unter dem Tisch Schutz. »Sie wollen, dass ich aus meiner Vergangenheit plaudere. Sie wissen, wo ich aufgewachsen bin, dass ich eine behütete und glückliche Kindheit hatte, dass mir alles ermöglicht wurde. Sie versuchen weiterhin, das Eis zu brechen, beziehungsweise, meine emotionale Mauer einzureißen. Nur ist es so, dass es keine Mauer gibt, die Sie einreißen können.«

Sie hörte etwas rascheln hinter sich. Dr. Brown musste seine Mappe auf den kleinen Glastisch zwischen den Sesseln abgelegt haben. »Ich verstehe, dann wissen Sie auch, dass Sie unter einer sogenannten Trauma-assoziierten Sprachlosigkeit leiden, auch psychogene Amnesie genannt.«

Sie wandte sich ihm zu. Er saß noch in seinem Sessel, die Hände flach auf den Armlehnen ruhend und musterte sie eingehend, so als wollte er jede Regung, jede noch so kleine Veränderung ihrer Mimik und Körperhaltung registrieren. »Ich denke, Sie irren sich. Soweit ich weiß, können

Menschen, die unter einer Amnesie leiden, sich nicht an das Erlebte erinnern, manche kurzweilig, andere auch ihr restliches Leben nicht mehr. Ich erinnere mich aber an das, was geschehen ist. Jede Nacht träume ich davon, ich sehe es Bild für Bild. Jedes Wort ist in meinem Schädel eingebrannt. Als wäre darin eine Schallplatte, die in Endlosschleife läuft, und niemand ist da, um endlich die Nadel vom Vinyl zu nehmen.«

Sein Blick trafen ihren. »Das ist richtig, allerdings leiden Sie nicht unter einer retrograden Amnesie, bei der die Erinnerungen an das Ereignis verloren gehen. Ihre Form der Amnesie ist anders. Sie können sich an das Erlebte erinnern, nur ist es so, dass Sie nicht darüber sprechen können. Jedes Mal, wenn Sie es versuchen, tritt diese Sprachblockade auf. Sehen Sie es als Schutzmaßnahme. So wie die Amsel dort draußen unter dem Tisch, die Schutz vor dem Sturm sucht. Auch wenn es nur für einen gewissen Zeitraum ist, weiß sie nicht, wie lange sie dort bleiben muss, bis der Sturm vorbei ist.«

Johanna blickte in den Garten und betrachtete den Vogel, der die Beine und den Kopf ganz nah an den Körper gezogen hatte. Wie eingefroren verharrte er in dieser Position, als wollte er sich möglichst klein machen, um der herrschenden Katastrophe zu entgehen.

»Dieser Vogel hat nun zwei Optionen. Er könnte dort einfach sitzen bleiben, bis das Unwetter nachlässt, oder er könnte sich der Gefahr stellen. Losfliegen, in der Hoffnung, dass er sicher nach Hause gelangt.« Sie hörte ein erneutes Knirschen hinter sich, auf das gedämpfte Schritte folgten. Dr. Browns Profil tauchte in ihrem seitlichen Sichtfeld auf. »Im ersten Moment erscheint die Entscheidung, loszufliegen, vielleicht tollkühn und zu gefährlich, doch weiß die Amsel nicht, ob die Intensität des Sturmes zunimmt und ob dieser vielleicht noch mehrere Tage anhält. Dann droht sie, dort zu verdursten und wird letztendlich verenden.«

Sie blickte ihn an. »Sie meinen, ich bin wie diese Amsel, die sich vor Regen und Wind schützen will?«

Ohne ihren Blick zu erwidern, antwortete er: »Für uns ist es nur Regen und Wind, solange wir in einer geschützten Umgebung sind, für andere ist es ein potenziell tödliches Szenario. Ich muss Sie leider korrigieren, Sie haben eine Mauer um sich herum errichtet, die wie dieser Tisch für die Amsel dort draußen fungiert. Um sie herum herrscht ein Sturm aus Ratlosigkeit, Angst, Unsicherheit, Selbstzweifel und Wut über das, was geschehen ist, und das führt dazu, dass ihr Gehirn die Realität nicht akzeptieren kann.«

Johanna spürte ein seltsames Gefühl, etwas in ihr begann, sich zu lösen, und ein Hauch von Akzeptanz durchfuhr ihre Gedanken.

Dr. Brown drehte den Kopf und schenkte ihr ein aufrichtiges Lächeln. »Jetzt haben Sie verstanden, warum es so wichtig war, dass Sie letzte Woche zu mir gekommen sind.« Er drehte sich ganz in ihre Richtung. »Sie, Johanna, müssen zunächst akzeptieren, dass es passiert ist und dass Sie daran keine Schuld haben. Ich kenne die Fakten aus dem Bericht, aber ich muss es von Ihnen erfahren. Berichte sind Worte ohne Tiefgang. Ich muss wissen, was in Ihnen vorgeht, was Sie beschäftigt, nur so kann ich Ihnen helfen, das zu verarbeiten.« Brown blickte in Richtung des Sessels. »Sie können sich so viel Zeit lassen, wie Sie möchten. Setzen wir uns doch wieder, im Stehen redet es sich nicht so bequem«, sagte er lächelnd, begleitet von einer einladenden Handbewegung.

Sie erwiderte das Lächeln. Sie fühlte sich wohl, auch wenn sie sich sicher war, dass das hier keine normale Therapiestunde war. Aber was war schon normal? Jedenfalls hatte er es geschafft, dass sie sich ein Stück weit leichter fühlte.

»Ich habe heute keine weiteren Termine, ich gehöre ganz Ihnen. Ich werde mir nichts notieren, möchte einfach nur mit Ihnen reden, egal, über was. Erzählen Sie mir alles, was Sie beschäftigt.«

Sie lehnte sich im Sessel zurück und senkte den Blick. Es war still geworden, lediglich das dumpfe Prallen einzelner Regentropfen gegen die Scheibe unterbrach die Ruhe. Sie atmete tief ein, zwang sich die Fassung zu wahren, während der Sturm von Erinnerungen durch ihre Gehirnwindungen wütete. Bilder von Chris in seinem Raumanzug, seine Augen, sein letzter Blick, bevor er verschwand, das Licht, der Krater, das seltsame Artefakt.

Erst als eine Träne auf ihren Handrücken fiel, wurde ihr bewusst, dass die Erinnerungen sie emotional erneut aufgewühlt hatten. Sie wischte die nächsten Tränen fort, ehe sie etwas sagte. »Ich sehe Bilder, eher sind es Sequenzen, ungeordnet und wirr.« Sie hielt inne, Dr. Brown tat, was er versprochen hatte, und schwieg. »Jede Nacht, in jeder Sekunde, in der ich an den Mond denke, tauchen sie auf wie eine Welle, die über mir zusammenbricht.« Sie blickte auf. »Ich habe etwas gesehen, ich weiß nicht, was es war. Aber dieses Ding ist immer noch da oben in diesem Krater bei ...« Ihre Stimme brach ab.

»Erzählen Sie mir von Chris, Johanna. Was war er für ein Mensch?«

Sie zog zwei Tücher aus der kleinen Pappbox, die von zwei schwer wirkenden silbrigen Kugeln flankiert wurde, und tupfte die Tränenflüssigkeit weg. »Christian war, ich meine, ist der Kommandant der Artemis III. Ich habe ihn kennengelernt in meiner zweiten Woche beim Artemis-Programm, das liegt jetzt drei Jahre zurück. Er hatte zu dem

219

Zeitpunkt bereits an Artemis I und Artemis II mitgearbeitet. Er hat dafür gesorgt, dass ich in die erste Crew der Artemis III gelangte. Er hat in mir immer die gesehen, die ich bin, eine Wissenschaftlerin, und das habe ich sehr an ihm geschätzt. Unter den Astronauten gibt es auch heute noch viele Machos, doch Chris war anders. Er ist ein Leader, ein hervorragender Kommandant, die NASA hat ihm vertraut und ich ihm. Und er hat mir ...« Sie senkte den Kopf, betrachtete das zerrupfte Papierknäuel in ihren Händen. »Er hat mir vertraut und ich habe ihn im Stich gelassen.«

»Erzählen Sie mir doch bitte, was genau Ihre Mission auf dem Mond war.«

Johanna lenkte ihre Gedanken auf die Erinnerungen an den Start der Mission vor vier Wochen. »Wir sollten offiziell die Krater am Südpol auf die Existenz von Wassereis untersuchen, Bodenproben nehmen und verschiedene Experimente durchführen. Dazu hatten wir sieben Missionstage auf dem Mond. Die Hauptaufgabe war, diese Region zu untersuchen, ob sie alle Kriterien für eine Mondbasis vorwies. Dazu haben wir auch die Struktur des Bodens auf mögliche Hohlräume untersucht, ob es dort Lavaröhren oder andere Höhlen gibt.«

»Das heißt, Sie und Mr Harris waren für die Landung auf dem Mond eingeteilt, richtig?«

Sie nickte. »Paul Torrens und Ralf Schmitt waren währenddessen im Orbiter und haben Kontakt mit Houston gehalten. Wir haben mit ihnen geredet, während wir in dem Krater waren.«

Er hob die Hände. »Einen Moment bitte, gehen wir noch einmal zurück. Sie haben nach Wassereis gesucht. Haben Sie denn welches gefunden?«

Sie musste einen Moment überlegen, es fiel ihr schwer, sich zu erinnern. Ihr Kopf schmerzte, als würde darin ein

220

Specht sitzen, der unentwegt mit seinem Schnabel gegen ihren Schädel hämmerte.

»Geht es Ihnen nicht gut?«

Sie rieb sich die Schläfen. »Ich habe seit Tagen heftige Kopfschmerzen, ich schlafe schlecht und manchmal habe ich das Gefühl, nicht zu wissen, wo ich bin. Wissen Sie, was ich meine? So als ob man aus einem schlechten Traum aufwacht und erst einen Moment braucht, um sich zu orientieren. Nur dass ich dieses Gefühl einfach nicht loswerde.«

»Das können Begleitsymptome sein, Sie stehen unter enormem emotionalem Stress, der zu Schlaflosigkeit führt. Dieser sorgt dafür, dass Sie wenig Appetit und Kopfschmerzen haben und unter Orientierungslosigkeit leiden. Ich werde Ihnen etwas verschreiben, dass Sie besser schlafen lässt.«

Sie nickte mechanisch. »Ich möchte, dass das aufhört, ich will Klarheit haben. Es ist nicht nur das, ich sehe seit einigen Tagen Dinge, die nicht real zu sein scheinen.«

Dr. Brown schlug die Beine übereinander, stützte den Ellenbogen auf die Armlehne und legte Zeigefinger und Daumen der linken Hand an seinen Kiefer. »Was genau sind das für Dinge?«

»Ich weiß es nicht genau, es ist so unscharf wie ein Flimmern an sehr heißen Tagen. Manchmal höre ich auch seltsame Geräusche wie ein tiefes Brummen. Auf dem Mond haben wir ein merkwürdiges Pochen gehört, das aus dem Krater zu kommen schien. In meiner ersten Nacht zuhause habe ich es wieder gehört unter meinem Bett. Ich hatte so eine Angst, dass ich Minuten gebraucht habe, um mich zu bewegen. Als ich es endlich geschafft hatte und nachsehen konnte, war da nichts.«

Dr. Brown hörte ihr aufmerksam zu.

221

»Als ich gestern duschen war, habe ich gedacht, es wäre jemand mit mir im Badezimmer. Bryan, mein Sohn, war nicht da, er kommt erst morgen zurück, und ich habe danach alle Fenster und die Eingangstür überprüft. Alles war verschlossen und auch das Vorhängeschloss vor der Wohnungstür war vorgehängt.«

»Wieso dachten Sie, dass jemand bei Ihnen im Bad gewesen ist?«

Sie blickte nach draußen zur Amsel, die sich unter dem Tisch weiterhin in Sicherheit glaubte. Als sie den Vogel betrachtete, bemerkte sie, wie dieser etwas unschärfer wurde. Sie kniff die Augen zusammen. Das konnte nicht sein, verlor sie jetzt wirklich den Verstand? Der Vogel fing unvermittelt an, zu vibrieren, als würde er auf einer Rüttelplatte stehen. Einen Herzschlag später erstarrte er und ein dicker Tausendfüßler streckte seinen Kopf unter dem Gefieder hervor und verschwand im nächsten Augenblick spurlos.

»Johanna, was ist da draußen? Macht Ihnen der Vogel Angst?«

Unfähig zu antworten, starrte sie nach draußen. Plötzlich durchfuhr sie ein stechender Schmerz im rechten Auge, der sich bis tief in ihr Gehirn ausbreitete. Sie zuckte zusammen, Dr. Brown stand auf und hockte sich neben sie. »Johanna, was haben Sie gesehen? Geht es Ihnen gut?«

»Ich weiß es nicht«, presste sie hervor, während sie sich das Auge rieb. »Es tut weh, mein Auge. Es fühlt sich an, als wollte es aus meinem Kopf heraus.«

Dr. Brown ging zu einem Schrank. Sie hörte, dass er eine Schublade öffnete und etwas herausholte. Es knirschte und raschelte. Glas klirrte und sie vernahm das Geräusch einer Flüssigkeit, die in etwas geschüttet wurde. Er reichte ihr eine kleine rote Tablette und ein Glas Wasser. »Nehmen Sie das, dann geht es Ihnen gleich besser.«

Sie steckte die Tablette in den Mund und spülte sie mit einem Schluck Wasser hinunter. Ein bitterer Geschmack blieb auf ihrer Zunge und sie trank einen weiteren Schluck, ehe sie das Glas auf einem hölzernen Untersetzer absetzte. »Es ist alles so verwirrend. Als wollte mein Verstand mir etwas sagen, doch kann ich nicht begreifen, was es ist.« Sie blickte ihn direkt an. »Wieso ist das so? Was geschieht mit mir, werde ich verrückt?«

Dr. Brown musste schmunzeln, wenn auch nur kurz. »Nein, Sie verlieren nicht ihren Verstand. Das, was Sie durchmachen, ist nicht ungewöhnlich für jemanden, der das erlebt hat, was Sie durchgemacht haben. Ihr Verstand versucht, das zu verarbeiten, die Emotionen, die Bilder und die Eindrücke zu ordnen. Manchmal treten dabei Konflikte auf, sodass die Realität für einen Moment wie verschoben wirkt. Das Gehirn versucht, alte, brüchige Erinnerungen mit neuen Eindrücken zu füllen.«

»Hmm, dafür fühlt sich das aber ziemlich real an.«

»Weil es Ihr Unterbewusstsein in Ihre Gedanken projiziert und daher fühlt es sich so realistisch an. Manche Träume können ebenfalls real erscheinen, ob es sexuell motivierte Träume sind, Tagträume oder Albträume. Der menschliche Körper reagiert darauf mit Lust, Angst, gesteigerter Herzfrequenz und Schweiß. In manchen Fällen kann sich das Geglaubte so in unseren Erinnerungen verankern, dass die betroffene Person davon überzeugt ist, es tatsächlich erlebt zu haben. Wichtig ist nur, zu erkennen, was Wirklichkeit ist und was nicht. Zum Beispiel, dass wir beide gerade miteinander hier sitzen, das ist real. Die Dinge, die Sie sehen, sind es nicht, sie sind Teil eines Prozesses, der zwar wichtig

223

für die Bewältigung ist, aber sie entstammen nicht der Realität.«

In ihrem Kopf breitete sich ein Rauschen aus, das den Schmerz fortspülte und ihre Muskeln etwas entspannte.

»Vielleicht sollten wir an dieser Stelle unsere Sitzung beenden. Wir sehen uns übermorgen wieder. Ich würde mir wünschen, dass Sie in den nächsten beiden Tagen dokumentieren, wenn Sie wieder solche Dinge sehen. Dann kann ich Ihnen helfen, diese zu verarbeiten.«

Sie erhob sich mit einer Leichtigkeit, die sie seit Wochen nicht mehr verspürt hatte. »Das mache ich. Danke, Dr. Brown.«

Er erhob sich ebenfalls, lächelte ihr aufmunternd zu und schüttelte ihre Hand. »Es ist noch ein weiter Weg, aber Sie sind auf dem richtigen.«

Johanna verließ die Praxis und ging zügig den Flur hinunter zum Aufzug. Die beiden Edelstahltüren öffneten sich unmittelbar, nachdem sie auf den Knopf gedrückt hatte. Sie betrat die kleine, hell erleuchtete Kabine und betätigte den Knopf für die Tiefgarage. Ein kaum merklicher Ruck erfasste die Kabine, als es abwärts ging.

Sie betrachtete sich in dem Spiegel. Ihre Haut war blass, dunkle Ringe waren unter ihren Augen. Ihr schulterlanges braunes Haar war zerzaust. Sie strich es glatt, ohne sich Mühe zu geben. Eigentlich war es ihr egal, wie sie aussah. Sollte die Welt doch sehen, wie beschissen es ihr ging. Schließlich hatte sie nicht nur ihren Kollegen bei der Mission verloren, sondern auch einen guten Freund. Es war irgendwie ironisch: Ihr größter Triumph, der ihr einen Platz in den Geschichtsbüchern eingebracht hatte, drohte ihr größter Albtraum zu werden.

Sie war die erste Frau, die die Oberfläche des Mondes betreten hatte, dass konnte ihr keiner mehr nehmen. Aber

224

sie würde es eintauschen, ohne mit der Wimper zu zucken, wenn dafür alles so wäre, bevor Chris spurlos verschwunden war.

Aus dem Spiegel starrten sie ihre Augen an, ausdruckslos und leer. Ihr gefror das Blut in den Adern, als ihr Spiegelbild plötzlich ein Eigenleben entwickelte. Ihr Blick wurde stechend und ihre grünen Augen färbten sich schwarz. Als das Weiße vollständig verschwunden und zu einer einzigen undurchdringlichen Schwärze geworden war, vergaß sie, zu atmen. Die glatte Spiegelfläche von ihrem Gesicht schlug Wellen, als ob sie flüssig geworden wäre. Das konnte nicht wirklich passieren, das konnte nicht die Realität sein.

Vorsichtig streckte sie die Hand aus. Die Angst schlich sich langsam von hinten an sie heran wie ein hungriges Raubtier.

Was ist, wenn das hier doch echt ist?

Ihre zittrigen Finger näherten sich dem Gesicht, das sie aus pechschwarzen Augen anstarrte. Bevor sie die Oberfläche des Spiegels berühren konnte, riss sie ein melodischer Ton aus ihrer Trance. Ruckartig zog sie ihre Hand zurück. Sie sah ihr Spiegelbild, ihre grünen Augen blickten sie an. Ihr Gesicht war schneeweiß, so tief saß der Schock.

Ihr Handy klingelte, hektisch fischte sie es aus ihrer Handtasche. Ohne auf das Display zu schauen, nahm sie das Gespräch entgegen.

»Hallo?«

»Hey, Johanna, hier ist Liz. Wie geht's dir?« Die vertraute Stimme ihrer besten Freundin klang besorgt und brachte eine Welle von Emotionen in Johanna hervor.

Bevor sie antworten konnte, öffnete sich hinter ihr die Fahrstuhltür und sie betrat einen kurzen Flur, von dem zwei blaue Brandschutztüren wegführten. Auf einer war eine

225

weiße Treppe zu sehen, auf der anderen stand Level 1. Sie ging auf diese Tür zu.

»Ich weiß nicht, gerade glaube ich, dass ich bald den Verstand verliere. Aber die Stunde bei Dr. Brown war gut, wirklich gut.«

»Du setzt dich zu sehr unter Druck, Jo. Gib dir Zeit. Du brauchst das, um wieder auf die Beine zu kommen.«

Johanna seufzte tief und zog die schwere Tür auf. Die Tiefgarage empfing sie mit dem typischen Geruch von Abgasen und alter Luft. »Aber Chris ist noch da draußen, Liz. Ich muss wissen, was mit ihm passiert ist.«

»Ich weiß, Jo, und dennoch kannst du mir nicht erzählen, was passiert ist auf dem Mond. Willst du reden? Du weißt, ich bin immer für dich da, du kannst vorbeikommen oder wir treffen uns in einer Bar. Vielleicht hilft es dir, mal jemand Neues kennenzulernen. Auch wenn es nur für eine Nacht ist, könnte das dir helfen, auf andere Gedanken zu kommen.«

Johanna ging an den geparkten Autos vorbei, während sie einem vorbeifahrenden Wagen Platz machte. Sie hatte ihren Wagen am Ende nahe der Ausfahrt geparkt.

»Nein, danke. Ich bin müde und will nur noch ein heißes Bad nehmen. Bryan kommt morgen und da will ich nicht mit irgendeinem Typen im Bett liegen.«

Johanna entriegelte ihr Auto bereits einige Meter entfernt, mit einem pfeifenden Ton sprang das Schloss auf.

Liz seufzte. »Du bist seit drei Jahren geschieden und hattest seitdem kein einziges Date. Du musst über deinen Ex hinwegkommen, Jo.«

Johanna öffnete die Fahrertür und ließ sich in den Sitz sinken. »Es sind bereits vier Jahre und ich bin Astronautin. Ich will mit Artemis IV in acht Monaten zurück zum Mond, Liz. Ich kann keine Ablenkung gebrauchen und schon gar keine Beziehung.«

226

»Wer redet hier von einer Beziehung, ich rede davon, dass du dir einen Typen suchst, der es dir mal so richtig besorgt. Glaub mir, das kann viele Probleme lösen.«

Sie mochte Liz sehr und sie war der einzige Mensch, mit dem sie über alles reden konnte. Aber gerade fing das Gespräch an, sie zu nerven. »Ich brauche keinen bedeutungslosen Fick, ich brauche Antworten. Ich muss wissen, was da geschehen ist, und was mit mir geschieht. Verstehst du das nicht? Ich muss zum Mond, in diesen Krater. Dort ist etwas, was dort nicht sein dürfte, und offenbar interessiert das niemanden.«

»Der Mond ist nicht dein Leben, Johanna! Dein Leben ist hier auf der Erde. Ich mache mir ernsthaft Sorgen um dich. Wir haben uns, seitdem du zurück bist, nicht einmal gesehen.«

»Ich weiß, Liz. Aber ich brauche diese Zeit. Im Augenblick passiert einfach so vieles, was ich nicht verstehe.«

Liz gab nach. »Na schön, aber wenn etwas ist oder du es dir anders überlegst, ruf mich an. Versprich es mir.«

»Ich verspreche es.«

»Gut, dann melde dich, wenn du reden willst.«

Johanna legte auf und lehnte den Kopf gegen die Kopfstütze. Das Quietschen von Reifen riss sie aus ihren Gedanken. Bevor sie losfuhr, blickte sie in den Rückspiegel. Ein seltsames Gesicht starrte ihr entgegen, nicht menschlich, mit einer merkwürdigen Maske, die Mund und Nase bedeckte. Die Augen des Wesens waren geschlossen, die Haut glänzte wie eingeölt und Rillen durchzogen die Oberfläche. Plötzlich öffneten sich die Augen des Wesens und fixierten Johanna. Eine tiefe, durchdringende Stimme rief ihren Namen, eine Stimme, die nicht menschlich klang.

Ruckartig drehte sie sich um, aber der Rücksitz war leer. Als sie erneut in den Rückspiegel blickte, sah sie nur die

Autos in den gegenüberliegenden Parkbuchten. Sie sank zurück in ihren Sitz, rieb sich das Gesicht. Wut, Angst und Panik stiegen in ihr auf, ein Emotionscocktail, den sie nicht kontrollieren konnte. Es musste raus, diese Energie, wie ein brodelnder Vulkan. Sie drückte fest die Hände gegen das Lenkrad, bevor sie schrie – ein Schrei, der all die Angst und Verzweiflung in sich trug, die sie seit dem Mond mit sich herumtrug. Als ihre Kehle rau wurde, verstummte sie und legte die Stirn auf das Lenkrad.

Warum zum Teufel passierte ihr das? Was hatte sie denn verdammt noch mal getan, dass sie es verdient hatte, in einem Albtraum zu leben?

Als sie sich etwas beruhigt hatte, hob sie den Kopf, und griff nach der kleinen orangefarbenen Tablettendose auf dem Beifahrersitz. Sie las den Aufdruck: *Diazepam*. Dr. Brown hatte ihr erklärt, dass es ein Mittel gegen Angst und Panikattacken sei. Für den Notfall, wie er sagte.

Wenn das kein Notfall war, dann wusste sie es auch nicht.

Sie öffnete den weißen Deckel und blickte ins Innere, wo drei weiße, rundliche Tabletten lagen. Er hatte ihr geraten, sie nicht zu nehmen, wenn sie längere Autofahrten machen musste oder in Kombination mit Alkohol. Das Medikament könnte auch dazu führen, dass es ihrem Gehirn schwerer fiel, sich an Dinge zu erinnern, was gut oder schlecht sein konnte. Sie schloss den Deckel, ohne eine der Tabletten herauszunehmen, und legte das Döschen auf das Sitzpolster neben sich. Sie wollte es nicht vergessen, das konnte sie nicht riskieren.

Als sie die Tiefgarage verließ und in den abendlichen Verkehr einbog, versuchte sie, die seltsamen Erscheinungen aus ihrem Kopf zu verbannen. Doch ihre Gedanken folgten ihr wie ein Schatten.

Sie fuhr durch die Straßen Bostons, die durch den Regen glänzten und in den Scheinwerfern der Autos funkelten. Der Regen hatte etwas nachgelassen, auch wenn weiterhin eine dicke schwarze Wolkendecke über der Stadt hing. Die wenigen Menschen, die auf den Bürgersteigen unterwegs waren, waren vermummt oder eilten mit Regenschirmen die Gehwege entlang, während sie mit dem starken Wind kämpften. Normalerweise brauchte sie von der Praxis bis nach Hause keine fünfzehn Minuten, aber ihr war danach, einfach ziellos durch die Straßen zu fahren.

Johanna dachte an die Mission auf dem Mond zurück. An die Zeit, die sie mit Chris und dem Rest der Crew verbracht hatte. Es war ihre erste große Mission gewesen und sie hatte sich so sicher und kompetent gefühlt. Doch dann war alles anders gekommen. Chris war in diesem Krater verschwunden und sie hatte seinen Körper zurücklassen müssen. Sie spürte die unbändige Angst, die sie erfasst hatte, als das Pochen begonnen hatte, ihr letzter Blick hinab, als sie den Abhang hinaufgeflogen war und den reglosen Körper auf dem Boden liegen gesehen hatte, umhüllt von dem weißen Schutzanzug.

Ihre Gedanken wurden von einem Hupen unterbrochen – beinahe hätte sie eine rote Ampel übersehen. Sie trat auf die Bremse. Ihr Herz schlug schnell, und sie atmete tief durch, um sich zu beruhigen.

Die Ampel sprang auf Grün, und sie fuhr weiter. Sie beschloss, ihre Spritztour zu beenden, bevor sie noch jemanden überfuhr. Das wäre ein weiteres gefundenes Fressen für die Presse gewesen, die die erste Mondlandung nach dem Apollo-Programm ohnehin schon als Fehlschlag und eine der größten Tragödien in der bemannten Raumfahrt gewertet hatten. Als Neil Armstrong als erster Mensch den Mond betreten hatte, war er als Held in die

Geschichte eingegangen. Insgeheim hatte sie gehofft, dass ihr Name ebenso bedeutsam sein würde und vielleicht sogar im selben Atemzug mit Gagarin und Armstrong genannt würde.

Die Realität sah anders aus: Es gab sogar einige Klatschblätter und Internetforen, die sie für Chris' Tod verantwortlich machten. Sie betitelten sie als ungeeignet, emotional schwach, inkompetent und nicht fähig, ein Astronaut zu sein, weil ihr als Frau die nötige psychische Stabilität fehlen würde, um in solchen Situationen angemessen zu handeln.

Sie selbst gab nichts auf solche Aussagen, die von Menschen kamen, die selbst nie in der Lage wären, einen solchen Job auszuüben, egal, ob Mann oder Frau. Selbst die Tatsache, dass der Untersuchungsausschuss zu dem Ergebnis gekommen war, dass sie keine Schuld an Chris' Verschwinden traf, hielt diese Personen nicht davon ab, ihren Schund zu veröffentlichen. Wenn sie schwarz gewesen wäre, hätte es sicher auch ein Grund für den Ausgang der Mission sein können. Was absolut hirnrissig war. Leider überschatteten diese Ereignisse ihren Triumph und sorgten dafür, dass sie nicht dafür weltweite Bekanntheit erlangte, dass sie die erste Frau auf dem Mond war. Auch dass die NASA sich über die wahren Ereignisse bedeckt hielt, ließ Verschwörungstheorien um ihre Person wie Pilze aus dem Boden schießen. Da die NASA und die ESA nach wie vor hinter ihr standen, hatte sie Kraft, weiterzumachen. Denn dadurch hatte sie eine Chance, zum Mond zurückzukehren. Auch wenn diese schwindend gering war, wollte sie diese nutzen.

230

Als sie zuhause ankam, ging sie ins Badezimmer, um sich ein heißes Bad einzulassen. Der Dampf füllte schnell den Raum, und die Anspannung in ihren Muskeln ließ nach.

Während das Wasser lief, zog sie sich aus und betrachtete sich im Spiegel über dem Waschbecken. Die Müdigkeit stand ihr ins Gesicht geschrieben und sie bemerkte erneut die tiefen Linien, die sich in den letzten Wochen in ihre Haut gegraben hatten. Sie seufzte, ging nackt in die Küche, nahm ein Weinglas aus dem Schrank und goss den Rest aus der Weinflasche ein. Der Inhalt reichte aus, um das Glas beinahe randvoll zu füllen. Sie trank einen Schluck, die Wärme des Alkohols entspannte sie ein wenig. Im Bad stellte sie das Glas auf der Wanne ab und stieg hinein und schloss die Augen.

Die Wärme des Wassers umhüllte sie und löste langsam die Anspannung in ihrem Körper. Ihre Gedanken wanderten zurück zu den Gesprächen mit Dr. Brown und Liz. Beide hatten ihr geraten, sich Zeit zu nehmen und sich nicht zu sehr unter Druck zu setzen. Doch wie konnte sie das, wenn Chris immer noch da draußen war, irgendwo, vielleicht noch lebend auf seltsame Weise, vielleicht auch nicht? Sie war es ihm schuldig, zumindest seinen Leichnam zur Erde zu bringen und herauszufinden, was geschehen war.

Sie versuchte, diese Gedanken loszulassen und sich auf die Gegenwart zu konzentrieren. Doch immer wieder drängten sich die Bilder in ihr Bewusstsein: das Artefakt, das Licht, Chris' Gesichtsausdruck. Es war, als ob ihr Verstand sie zwang, sich immer wieder daran zu erinnern, als könnte sie dadurch etwas verändern.

Sie trank einen kräftigen Schluck.

Nach einer Weile, als das Glas leer und das Wasser kühler geworden war, stieg sie aus der Wanne und zog sich einen Bademantel an. Sie ging ins Wohnzimmer und setzte sich auf die Couch. Sie nahm ihr Telefon und schrieb Liz eine

231

Nachricht: »Danke für das Gespräch. Ich bin froh, dass es dich gibt.«

In den letzten zwei Wochen hatte sie immer wieder versucht, sich an normale Dinge zu gewöhnen. Sie hatte ihren Sohn Bryan so oft wie möglich angerufen oder versucht, ihn zu sehen, aber auch das schien nicht genug zu sein, um die Leere zu füllen, die Chris' Verschwinden hinterlassen hatte. Sie hatte ihre Freunde und Familie vernachlässigt, weil sie sich nicht in der Lage gefühlt hatte, sich ihnen zu öffnen. Aber vielleicht hatte Liz recht. Vielleicht brauchte sie mehr Unterstützung.

Ihre Gedanken drifteten zurück zu dem seltsamen Gesicht, das sie im Rückspiegel gesehen hatte. Es war so real gewesen, so lebendig, und doch wusste sie, dass es nicht wirklich sein konnte. Dr. Brown hatte gesagt, dass solche Visionen Teil des Verarbeitungsprozesses sein könnten, dass ihr Verstand versuchte, mit dem Trauma umzugehen. Aber es fühlte sich an, als ob mehr dahintersteckte. Vor allem verstand sie nicht, was ihr Verstand ihr damit sagen wollte.

Sie stand auf und holte sich ein Glas Wasser aus der Küche. Als sie zurückkam, fiel ihr Blick auf die Diazepam-Dose. Sie musste sie aus der Tasche genommen und auf den Couchtisch gelegt haben, aber wann? Sie setzte sich und nahm die Dose in die Hand. Einen Herzschlag lang überlegte sie, eine Tablette zu nehmen, um endlich eine Nacht ohne Albträume zu verbringen. Doch dann erinnerte sie sich an Dr. Browns Warnung, sie nur im Notfall zu nehmen.

Stattdessen entschied sie sich, es ohne Medikamente zu versuchen. Sie stellte die Dose auf den Tisch zurück und ging zu Bett. Sie schloss die Augen und versuchte, sich auf ihre Atmung zu konzentrieren, wie Dr. Brown es ihr beigebracht hatte. Tief einatmen, langsam ausatmen. Langsam ließ die Anspannung nach und sie glitt in einen unruhigen Schlaf.

Der Fremde

Freitag, 11. Mai 2029, Ort unbekannt

Ein rhythmisches Piepen drang durch den Nebel seiner Benommenheit. Sams Bewusstsein kehrte langsam zurück und er versuchte, seine Augen zu öffnen. Alles war verschwommen, dann erkannte er eine weiße Decke über sich. Sein Kopf fühlte sich schwer an und ein dumpfer Schmerz pochte in seinem Rücken und seiner Brust.

Sein Blick wanderte zur Seite. Ein Tropf stand neben ihm und ein dünner Schlauch führte von der Nadel in seiner Hand zu dem Beutel, der mit einer durchsichtigen Flüssigkeit gefüllt war. Eine Klemme steckte an seinem Finger und war mit einem Kabel an einem Pulsoximeter verbunden, das seinen Sauerstoffgehalt und seine Herzfrequenz überwachte. Auf seiner Brust spürte er die Aufkleber, die ebenfalls an Kabeln hingen und mit einem Monitor verbunden waren, der leise vor sich hin piepte. Eine Atemkanüle steckte in seiner Nase und versorgte ihn mit zusätzlichem Sauerstoff.

Langsam kamen die Erinnerungen zurück. Die Wüste, das Treffen, die seltsame Frau, der Al-Mansuri Clan. Der Schmerz in seiner Brust erinnerte ihn an den Kugelhagel. Said, der vor seinen Augen im Sand zusammengebrochen und leblos liegen geblieben war. Panik ergriff ihn.

233

»Wo ... wo bin ich?«, murmelte er benommen, doch es war niemand da, der ihm antwortete.

Er versuchte, sich aufzurichten, er musste gegen die Taubheit in seinem Körper kämpfen, gegen den Schmerz, der jede Faser seines Körpers erfasste. Schließlich schaffte er es, sich auf die Ellenbogen zu stützen. Er lag auf einem Bett, das in einem kleinen, fensterlosen Zimmer stand. Das künstliche warme Licht spendete eine Lichtleiste hinter ihm an der Wand. Am Fußende konnte er einen Schubladenschrank erkennen, über dem ein Wandschrank mit Glastüren hing. Dutzende kleinere Fläschchen waren darin verstaut. Links von ihm standen zwei Stühle an der Wand neben der geschlossenen Tür. Sams Blut gefror in seinen Adern, als er die Kamera über der Tür bemerkte. Ein kleines rotes Licht verriet ihm, dass sie aktiviert war und irgendjemand ihn beobachtete. Wie eingefroren starrte er in das dunkle Auge, das ihn still fixierte.

Er musste irgendwo gefangen sein.

Wo war Kathrin? War sie noch am Leben? Steckte der Al-Mansuri Clan dahinter? Hatten sie vor, ihn zu verhören und dann zu beseitigen, sobald sie alle Informationen hatten, die sie brauchten?

Er musste hier raus. Die Klemme zog er vom Finger und spürte sofort ein Kribbeln in der Fingerkuppe.

Sam tastete mit zittrigen Fingern nach der Nadel. Er ergriff sie fest und zog sie mit einem Ruck aus dem Venenkatheter heraus. Der stechende Schmerz war kurz, aber intensiv. Dann entfernte er vorsichtig den Schlauch aus seiner Nase. Der scharfe Geruch von Desinfektionsmitteln stieg ihm in die Nase. Die Aufkleber auf seiner Brust lösten sich leicht ab, als er an den Kabeln zog, was das Piepen der Maschinen abrupt unterbrach. Ein schrilles Signal ertönte von den

Geräten, als sie feststellten, dass die Überwachung unterbrochen war.

Er stöhnte leise und schwang unter Anstrengung seine Beine über die Bettkante. Die Bewegung jagte eine Welle von Schmerz durch seinen Körper. Schwindel erfasste ihn, als er sich aufrichtete, und er musste sich mit beiden Händen an der Matratze festhalten, um nicht umzukippen. Seine Muskeln fühlten sich kraftlos an, als ob er sie tagelang nicht mehr richtig benutzt hatte.

Seine Atmung ging schwer und er tastete behutsam am Kopf entlang, wo ein dumpfer Schmerz pochte.

Bevor er es schaffte, die Beine auf den Boden zu stellen, öffnete sich die Tür mit einem leisen Klicken. Ein arabisch wirkender Mann in einen weißen Arztkittel betrat den Raum. Er war groß und trug eine Brille, die er sich mit einem Finger auf der Nase zurechtrückte. Eine junge Frau in einer blauen Krankenschwesternuniform folgte ihm. Das Licht des Flurs fiel in den Raum.

»Wer sind Sie?« Sams Stimme brach, seine Kehle war trocken.

Der Mann lächelte sanft, schaltete die Deckenfluter ein und blieb einige Schritte vom Bett entfernt stehen. »Mein Name ist Dr. Ibrahim. Schön, dass Sie wieder wach sind, Mr Jackson. Es ist alles in Ordnung. Sie sind in Sicherheit.«

Sam kniff die Augen zusammen. »Wo ... wo bin ich?«

Dr. Ibrahim trat näher ans Bett und hob eine Hand, um Sam zu beruhigen. »Sie sind im Krankenhaus. Sie hatten großes Glück. Die Kugel, die Sie getroffen hat, hat knapp Ihr Herz verfehlt. Ihre Lunge wurde allerdings verletzt, aber wir konnten sie stabilisieren. Sie lagen die letzten drei Wochen im Koma.«

»Drei ... Wochen?«, fragte Sam entsetzt. »Wo bin ich? In Kairo?«

235

Dr. Ibrahim schüttelte den Kopf. »Nein, dafür war keine Zeit. Sie sind in einem Krankenhaus in Siwa.«

Sam versuchte erneut, aufzustehen, doch die junge Frau trat an seine Seite und legte ihm behutsam eine Hand auf die Schulter.

»Bitte, bleiben Sie liegen. Sie sind noch zu schwach«, bat Dr. Ibrahim ihn.

Sam sah der Schwester ins Gesicht und für einen Moment wurde ihm schwarz vor Augen. Der Schwindel ließ nicht nach und seine Kopfschmerzen pochten im Takt seines schnellen Pulses.

Dr. Ibrahim sprach weiter, während die Frau die Infusionsnadel wieder in den Venenkatheter führte. »Sie hatten großes Glück, dass Sie rechtzeitig hierhergebracht wurden. Sie sind in einem speziellen Zimmer ohne Fenster, zu Ihrer eigenen Sicherheit. Es gibt Leute, die nach Ihnen suchen könnten.«

»Wer?«, fragte Sam verwirrt.

»Wer auf Sie geschossen hat, weiß ich nicht, dass müssten Sie wissen. Ich kann Ihnen jedenfalls sagen, dass Sie wieder vollständig gesund werden, Ihre Werte sind stabil und die Wunden sind gut abgeheilt. Wenn es Ihnen weiterhin besser geht, dann können Sie vielleicht schon in zwei oder drei Tagen nach Hause.«

Die junge Frau drückte Sam vorsichtig zurück auf das Kissen. Seine Glieder schmerzten, seine Atmung war flach, und die Müdigkeit setzte erneut ein.

»Können Sie sich daran erinnern, was passiert ist?«, fragte der Arzt.

»Ich war in der Wüste bei einem Treffen, dann fielen die Schüsse, und mein Freund wurde getroffen.« Sam blickte den Arzt direkt an. »Wissen Sie wo Said ist? Lebt er noch? Ist er auch hier?«

236

Dr. Ibrahims Miene wurde ernst. »Mir ist kein Patient mit einer Schussverletzung bekannt, der diesen Namen trägt. Es tut mir leid.«

»Was ... was ist mit Kathrin?«, fragte Sam. »Hat sie es geschafft?«

Dr. Ibrahim tauschte einen Blick mit der jungen Frau, bevor er antwortete: »Darüber liegen mir keine Informationen vor. Wir werden all Ihre Fragen zu gegebener Zeit zu beantworten versuchen. Für den Moment ist es am wichtigsten, dass Sie Ihre Kräfte sammeln und sich nicht überanstrengen.«

Sam wollte protestieren, wollte wissen, was geschehen war, doch seine Kraft verließ ihn langsam wieder. Er starrte den Arzt an. Irgendetwas fühlte sich falsch an. »Was geschieht mit mir?«, murmelte er mehr zu sich selbst. Was hatten sie mit ihm vor? War das eine Täuschung und der Arzt gehörte zu einem der Clans? Und was war mit Kathrin passiert?

Dr. Ibrahim schien seine Zweifel zu bemerken. »Machen Sie sich keine Sorgen. Sie sind in Sicherheit. Ruhen Sie sich noch ein wenig aus.«

»Wo ist mein Rucksack?«, brachte Sam hervor, seine Lider wurden schon schwer.

Dr. Ibrahim trat näher ans Bett, seine Stimme ruhig. »Wenn es Ihnen besser geht, bekommen Sie Ihre Sachen zurück. Wir werden Ihnen etwas gegen die Schmerzen geben.«

Die Schwester fixierte die Klammer an Sams Finger, das Piepen der Geräte im Hintergrund klang nun wieder gleichmäßig und rhythmisch. Dr. Ibrahim nickte der Krankenschwester zu und sie holte eine kleine Flasche aus einem Wandschrank.

»Wie bin ich hierhergekommen?«, fragte Sam leise, seine Stimme zitterte.

Dr. Ibrahim zögerte einen Moment, bevor er antwortete: »Jemand hat Sie hierhergebracht. Ein Mann, der anonym bleiben wollte. Er hat sich bereits zweimal nach Ihnen erkundigt.«

Ein Mann? »Ich muss telefonieren«, flüsterte Sam schwach.

Dr. Ibrahim schüttelte den Kopf. »Eins nach dem anderen. Erst einmal werden wir Sie durchchecken und morgen werden wir weitersehen.«

Die Schwester zog eine Spritze auf und stellte das Fläschchen auf der Arbeitsfläche ab. In Sams Magen zog sich alles zusammen. Er erfasste eine Bewegung aus den Augenwinkeln, in dem Moment, als die Schwester das Medikament in den zweiten Zulauf des Venenkatheters spritzte.

Ein Schatten glitt lautlos durch die Tür, einen Herzschlag später betrat eine vermummte Gestalt den Raum. Sams Puls beschleunigte sich. *Al-Mansuri.* Der Clanführer musste gekommen sein, um zu beenden, was in der Wüste unvollendet geblieben war. Rache für den Verlust seiner Männer.

Sam riss sich die Infusionsnadel aus dem Arm, zog den Sauerstoffschlauch aus seiner Nase und glitt hastig aus dem Bett. Er ignorierte den stechenden Schmerz in seinem Rücken, seine zittrigen Beine trugen ihn kaum. Dr. Ibrahim wirkte schockiert, als Sam ihn unabsichtlich zur Seite stieß. Sam schwankte gefährlich, als er versuchte, auf die vermummte Gestalt loszugehen.

Er kam jedoch kaum einen Meter weit, bevor Dr. Ibrahim ihn zurück aufs Bett drückte. Sam war zu schwach, um sich zu wehren, und fiel auf die Matratze zurück. Schweiß rann

238

ihm über die Stirn, während er den Arzt ankeuchte. »Sie haben meinen Freund umgebracht!«, schrie er mit aller verbliebenen Energie, doch seine Stimme klang kraftlos.

Die vermummte Gestalt trat näher. Sam starrte sie an, sein Herz raste, jeder Muskel seines Körpers war angespannt.

»Sam, beruhige dich«, sagte der Mann leise, in einem vertrauten, sanften Ton.

Verwirrt starrte Sam den Mann an. »Wer ... wer sind Sie?«, brachte er mühsam hervor.

Der Mann trat näher ans Bett. »Du weißt, wer ich bin.«

Dr. Ibrahim trat einen Schritt zurück und blickte den vermummten Mann an. »Doktor, lassen Sie uns bitte allein«, sagte der Mann ruhig.

»Na klar, schön, dass Sie meinem Anruf gefolgt sind. Wir kommen später noch einmal wieder.« Dr. Ibrahim verließ zusammen mit der Krankenschwester den Raum.

Der Fremde zog einen Stuhl heran und setzte sich wortlos neben Sam. Die Augen des Mannes blickten ihn durchdringend an und lösten in Sam eine Welle von Erinnerungen aus. Er hatte diese Augen schon so oft gesehen – das letzte Mal viele Jahre zuvor. Er wusste, wer dieser Mann war. Doch die Wahrheit war zu schmerzhaft, zu tief vergraben in seiner Vergangenheit.

Sam hob zitternd die Hand, streckte seine Finger vorsichtig nach dem Gesicht des Mannes aus. Er wollte das Tuch entfernen, um Klarheit zu haben, doch seine Finger gehorchten nicht, etwas hielt sie davon ab, die Wahrheit zu enthüllen.

»Du weißt, wer ich bin, Sam«, sagte der Mann sanft.

Langsam nahm er das Tuch vor seinem Gesicht, und Sams Herz setzte einen Schlag aus.

»Das ist unmöglich, du bist tot«, hauchte er.

239

Er sah älter aus – die Falten auf seinem Gesicht tiefer, die Augenbrauen grau, Bartstoppeln umrahmten seinen Mund. Seine Haut war dunkler als in Sams Erinnerung, gegerbt von Jahren in der Sonne. Doch es waren die Augen, die Sam sofort erkannte. Dieselben Augen, die ihn in seiner Kindheit beobachtet hatten, dieselben Augen, die er so lange vermisst hatte.

»Richard, du bist es wirklich, aber wie ...«, flüsterte Sam. Endlich hatte er die Antwort gefunden, die er so lange gesucht hatte. Aber die Freude verflog schnell. Sie wich Wut und Schmerz, als all die Erinnerungen an die vergangenen Jahre auf ihn einprasselten. »Was machst du hier?«

Richard schwieg einen Moment, ehe er antwortete: »Es ist kompliziert, Sam. Ich weiß, dass du zornig bist. Und ich verstehe es. Glaub mir, ich verstehe es.«

Sam schnaubte. »Kompliziert? Kompliziert war es, Mama zu beerdigen, als du verschwunden warst. Es war kompliziert, zu wissen, dass ich bereits mit siebenundzwanzig beide Elternteile verloren hatte, nachdem ich schon sieben Jahre zuvor dich verloren hatte.«

Richard sah auf den Boden, die Scham war in seinem Gesicht zu lesen. »Ich weiß. Aber du musst verstehen ...«

Sam unterbrach ihn, seine Stimme war voller Bitterkeit. »Verstehen? Ich muss gar nichts verstehen. Für mich bist du damals gestorben. Du hast uns im Stich gelassen. Du warst nicht da, als Mama starb, du hast uns nie geschrieben, nie angerufen, als hättest du uns einfach aus deinem Leben gestrichen. Wir dachten, dass du irgendwo in der Wüste von Rebellen umgebracht worden bist. Mama war ein emotionales Wrack, sie hat jeden Tag die Nachrichten geschaut, Zeitung gelesen, jeden Artikel über Ägypten durchforstet nach einem Hinweis. Sie hat so verbittert nach einem Lebenszeichen gesucht, dass sie vergessen hatte, dass sie einen Sohn hat.«

Richard hob langsam den Kopf, seine Augen schimmerten vor Traurigkeit. »Ich habe deiner Mutter Briefe geschrieben, in der Hoffnung, dass sie weiß, dass sie von mir sind.«

»Von Briefen weiß ich nichts, sie hat niemals davon gesprochen. Vielleicht wusste sie nicht, dass sie von dir kamen, wenn sie es gewusst hätte, dann hätte sie es mir gesagt.«

»Ich wollte zurück, Sam. Ich habe es so oft versucht. Aber es war zu gefährlich. Für euch beide.«

Sam lachte bitter auf. »Gefährlich? Was hast du getan? Bist du ein Clanführer hier in Siwa? Warst du es, der uns in der Wüste angegriffen hat?«

Richard schüttelte den Kopf. »Ich habe nichts mit dem Angriff zu tun. Du musst mir glauben, ich bin hier, um dich zu beschützen. Aber wir haben keine Zeit für lange Erklärungen. Du bist in Gefahr und wir müssen weg, es könnte sein, dass ich beobachtet werde.«

Sam wandte den Blick ab. »Ich gehe nirgendwohin. Falls du es nicht weißt, ich wurde angeschossen und lag drei Wochen im Koma. Hier in Siwa wird Kathrin nach mir suchen.«

Richard seufzte tief. »Du bist nicht mehr in Siwa. Du bist in Alexandria, in einem privaten Krankenhaus, das von den USA finanziell unterstützt wird. Ich habe dich hierhergebracht, nachdem du in Siwa notoperiert wurdest und stabil genug für den Transport warst. In Siwa wärst du nicht sicher und die medizinische Versorgung wäre nicht ausreichend gewesen.«

Sam starrte seinen Vater an. »Was? Dr. Ibrahim sagte mir doch ... «

241

Richard unterbrach ihn sanft. »Er hat gesagt, was ich ihm aufgetragen habe. Ich hielt es für das Beste, dass du nach dem Aufwachen glaubst, dass du noch in Siwa bist. Ich habe Dr. Ibrahim gebeten, mir sofort zu schreiben, wenn du erwachst. Ich bin jede Woche einmal gekommen, um nach dir zu sehen, und war heute bereits auf dem Weg zu dir.«

Sam schüttelte den Kopf. »Warum? Warum bin ich in Gefahr?«

Richard sah ihm in die Augen. »Weil du einer Sache auf der Spur bist, die mächtige Menschen in Angst versetzt. Dieser Mann, vor dem ich dich gewarnt habe, er ist nicht irgendwer. Er ist sehr gefährlich und versucht, das in Besitz zubringen, was ich gefunden habe. Du hast keine Ahnung, wie tief das geht.«

Sam ballte die Hände zu Fäusten, seine Finger gruben sich in die Bettdecke. »Ich brauche keine Hilfe. Ich habe achtzehn Jahre lang ohne dich überlebt.«

Richard senkte den Kopf und für einen Moment herrschte Stille im Raum. »Sam, bitte. Du musst mir glauben. Ich werde dir alles erklären. Alles, was damals in der Kammer passiert ist. Aber jetzt ist nicht der richtige Zeitpunkt. Du bist in größerer Gefahr, als du ahnst. Bitte, vertraue mir.«

Sam sah seinen Vater lange an, versuchte, die Wahrheit in seinen Worten zu erkennen. »Vertrauen?«, wiederholte er schließlich. »Wie soll ich dir vertrauen? Ich kenne dich nicht mehr, ich weiß nicht mehr, wer du bist, was du getan hast all die Jahre.«

Eine Träne lief über Richards Wange und er wischte sie schnell weg. »Es tut mir leid, Sam. Es tut mir so leid. Aber ich hatte keine Wahl. Ich habe versucht, euch zu schützen. Es war die einzige Möglichkeit. Wenn ich zurückgekommen wäre, hätten sie euch beide getötet. Aber jetzt bist du in

Gefahr, und ich kann nicht zulassen, dass dir etwas passiert. Lass mich dir helfen.«

»Mir helfen? Du meinst vielmehr, dir selbst zu helfen.« Sam wandte sich ab. Vielleicht hatte sein Vater wirklich keine Wahl gehabt. Aber das machte die vergangenen achtzehn Jahre nicht ungeschehen.

»Du meinst das, was in der Kammer passiert ist, oder?«, fragte Sam schließlich leise, seine Augen fixierten die seines Vaters.

»Ja. Und es ist noch nicht vorbei. Was damals geschehen ist, hat alles verändert. Aber ich werde dir alles erklären, wenn wir hier raus sind. Wenn du es nicht für mich tun möchtest, verstehe ich es. Tu es für deine Mutter, dass all die Jahre nicht umsonst waren.«

Sam atmete tief ein, dann nickte er widerwillig. »Ich komme mit dir. Aber nicht für dich, sondern für Mama, sie hat verdient, zu erfahren, was geschehen ist. Auch wenn sie nicht mehr lebt.«

Richard sah ihn an, Dankbarkeit und Schmerz spiegelten sich in seinem Blick. »Das ist alles, was ich mir wünsche.«

»Und was schlägst du vor, was wir jetzt machen?«, fragte Sam, während er sich aufrichtete. Seine Muskeln protestierten gegen die Bewegung.

»Du wartest hier«, sagte Richard und ging zur Tür.

»Wo willst du hin?«, fragte Sam misstrauisch.

Richard lächelte schwach. »Ich gehe dir Kleidung besorgen. Du willst doch nicht im Krankenhauskittel durch Alexandria laufen, oder? In Ägypten ist es ziemlich gefährlich, mit nacktem Hintern über die Straße zu laufen, und wir wollen doch unauffällig bleiben.«

Sam starrte auf die Tür, die sich hinter seinem Vater geschlossen hatte. Der Mann, den er tot geglaubt hatte, war wieder in seinem Leben – und alles fühlte sich unwirklich an.

243

Der Schmerz in seiner Brust, der ihn all die Jahre begleitet hatte, war plötzlich lebendig. Die Enttäuschung, die Wut, die Hilflosigkeit – alles kochte in ihm hoch, aber es war auch eine seltsame Erleichterung, endlich Antworten zu bekommen.

»Für dich Mama«, murmelte Sam leise vor sich hin.

Sein Blick wanderte durch den Raum. Sein Vater hatte ihm gesagt, dass er in Gefahr sei, dass dieser mysteriöse Mann, vor dem er ihn in Siwa gewarnt hatte, gefährlich war. War dieser Mann wirklich so mächtig, dass sein Vater gezwungen war, ein Leben im Verborgenen zu führen? Und warum trat er gerade jetzt, nach all den Jahren, wieder in sein Leben?

Was auch immer die Schwester Sam gespritzt hatte, es wirkte: Die Kraft in seinen Muskeln kehrte zurück, der Schmerz verblasste. Und das Wiedersehen mit seinem Vater hatte die Müdigkeit weggespült wie eine eiskalte Dusche.

Er legte die Hand auf seine Brust, genau dort, wo die Wunde unter dem Verband war. Sie erinnerte ihn daran, wie knapp er dem Tod entkommen war. Die Kugel, die ihn getroffen hatte, hätte ihn genauso gut umbringen können, so wie seinen Freund Said.

Wo war Kathrin jetzt? Hatte sie es geschafft, zu entkommen?

Die Tür öffnete sich leise und Sam hob den Kopf. Sein Vater trat ein, in der Hand trug er eine Jeans, ein sandfarbenes T-Shirt, weiße Socken und schwarze Boots. »Das muss erst einmal reichen, nichts Hübsches, aber es wird dir passen«, sagte er, als er die Sachen auf einen Stuhl legte. »Zieh dich an, wir müssen hier so schnell wie möglich weg.«

Sein Vater half ihm auf die Beine, langsam zog Sam sich an. Jeder Handgriff kostete ihn Kraft.

»Hast du das einem Soldaten geklaut?«

244

»Er wird die Sachen nicht brauchen. Du musst dich beeilen«, drängte Richard. »Wir haben nicht viel Zeit.«

»Ich brauche meinen Rucksack, da ist ein Pyramidion drin, von dem ich glaube, dass es wichtig ist«, sagte Sam zwischen zwei tiefen Atemzügen.

»Mach dir keine Sorgen, ich habe ihn«, antwortete sein Vater.

»Du hast ihn? Wo ist er?«

»Ich werde dir alles erklären, sobald wir hier raus sind.«

Sam zog das Shirt über und setzte sich erschöpft auf die Bettkante. »Ich verstehe das alles nicht. Da war noch eine andere Frau, die zu dem Mann gehört, sie hat das mechanische Kästchen.«

»Ich weiß. Bist du bereit, können wir los?«, fragte sein Vater und legte ihm eine Hand auf die Schulter.

»Lass uns gehen«, murmelte Sam, während er sich mit Mühe auf die Beine stemmte.

Richard legte das Tuch wieder vor sein Gesicht, bevor er die Tür öffnete.

»Wozu diese Maskerade?«, fragte Sam misstrauisch.

Richard öffnete die Tür einen Spalt und warf einen prüfenden Blick in den Flur. »Na ja, du bist nicht der Einzige, der mich für tot gehalten hat, und ich würde es vorerst bevorzugen, wenn das auch so bleibt.« Er griff nach Sams Arm und zog ihn sanft zu sich. »Komm, der Flur ist frei.«

»Warum schleichen wir uns hier raus? Hast du Dr. Ibrahim nicht gesagt, dass ich mich entlasse?«

»Nicht direkt«, erwiderte Richard knapp. Er wirkte angespannt, obwohl er versuchte, ruhig zu bleiben. »Und stell nicht so viele Fragen.«

Sie gingen durch den langen, hell erleuchteten Flur. Mehrere Türen gingen von beiden Seiten des Ganges ab, und am Ende des Korridors sah Sam eine verglaste Doppeltür.

»Dann sag mir wenigstens, wo das Pyramidion ist«, sagte Sam.

Richard blieb abrupt stehen, drehte sich zu Sam um und zischte: »Kannst du bitte aufhören, hier so herumzuschreien? Du machst es mir nicht gerade leicht, dich in Sicherheit zu bringen.«

»Oh, ich bitte um Verzeihung«, antwortete Sam. »Aber ich habe nicht darum gebeten.«

Richards Augen blitzten kurz auf, bevor er einen tiefen Atemzug nahm. »Ich verstehe, dass du sauer bist. Aber wenn du Antworten willst, komm einfach mit und halt den Mund. Du wirst alles erfahren. Versprochen.«

Sam erwiderte nur ein genervtes »Ja, ja« und murmelte leise vor sich hin.

Kurz bevor sie den Ausgang erreichten, kamen sie an einem Zimmer vorbei, dessen Tür offen stand. Eine Krankenschwester stand mit dem Rücken zu ihnen und wusch sich die Hände an einem Waschbecken. Richard winkte Sam zu sich, als er an der offenen Tür vorbeihuschte. Sam folgte ihm schwerfällig. Richard drückte den großen Edelstahlschalter an der Wand und die Tür öffnete sich.

Doch bevor sie hindurchschlüpfen konnten, ertönte eine laute Stimme hinter ihnen. »Mr Jackson, Sie dürfen noch nicht gehen!«

Dr. Ibrahim eilte vom anderen Ende des Flurs auf sie zu.

»Komm weiter«, zischte Richard.

Auf der anderen Seite der Glastür fanden sie sich in einem breiteren, belebteren Korridor wieder. Mehrere Patienten saßen entlang der Wände auf Stühlen und warteten auf ihre Behandlungen. Zwei Sicherheitsmänner standen etwas abseits und unterhielten sich mit einer jungen, attraktiven Krankenschwester.

Richard bog nach links ab, in Richtung der Fahrstühle am Ende des Ganges. Sam folgte ihm mit zitternden Beinen. Hinter ihnen schloss sich die Doppeltür zur Intensivstation.

Als Richard den Fahrstuhlknopf drückte, rechnete Sam jeden Moment damit, dass Dr. Ibrahim durch die Tür stürmen und sie aufhalten würde oder dass das Wachpersonal auf sie aufmerksam wurde, bevor sie im Fahrstuhl waren. Erst als sich die Türen des Lifts hinter ihnen schlossen, gestattete er sich, aufzuatmen.

»Das war knapp«, sagte Sam und lehnte sich gegen die Fahrstuhlwand.

»Wir müssen jetzt schnell durch die Lobby gehen«, sagte Richard. »Sobald wir draußen sind, werde ich das Auto holen. Du gehst einfach geradeaus über den Parkplatz. Ich werde dich dort einsammeln, verstanden?«

Sam nickte.

Als sich die Fahrstuhltüren öffneten, verließ Richard den Lift mit schnellen Schritten und hetzte durch die moderne, geräumige Lobby des Krankenhauses. Sam konnte kaum mithalten, er sah zu Boden, um niemanden direkt anzusehen. Endlich öffneten sich die Schiebetüren vor ihm und er trat ins Freie. Sam blinzelte in die gleißende Sonne. Die salzige, heiße Meeresluft wehte ihm entgegen und das Geschrei der Möwen erfüllte die Luft. Für einen kurzen Moment genoss er die warmen Sonnenstrahlen auf seiner Haut, bevor ihn der Lärm der belebten Straßen Alexandrias aus seiner Trance riss.

Der Parkplatz vor ihnen erstreckte sich über mehrere hundert Meter bis zu einer weit entfernten Ausfahrt. Auf halbem Weg warf Sam einen Blick über die Schulter und sah das riesige Gebäude aus Sandstein und Glas, über dessen Eingangsportal das Schild *Elite Medical Center* prangte.

Reifen quietschten, ein älterer schwarzer Wagen bog scharf um die Ecke und fuhr auf ihn zu. Der Wagen hielt neben ihm und Sam erkannte seinen Vater hinter dem Steuer. Er war kaum eingestiegen, da trat Richard schon aufs Gaspedal.

»Und wohin fahren wir jetzt?«, fragte Sam.

»Nach Kairo«, antwortete Richard knapp. »Genauer gesagt nach Neu-Kairo. Dort habe ich ein Labor.«

»Ein Labor? Wofür?«

»Das wirst du bald sehen«, sagte Richard.

Sam schnaubte. »Ich will jetzt endlich wissen, was das alles hier zu bedeuten hat. Wer ist dieser Mann, vor dem du mich gewarnt hast? Warum musstest du dich all die Jahre verstecken? Wer ist hinter mir her? Was hat es mit diesem Monolithen in der Kammer auf sich?« Sam beugte sich leicht vor, seine Augen fest auf seinen Vater gerichtet. »Ich habe diese Antworten verdient, Richard. Wir haben drei Stunden bis nach Neu-Kairo. Du hast also genug Zeit, mir endlich ein paar Antworten zu liefern.«

Richard seufzte tief, den Blick auf die Straße gerichtet. »Kannst du mich bitte Vater nennen? Richard klingt so ... distanziert.«

»Das hast du dir noch nicht verdient«, erwiderte Sam kalt. »Also?«

Richard schwieg einen Moment, dann nickte er. »Ich merke schon, du wirst nicht lockerlassen. Das hast du von deiner Mutter.«

Sam verschränkte die Arme vor der Brust und wartete.

»Das Pyramidion ist in meinem Labor«, begann Richard schließlich. »Als ich dich aus Siwa geholt habe, habe ich es an mich genommen. Ich war aus demselben Grund in Siwa wie du. Ich habe Said die Informationen gegeben, die er brauchte.«

248

»Du hast Said gekannt? Dann arbeitest du mit der US-Regierung zusammen?«

»Nicht direkt. Ich habe jahrelang nach den Artefakten gesucht und schließlich kam ich einer kleinen Hehlerbande auf die Spur, die mit gestohlenen Artefakten handelt. Sie verkauften die Artefakte an einen bekannten Schmuggler, der sie nach Siwa brachte und dort verkaufen wollte. Ich bin ihm vor ein paar Wochen gefolgt und habe herausgefunden, dass der Clan die Artefakte an sich genommen hat und sie selbst anbieten wollte. Also kam mir der Gedanke, die US-Regierung darauf aufmerksam zu machen. Said hat mich entdeckt, als ich in Siwa Nachforschungen angestellt habe, und ich kam mit ihm ins Gespräch. Wir merkten schnell, dass wir für dieselbe Seite arbeiteten, und tauschten uns aus.«

»Ich verstehe. Da dir die finanziellen Mittel gefehlt haben, die Artefakte selbst zu kaufen, hast du gehofft, dass die Regierung sie erwirbt und dich anschließend mit an dem Projekt arbeiten lässt.«

Richard nickte. »Ich wusste allerdings nicht genau, ob ich Said trauen konnte, und offenbar hat er dasselbe über mich gedacht, sonst hätte ich selbst an dem Treffen teilgenommen. Hinzu kommt noch, dass mich in Ägypten viele kennen und ich nicht riskieren wollte, erkannt zu werden.«

»Okay. Aber woher wusstest du, dass ich komme?«

»Das wusste ich nicht. Ich habe es aber gehofft, denn neben mir bist du der Einzige, der mindestens so viel Zeit in diese Forschungen gesteckt hat.«

»Hmm, und was ist mit diesem Mann?«

»Der Mann aus Siwa ist ein abtrünniger Agent des ägyptischen Geheimdienstes, der vor über einem Jahrzehnt abgetaucht ist. Seitdem arbeitet er als Söldner.«

»Woher weißt du das?« Sam hatte das Gefühl, dass sein Vater ihm immer noch etwas verheimlichte.

Richard lächelte schwach. »Ich habe meine Kontakte. Mächtige Menschen, denen ich vertraue – und die mir vertrauen. Ohne sie hätte ich nicht tun können, was ich getan habe.«

Sam hörte aufmerksam zu, während sein Vater auf die Schnellstraße nach Kairo abbog.

»Der Name des abtrünnigen Agenten ist Omar Sallam. Er ist sehr gefährlich und hervorragend ausgebildet. Als er noch für den ägyptischen Geheimdienst arbeitete, bekam er Wind von meinem Fund in der Wüste. Zuerst hielt ich ihn für einen eifrigen Regierungsbeamten, doch dann begann er, unangenehm herumzuschnüffeln. Wollte jedes Dokument einsehen, auch meine persönlichen Notizen. Dann fand ich meinen Assistenten tot auf – kurz nachdem wir die erste Kammer freigelegt hatten.«

Sams Augen verengten sich. »Und du glaubst, dass er deinen Assistenten umgebracht hat, um an Informationen zu kommen?«

»Er war einen Tag zuvor bei uns, um sich die Fundstelle erneut anzusehen. Er behauptete, er sei im Auftrag der Regierung dort, um alle Informationen über den Fund zu sammeln. Ich habe ihn aus meinem Zelt geworfen, als er mir gedroht hat, das mir etwas passieren wird, wenn ich ihm meine Notizen nicht überlasse. Offenbar war ihm klar, dass er mir nichts antun konnte, da ich zu bekannt war. Aber wenige Stunden später fanden wir meinen Assistenten ermordet in einer Grube auf. Omar kennt keine Grenzen.«

»Also geht es ihm nur um Gold?«

Richard schüttelte den Kopf und lächelte traurig. »Es geht um etwas viel Größeres. Um etwas, das alles, was wir über die

250

Menschheitsgeschichte wissen, verändern könnte. Es geht ihm um dasselbe wie uns.«

»Was genau ist das?«

»Wissen über Technologien, die unseren weit überlegen sind. Der Monolith und das, was wir dort in der Kammer gefunden haben, sind der Schlüssel dazu.«

»Was genau ist das für eine Technologie?«, fragte Sam.

Richard warf ihm einen schnellen Seitenblick zu. »Es gab schon lange vor der ägyptischen Zivilisation mindestens ein Volk, das hochentwickelte Technologien besaß. Das Pyramidion, das du gefunden hast, ist Teil dieser Technologie. Es ist kein simples Artefakt. Es könnte der Schlüssel zu einem viel größeren System sein – einem System, das die Menschheit weit über das hinausführen könnte, was wir heute für möglich halten.«

Sam konnte es kaum fassen. »Du willst sagen, dass ich all die Jahre zu Unrecht verspottet wurde? Dass ich ein Stück hochentwickelte Technologie aus einer Zeit, von der wir nichts wissen, in der Hand gehalten habe?«

»Genau das meine ich. Und das ist der Grund, warum so viele hinter dir her sind. Es gibt Menschen, die wissen, dass du dieses Pyramidion hast, und sie werden alles tun, um es in die Hände zu bekommen. Diese Technologie ... könnte die Machtverhältnisse auf der Welt verändern.«

Sam schluckte schwer. Der Gedanke, dass er inmitten eines solchen Machtspiels gefangen war, ließ ihn frösteln. »Und was ist mit dem mechanischen Kästchen, das die Frau bei sich hatte?«

Richards Gesicht verfinsterte sich. »Das Kästchen ist Teil derselben Technologie. Es ist ein Aktivator. Ohne es wird das Pyramidion nicht funktionieren. Sie sind wie zwei Teile eines Puzzles. Ich weiß nicht, was genau passiert, wenn sie zusammengebracht werden, aber es könnte eine Verbindung

251

zu dem haben, was in der Kammer passiert ist. Ich werde dir alle meine Forschungsergebnisse zeigen, wenn wir in meinem Labor sind.«

Sam dachte an die Aufnahme, die er gesehen hatte – die blitzenden Lichter, das Chaos. »Und was genau ist in der Kammer passiert?«

Richard atmete tief ein, als ob er sich darauf vorbereitete, etwas Schweres zu enthüllen. »Was wir in der Kammer entdeckt haben, war mehr als nur ein einfacher Fund. Die Symbole an den Wänden, die Ausrichtung des Monolithen – alles deutet darauf hin, dass es sich um eine Art Portal handeln könnte. Ein Zugang zu etwas, das jenseits unseres Verständnisses liegt. Als wir den Monolithen aktiviert haben, geschah etwas … Unvorstellbares. Es war, als ob die Realität selbst für einen Moment zusammenbrach.«

Sams Nackenhaare stellten sich auf. »Ein Portal? Zu was?«

Richard schüttelte den Kopf. »Das weiß ich nicht. Aber ich vermute, dass es uns zu einem anderen Ort führen könnte. Vielleicht zu einer alten Welt, die längst verloren ist. Vielleicht zu etwas, das nie für uns bestimmt war. Die Technologie, die wir gefunden haben, stammt nicht von dieser Erde. Ich glaube, sie wurde uns hinterlassen. Von wem oder was, weiß ich nicht.«

Sam starrte aus dem Fenster, während die Landschaft an ihnen vorbeizog. »Und was ist mit dem Team? Mit den Menschen, die mit dir in der Kammer waren?«

Richard schwieg lange, bevor er antwortete: »Sie sind verschwunden, Sam. Jeden Einzelnen von ihnen hat es in dieses Portal gezogen. Ich weiß nicht, wo sie jetzt sind oder ob sie noch leben. Aber ich glaube nicht, dass sie tot sind. Sie sind … irgendwo.«

»Und du hast überlebt? Wie?«

Richard schluckte. »Ich hatte Glück. Oder vielleicht war es mehr als das. Irgendetwas an mir hat verhindert, dass ich auch verschwand.«

»Und deswegen bist du all die Jahre untergetaucht? Um dich vor diesem Agenten und den Leuten zu verstecken, die nach dieser Technologie suchen?«

»Genau. Als ich realisierte, was ich entdeckt hatte, wusste ich, dass es gefährlich war, sowohl für mich als auch für euch. Ich konnte euch nicht in diese Welt hineinziehen. Deswegen habe ich mich zurückgezogen. Ich habe deine Arbeit verfolgt und du warst auf der richtigen Spur. Als die Regierung dich ausgewählt hatte, hierherzukommen, wusste ich, dass ich eine Chance hatte, dich wiederzusehen. Also habe ich dich nicht mehr aus den Augen gelassen.«

Sam lehnte sich zurück und schloss für einen Moment die Augen. Es war zu viel auf einmal. Sein Vater, den er tot geglaubt hatte, war wieder in seinem Leben – und er sprach von alten Technologien, Portalen und geheimen Mächten, die hinter ihnen her waren.

»Sam, ich weiß, das ist schwer zu glauben. Aber du musst mir vertrauen. Wenn wir nach Neu-Kairo kommen, werde ich dir alles zeigen. Du wirst es mit eigenen Augen sehen.«

Sam sah seinen Vater an. »Du hast mich schon einmal im Stich gelassen. Warum sollte ich dir jetzt vertrauen?«

Richard seufzte und fuhr sich durch das Haar. »Weil ich diesmal nicht zulassen werde, dass dir etwas passiert. Ich werde dich nicht noch einmal verlieren. Du bist alles, was mir von deiner Mutter geblieben ist.«

Sam sagte nichts. Wut stieg in ihm, die all die Jahre in ihm geschwelt hatte. Doch etwas ließ ihn innehalten. Vielleicht war es die Dringlichkeit in der Stimme seines Vaters, vielleicht die Angst, die in seinen Augen lag.

»Zeig mir, was du weißt«, sagte er schließlich. »Aber wenn du mir noch einmal etwas verheimlichst, werde ich das nicht vergessen.«

»Ich werde dir alles zeigen. Keine Geheimnisse mehr. Versprochen.«

Richard lenkte das Auto weiter durch die Wüste, während die Sonne am Horizont sank. »Jetzt schlaf etwas, wir haben viel zu tun.«

Nachforschung

Freitag, 11. Mai 2029, Forest Hill, Boston, Massachusetts, USA

Johanna saß regungslos vor ihrem Laptop und starrte auf den blinkenden Cursor. Der Bildschirm leuchtete in dem dunklen Zimmer, das Licht des frühen Morgens drang kaum durch die Vorhänge. Zu lange hatte sie es hinausgezögert, zu lange hatte sie versucht, der Wahrheit zu entfliehen. Seit sie zur Erde zurückgekehrt war, hatte sie die Nachrichten gemieden. Sie hatte gewusst, dass man über sie sprach, aber sie wollte nie hören, was die Welt dachte.

Heute war das anders. Etwas in ihr zwang sie dazu, Antworten zu suchen. Vielleicht war es die Ungewissheit, vielleicht die Schuld, vielleicht war es auch die Therapie, die ihr half, endlich aus ihrem Schneckenhaus zu kommen, und sich der Realität zu stellen. Sie verspürte diesen tiefsitzenden Drang, die Scherben ihrer zerbrochenen Realität wieder zusammenzusetzen.

Zögerlich tippte sie auf der Tastatur: *Johanna Carter, Artemis III.*

Den Bruchteil einer Sekunde später explodierte die Seite mit Ergebnissen.

Die Tragödie der Artemis III – Wer ist verantwortlich?
Johanna Carter: Heldin oder Sündenbock?
Chris Harris – Der wahre Held, den die NASA im Stich ließ?

255

Sie klickte auf einen der Artikel. Es war eine der bekannteren Nachrichtenseiten. Die Schlagzeile sprang ihr entgegen, als hätte jemand sie angeschrien, Jahanna Carter, die Kommandantin der Artemis Katastrophe. Unter der Überschrift war ein Bild von ihr, auf dem sie nach der Landung auf der Erde von Sanitätern der Marine aus der Kapsel gezogen wurde. Ihr Gesicht war bleich, ihre Augen leer, als hätte sie sich selbst verloren. In nüchternem Ton wurde die Mission als eine der schlimmsten Katastrophen der Raumfahrt beschrieben, schlimmer als Challenger und Columbia. *»Die Welt stand still, als die Nachricht von der Artemis-III-Mission eintraf. Die ehrgeizige Mondlandung wurde zum Desaster, als Astronaut Chris Harris unter mysteriösen Umständen ums Leben kam. Was auf dem Mond geschah, bleibt bis heute ein Rätsel, aber einige Insider behaupten, dass Carter eine fatale Entscheidung traf, die Harris' Leben kostete. Hat die NASA etwas zu verbergen? Warum wurde Carter nie zur Verantwortung gezogen?«*

Ihr Magen drehte sich um. Sie wusste, dass die Medien nach einem Schuldigen suchten. Sie brauchten jemanden, dem sie die Tragödie in die Schuhe schieben konnten.

Hatte sie Fehler gemacht? Hätte sie etwas anderes tun können? Sie erinnerte sich an den Moment auf dem Mond, als Chris ... nein. Sie hatte getan, was sie konnte.

Die Schuld kroch trotzdem zurück in ihren Geist.

Sie wollte aufhören, zu lesen, den Laptop zuklappen und diesen Moment vergessen. Aber sie konnte nicht. Etwas zwang sie, weiterzumachen.

Dann stieß sie auf einen Artikel, der auf einem kleineren Blog veröffentlicht worden war. Es war ein Verschwörungsblog, der sich auf dunkle Regierungsgeheimnisse und *Wahrheiten* spezialisierte, die angeblich von den Mächtigen der Welt verborgen wurden.

»Vertuschung auf höchster Ebene? Was hat Johanna Carter auf dem Mond gefunden?«

Ihre Augen weiteten sich, als sie las:

»Warum wurde nur Johanna Carter gerettet, während Chris Harris starb? Was verschweigt die NASA über diese schicksalhafte Mission? Ein Whistleblower aus dem NASA-Umfeld behauptet, dass die Artemis-III-Mission auf etwas Unerklärliches stieß. Ein Artefakt oder eine Struktur, die der Menschheit unbekannt ist. War Carter an der Vertuschung beteiligt? Wollte sie uns alle belügen, genauso wie bei dem Roswell-Vorfall? Offizielle Berichte sprechen von einem ›Unfall‹, aber warum verschweigt die NASA, was wirklich auf dem Mond passiert ist? Stecken die Majestic 12 dahinter?«* Ihr Herz schlug schneller. Der Ton des Artikels wurde immer reißerischer: »Berichten zufolge hat Carter einen Befehl missachtet, der zu der verhängnisvollen Explosion führte, die Chris Harris das Leben kostete. Hat sie die NASA gezwungen, diese Wahrheit zu vertuschen, um ihre eigene Haut zu retten?«

»Das ist nicht wahr«, murmelte Johanna vor sich hin. Sie fühlte, wie Wut und Verzweiflung in ihr aufstiegen. Sie hatte alles in ihrer Macht Stehende getan, um Chris zu retten. Nichts, was sie hätte unternehmen können, hätte seinen Tod verhindern können.

Sie atmete scharf ein. Was für ein Unsinn, dachte sie, doch sie konnte den Gedanken nicht abschütteln: Was, wenn sie es wussten? Was, wenn sie es vertuschten?

Ihre Finger zitterten stärker, als sie einen Video-Link anklickte. »Mond-Lüge! Johanna Carter vertuscht NASA-Geheimnisse – Was haben sie auf dem Mond entdeckt?« Der Bildschirm füllte sich mit dem Gesicht eines Mannes Mitte fünfzig mit grauen Haare, wilden Augen und einer Stimme, die vor Empörung bebte: Der bekannte Content-Creator, der

257

sich mit Verschwörungstheorien einen Namen gemacht hatte, führte durch das Video. Seine Stimme war schnell und voller Überzeugung. *»Die NASA will uns glauben lassen, dass die Artemis-III-Mission ein gescheitertes Projekt war, aber das stimmt nicht! Die Wahrheit ist: Johanna Carter und ihre Crew haben etwas auf dem Mond gefunden, das die Regierung vertuscht.«*

Johanna lehnte sich kopfschüttelnd zurück, doch sie zwang sich, weiter zuzuhören.

»Wurde die Artemis-III-Crew von außerirdischen Kräften manipuliert? Ich sage euch, Freunde, die offizielle Geschichte ist eine Lüge! Ich habe Quellen, die mir bestätigt haben, dass Carter und ihre Crew etwas gefunden haben. Etwas, das nicht von dieser Welt ist. Harris ist nicht einfach gestorben – er wurde geopfert! Sie wollen nicht, dass wir wissen, was da draußen ist, aber wir lassen uns nicht täuschen!«

Der Mann machte eine Pause und beugte sich nach vorne.

»Was, wenn sie auf außerirdische Technologie gestoßen sind?« Er sah direkt in die Kamera, als ob er Johanna persönlich anklagen wollte. *»Es gibt Beweise, dass Johanna Carter wusste, was wirklich auf dem Mond vor sich geht – und dass Chris Harris ermordet wurde, weil er zu viel herausgefunden hat!«* Die Anschuldigungen waren lächerlich, aber die Leidenschaft, mit der sie vorgetragen wurden, ließ Zweifel an der Wahrheit aufkommen. Johanna konnte nicht fassen, wie weit Menschen gehen würden, um Geschichten zu erfinden, die nichts mit der Realität zu tun hatten. Sie beendete das Video, sie konnte sich das nicht weiter anhören. Es schien, als wollten sich die Leute über sie lustig machen. Als wollten sie nur dass hören, was sie glauben wollten.

258

Ein weiterer Artikel sprang ihr ins Auge, er war vor zwei Wochen verfasst worden und diesmal war die Schlagzeile noch absurder:

»Chris Harris lebt! Er war nie tot! Johanna Carter ist auf dem Mond gestorben.«

Johanna starrte fassungslos auf die Worte. Ihre Finger schwebten kurz über der Maus, bevor sie den Artikel öffnete. *»Es gibt Aufnahmen, die zeigen, dass Harris lebendig und wohlauf aus seinem Haus in Houston trat. Er wurde vor wenigen Stunden von einem schwarzen Geländewagen abgeholt und ist seitdem nicht wieder gesehen worden.«*

Unwillkürlich klickte Johanna auf den Link zu einem Video, das Chris beim Verlassen seines Hauses zeigen sollte. Die Kamera wackelte und das Bild war grobkörnig, doch Chris war deutlich zu erkennen. Die Kamera zoomte heran, offenbar war das Video mit einem Handy aufgenommen worden. »Das ist Chris!«, schrie der Mann, der das Telefon hielt. Er lief auf den Geländewagen zu, vor dem zwei Männer in schwarzen Anzügen auf Chris warteten, der gerade durch seinen Vorgarten ging. Er blickte nicht in die Kamera. »Seht ihn euch an! Sie haben ihn vor uns versteckt, aber wir haben ihn gefunden! Mr Harris, was ist auf dem Mond geschehen, haben Sie Alien-Technologie gefunden? Wie ist Carter gestorben? Oder ist sie noch auf dem Mond?«

Chris ignorierte den Mann und stieg ein, kurz darauf verschwand der Wagen und das Video endete.

Johanna schüttelte den Kopf. »Das kann nicht sein«, flüsterte sie. Sie wusste, dass Chris tot war. Sie hatte es gesehen, ihn durch den Krater gezogen. Sie wusste nicht mehr, ob er gelebt hatte oder nicht, aber sie ihn dalassen müssen. Wie konnte dieses Video existieren? Wie konnten diese Lügen so real erscheinen?

259

Johanna klickte sich durch die geöffneten Tabs, da veränderten sich die Zeilen auf dem Bildschirm. Die Buchstaben verschwammen, als ob sie in Echtzeit manipuliert wurden. Ihr Name, der ursprünglich im Text stand, wurde plötzlich durch den von Chris ersetzt. Die Bilder, die sie gezeigt hatten, verwandelten sich in Bilder von ihm. Selbst die Headlines der Artikel hatten sich verändert: *»Johanna Carter starb auf dem Mond. Chris Harris lebt.«*

Johanna zuckte zusammen, als ein lautes Klirren in ihren Ohren widerhallte. Sie hob die Hände, um sich die Ohren zuzuhalten, doch das Geräusch schien nicht von außen zu kommen. Das Klirren wurde lauter, die Bilder auf dem Bildschirm zerflossen, und für einen Moment sah sie sich selbst auf dem Mond – allein, verlassen.

Plötzlich wurde alles still. Sie schloss die Augen, ihre Hände zitterten, ihr Herz hämmerte in ihrer Brust. Etwas stimmte nicht. Mit ihr. Mit allem.

Sie öffnete die Augen, klickte alle Tabs durch und versuchte, die Seite zu finden, die behauptet hatte, Chris sei noch am Leben. Doch sie waren alle weg. Sie lud den Browser neu, es half nichts, die Seite konnte nicht mehr gefunden werden. An ihrer Stelle fand sie nur leere Suchergebnisse. *404 Error.*

Ein dumpfes Summen erfüllte den Raum, und es vibrierte unter Johannas Füßen. Sie starrte auf den Boden, doch alles schien normal. Das Summen wurde lauter und plötzlich bebte ihr Laptop.

Auf dem Bildschirm stand: WACH AUF.

Ihre Hand wanderte zu ihrer schmerzenden Brust. Sie keuchte und versuchte, tief durchzuatmen, aber die Luft blieb in ihrer Kehle stecken. Ihr Körper schien sich gegen sie zu wehren, als ob die Realität sich selbst verformte und sie in etwas anderes hineinzog.

Johanna stolperte zurück, weg vom Tisch, und fiel fast über den Teppich. Ihre Hände zitterten unkontrolliert, als sie sich den Kopf hielt. Sie hatte das Gefühl, als würde ihre Identität auseinanderbrechen – als würde Johanna Carter langsam aus der Welt verschwinden.

Mit zittrigen Beinen trat sie ans Fenster und blickte hinaus auf die ruhigen Straßen von Forest Hill. Alles sah so normal aus, doch sie konnte nicht mehr glauben, dass die Welt so war, wie sie schien.

Was auch immer vor sich ging, es hatte mit der Artemis-III-Mission zu tun. Und mit Chris.

Sie nahm ihr Handy und wählte Liz' Nummer.

»Hallo?«, hörte sie die verschlafene Stimme ihrer Freundin aus dem Lautsprecher.

»Tut mir leid, wenn ich dich geweckt habe, aber ich muss mit dir reden. Können wir uns treffen?«

»Ist etwas passiert?«, fragte Liz, nun deutlich munterer.

»Kannst du in einer halben Stunde im Diner an der Ecke sein?«

»Klar, ich beeile mich.«

»Danke«, sagte Johanna und legte auf.

Einen Moment lang überlegte sie, ob sie Paul oder Ralf anrufen sollte, oder vielleicht doch besser Tim. Vielleicht wusste einer von ihnen, was hier vor sich ging. Sie suchte Pauls Kontakt heraus, doch bevor sie auf den grünen Hörer drückte, hielt sie inne.

»Was ist, wenn es wahr ist? Wenn er lebt? Aber wie sollte das sein? Ich bin nicht verrückt, ich lebe und ich habe ihn gesehen, seine toten Augen, seinen verdammten Körper durch den Krater geschleift.« Ihr war bewusst, dass sie mit sich selbst redete, es half ihr, ihre Gedanken zu ordnen. Vielleicht hatte Dr. Brown recht und ihr Gehirn spielte ihr diese Streiche. Sie musste sich darauf konzentrieren, was wahr war. Sie blickte in den Spiegel über dem Schreibtisch. »Das ist die Realität, ich lebe, ich denke, also bin ich. Alles andere ist absurd.« Sie klappte den Laptop zu, putzte ihre Zähne und versuchte, ihre Haare einigermaßen zu bändigen.

Das Diner war nur zehn Minuten zu Fuß entfernt. Ohne auf andere Gäste zu achten, setzte sie sich an einen Tisch. Keine Sekunde später betrat Liz in einem eleganten schwarzen Mantel das Diner. Johanna winkte sie zu sich.

»Hi«, sagte Liz lächelnd und setzte sich ihr gegenüber.

»Danke, dass du gekommen bist.«

Liz streifte den Mantel ab und verstaute ihn neben sich auf der Sitzbank. »Ich habe doch gesagt, ich bin immer für dich da. Also was ist los?«

»Guten Morgen, darf ich euch schon etwas bringen?«, fragte eine Frau in Kellneruniform.

Johanna schreckte hoch, sie hatte sie gar nicht bemerkt. »Kaffee bitte, sonst nichts.«

»Du willst nichts essen?«, fragte Liz verdutzt. »Du musst etwas essen, du siehst gar nicht gut aus.«

»Ich will nur einen Kaffee«, wiederholte Johanna und setzte ein gequältes Lächeln auf.

»Na schön. Ich nehme die Pancakes mit Obst und einen Cappuccino.«

»Alles klar, kommt sofort.«

»Geht es dir gut?«, fragte Liz.

Johanna blickte sie an. »Ich weiß es nicht.« Sie meinte es ehrlich, sie wusste nicht, wie sie sich fühlte. Sie wusste nicht, was sie glauben sollte. Sie wusste, dass sie alles andere als tot war, schließlich saß sie gerade mit ihrer Freundin in einem Diner und sprach mit ihr. Oder war das hier vielleicht ein Komatraum, der sich so realistisch anfühlte, als wäre es das echte Leben? Sie hatte darüber mal etwas gelesen.

»Wie läuft denn die Therapie? Du sagtest doch gestern, dass du Fortschritte machst.«

»Schon, ja.« Johanna legte ihre Hände auf die Tischplatte ab. »Es ist nur im Moment ...« Sie verstummte und nahm abwesend den Zuckerstreuer in die Hand.

»Es ist nur im Moment?«, fragte Liz und versuchte, ihr in die Augen zu blicken.

»Ich habe das Gefühl, dass mein Verstand mit mir Achterbahn fährt. Weißt du, ich sehe manchmal Dinge. Ich weiß nicht, ob sie real sind oder nicht.«

Liz griff nach dem Zuckertreuer, den Johanna nervös über die Holzplatte hin und her geschoben hatte, stellte ihn auf die Seite und nahm Johannas Hände. »Das ist, denke ich, normal, du hast etwas ziemlich Schreckliches miterlebt. Ich wüsste nicht, was mit mir passieren würde, wenn ich einen Menschen vor meinen Augen sterben sehe.«

Johanna zog ihre Hände zurück, als die Kellnerin an ihren Tisch trat. Auf einem Tablett balancierte sie eine Tasse Kaffee und einen Cappuccino. »Die Pancakes kommen gleich.«

»Danke«, sagte Liz und zog den Cappuccino zu sich.

Die junge Frau lächelte und verschwand.

»Du verstehst es nicht«, sagte Johanna.

Liz nahm einen Schluck und leckte sich über die Lippen. »Was verstehe ich nicht?«

»Alles, verdammt. Ich sehe Dinge, die nicht existieren können.« Sie schob die Tasse Kaffee von sich weg und lehnte sich auf den Tisch. »Ich habe vorhin im Internet gesurft. Dabei habe ich Artikel gefunden, die behaupten, ich wäre Teil einer Verschwörung. Dass wir auf dem Mond Technologien einer außerirdischen Spezies gefunden haben und Chris deswegen sterben musste. Ich soll dafür verantwortlich sein, ich soll ihn umgebracht und auf dem Mond zurückgelassen haben.«

»Ach, Johanna, ich habe dir gesagt, dass du das nicht lesen sollst, die schreiben nur Mist.«

»Hör mir zu. Mir ist egal, was die sagen, aber ich habe einen Bericht gesehen, in dem behauptet wird, dass Chris noch lebt und ich für tot erklärt wurde.«

Liz blickte sie an und lachte. »Jo, das ist das Internet, da steht alles Mögliche drin.«

»Ich habe ein Video gesehen, wie Chris aus seinem Haus gekommen ist, und von irgendeinem Regierungsfahrzeug abgeholt wurde. Es wurde kurz nach meiner Rückkehr zur Erde aufgenommen.«

»Mensch, Johanna, wach auf. Du kannst heute alles erstellen, was du willst. Erinnere dich an die Videos vom Papst, der als Drogenboss durch die Straßen von L.A. fährt und was weiß ich noch alles. Mit künstlicher Intelligenz kannst du heute nahezu alles erstellen, was dir in den Sinn kommt.«

»Dafür sah es ziemlich echt aus.«

Liz seufzte, dann kam die Kellnerin zurück an ihren Tisch und servierte Liz ihr Frühstück. Ohne etwas zu sagen, ging sie wieder.

»Das glaube ich dir, dennoch ist es nicht wahr. Ich meine, ich rede mit dir, du bist doch Johanna Carter, oder?«, fragte Liz und lächelte herausfordernd.

»Ja, mir ist bewusst, wer ich bin, und ich bin mir im Klaren darüber, dass ich nicht tot bin. Ich weiß, was auf dem Mond passiert ist!«

»Und das wäre?«, fragte Liz, bevor sie sich ein Stück ihres Pancakes in den Mund schob.

»Das kann ich dir nicht sagen kann. Aber ich muss zurück zum Mond, ich muss wissen, was mit Chris passiert ist und ob er noch lebt.«

Liz legte klirrend ihr Besteck auf dem Teller ab. »Hörst du dir eigentlich selbst zu? Du redest von Visionen, Dingen, die du siehst, und jetzt willst du mir sagen, dass Chris noch lebt und auf dem Mond ist. Das kann einfach nicht sein. Du brauchst Hilfe, echte Hilfe, Dr. Brown ist vielleicht nicht in der Lage, dir zu helfen.« Sie klang frustriert. »Mensch Johanna, du hast zwei Doktortitel und bist Astronautin. Wie kannst du das ernsthaft alles glauben? Denkst du, er liegt dort oben seit drei Wochen allein herum und wartet darauf, dass man ihn in acht Monaten abholt?«

Johanna starrte Liz an, spürte, ihre Hände ballten sich zu Fäusten. »Ich bilde mir das nicht ein«, murmelte sie. »Du warst nicht da. Du hast keine Ahnung, was ich durchmache.«

Liz seufzte tief und rieb sich über die Stirn. »Nein, das war ich nicht. Aber es klingt, als ob du dich immer mehr in diesen Wahn verstrickst, und ich ...« Sie hielt inne, ihre Augen blickten schwer auf Johanna. »Ich habe keine Idee, wie ich dir helfen kann, wenn du dich weigerst, die Realität zu akzeptieren.«

Liz verstand es nicht. Sie konnte es nicht verstehen. Niemand konnte es.

Johanna verschränkte die Arme vor der Brust und blickte nach draußen durch das breite Fenster. Es hatte angefangen zu regnen und die ersten Menschen verließen ihre Häuser, um in ihren Alltag zu starten.

»Ich weiß, wie sich das alles anhört, aber ich weiß, was ich gesehen habe. Ich bin mir sicher, dass er noch lebt, er ist noch da oben, in irgendeiner Form und ich muss wieder zurück, ich kann nicht anders.«

Sie hörte, wie Liz schnaufte und ihr Besteck wieder aufhob. »Wie steht denn die NASA zu deinen Plänen?«

265

»Ich bin in der Reserve-Crew, aber auch nur, wenn mich Dr. Brown bis zum Deadline-Day in drei Monaten für tauglich erklärt.«

»Na siehst du, dann solltest du dich auf die Therapie konzentrieren. Werde wieder gesund und dann siehst du weiter, was geschieht. Vielleicht ist es auch an der Zeit, dass du dir einen anderen Job suchst. Irgendwas Ruhiges, es gibt bestimmt Dutzende Unternehmen, die sich die Finger danach lecken würden, dich in ihren Reihen zu haben. Oder du lehrst an einer Uni.«

Johanna wandte den Kopf und sah Liz einen Augenblick zu, wie sie ihr Frühstück aß. Sie überlegte, ob sie ihr von den seltsamen Ereignissen erzählen sollte, wie sich die Texte und Bilder vor ihren Augen verändert hatten. Sie würde es nicht verstehen. In diesem Moment wurde ihr bewusst, wie unterschiedlich sie doch eigentlich waren.

»Da ist noch etwas anderes, oder? Was es auch ist, du weißt, dass du es mir sagen kannst.« Liz blickte sie erwartungsvoll an, während sie kaute.

Johanna schüttelte den Kopf, blickte auf ihre Armbanduhr und kramte ihr Portemonnaie hervor. »Hat sich schon erledigt.«

»Bist du jetzt sauer?«

Johanna blinzelte und starrte auf ihre Hände, die sich unkontrolliert bewegten. »Ich weiß nicht ... Ich dachte, du könntest mir helfen, aber ...« Sie legte ein paar Dollar auf den Tisch. »Ich muss zur Therapie.«

Liz sah sie verwirrt an. »Jo, warte ...«

Johanna stand auf, zog sich den Mantel enger um die Schultern. »Ich werde jetzt das tun, was du gesagt hast. Mein Leben wieder in die Spur bekommen. Bis bald.«

Ohne auf eine Antwort zu warten, verließ sie das Restaurant. Beim Heraustreten traf die kühle Morgenluft ihr

Gesicht. Der Regen hatte aufgehört, aber der Himmel war noch grau, als sie den Gehweg entlangging. Ihre Gedanken rasten immer noch. Das Gespräch mit Liz hatte ihr nicht geholfen, im Gegenteil – es hatte nur die Verwirrung verstärkt, die sie schon seit Wochen plagte. Liz konnte nicht verstehen, was in ihr vorging, und vielleicht war das auch besser so.

Johanna ließ sich schwer auf den Sessel in Dr. Browns Sprechzimmer fallen. Die Stille schien sie zu umhüllen. Ihr Blick wanderte über die mit Büchern gefüllten Regale, bevor er schließlich an einem großen Ölgemälde hängen blieb. Alles hier war vertraut, und doch schien heute alles eine seltsame, unwirkliche Qualität zu haben – als ob der Raum selbst ein wenig an Realität verloren hätte. Oder war es sie, die den Kontakt zur Wirklichkeit verlor?

Dr. Brown schloss die Tür und setzte sich, dabei beobachtete er sie ruhig. Einige Sekunden vergingen, dann durchbrach er das Schweigen. »Wie war Ihr Morgen?«

Johanna atmete schwer aus, löste ihren Blick von dem Gemälde und sah ihn schließlich an. »Ging so. Ich habe mich mit Liz getroffen ... aber das Gespräch verlief nicht gut. Wir haben uns gestritten.« Sie sah zur Decke, als ob sie dort nach den richtigen Worten suchte. »Sie versteht nicht, was in mir vorgeht. Es ist, als ob ich ganz allein ... « Sie brach ab, ein Kloß bildete sich in ihrem Hals.

Dr. Brown beugte sich leicht vor und legte seine Hände locker auf seine Knie. »Was genau versteht sie nicht?«

Johanna zuckte mit den Schultern. »Alles«, murmelte sie und fuhr sich durch das zerzauste Haar. »Diese Bilder, die mich verfolgen ... Ich habe Liz davon erzählt und sie sagte, es sei alles Unsinn. Aber für mich fühlt es sich real an. Zu real.« Sie ließ den Kopf hängen und starrte auf den Teppichboden

267

unter ihren Füßen. »Heute Morgen habe ich das Internet durchforstet. Zum ersten Mal seit ich zurück bin, wollte ich wissen, was die Leute über die Artemis-III-Mission sagen. Über mich.«

Dr. Brown nickte leicht. »Ein großer Schritt. Was haben Sie herausgefunden?«

Johanna lachte bitter. »Verschwörungstheorien. Anklagen. Artikel, die mich für Chris' Tod verantwortlich machen. Manche sagen, er wäre noch am Leben. Andere behaupten, ich sei diejenige, die gestorben ist.« Ihre Hände zitterten leicht, als sie das sagte. »Es gibt sogar Videos, in denen Chris angeblich gefilmt wurde, wie er aus seinem Haus kommt. Als wäre nichts passiert.«

Dr. Brown hielt den Blick auf sie gerichtet. »Wie hat es sich für Sie angefühlt, das zu sehen?«

»Es fühlt sich an, als würde mein Verstand ... mit mir spielen.« Sie schluckte schwer. »Es war verwirrend. Ich weiß, dass Chris in diesem Krater zurückgeblieben ist. Ich habe ihn gesehen ...« Ihre Stimme wurde leiser, als die Erinnerung zurückkehrte. »Ich habe ihn durch den Krater geschleift. Er war ... Ich bin mir sicher, dass Chris' Geist noch irgendwo da oben ist, in diesem Artefakt. Ich weiß, es klingt verrückt, ich kann es nicht erklären. Es war, als hätte dieses Ding ihm die Lebenskraft geraubt.« Sie schloss die Augen, die Bilder von Chris' reglosem Körper fluteten ihre Gedanken. »Aber als ich dieses Video gesehen habe ... Es hat etwas in mir geweckt. Dann haben sich diese verdammten Artikel plötzlich vor meinen Augen verändert. Mein Name wurde durch den von Chris ausgetauscht. Es war, als spiele jemand mit meinem Verstand.«

Dr. Brown sah sie lange an, bevor er sanft fragte: »Und was hat Liz dazu gesagt? Haben Sie ihr davon erzählt?«

268

Johanna seufzte tief und strich sich eine Haarsträhne hinters Ohr. »Ich habe ihr nicht erzählt, dass sich in Echtzeit Internetseiten verändert haben, aber ich habe ihr von dem Video erzählt. Sie hält das alles für Internetquatsch, Fake News und Verschwörungstheorien. Sie meint, ich solle mich auf die Therapie konzentrieren, mein Leben wieder auf die Reihe kriegen. Aber sie versteht nicht, was das Artefakt mit mir gemacht hat. Wie es alles verändert hat.«

Dr. Brown nickte. »Es klingt, als versuche Liz, Sie zurück in eine normale Routine zu bringen, in die alltägliche Realität. Glauben Sie, dass das helfen könnte?«

»Nein, das glaube ich nicht. Alles ist so präsent in meinem Kopf. Diese Bilder, sie kommen und gehen, und sie kommen mittlerweile immer häufiger. Ich kann nicht meinen Alltag leben und alles hinter mir lassen, als wäre nie etwas geschehen.«

»Und wie fühlen Sie sich, wenn Sie diese Dinge sehen?«, fragte Dr. Brown. »Sie wollten das für mich aufschreiben.«

Johanna rieb sich nervös die Stirn. »Verwirrt. Wütend. Ich weiß, dass es falsch ist, aber in dem Moment fühlt es sich so real an, als ob es tatsächlich passiert.« Sie blickte auf ihre zitternden Hände, die sie in ihrem Schoß verschränkt hielt. »Es tut mir leid, ich habe vergessen, es mir zu notieren.«

Dr. Brown wartete einen Moment, bevor er weitersprach: »Haben Sie darüber nachgedacht, was diese Bilder Ihnen sagen wollen? Was sie möglicherweise bedeuten?«

Ein bitteres Lächeln huschte über Johannas Gesicht. »Ja, viele Male, aber ich verstehe es nicht. Vielleicht mag mein Unterbewusstsein mich einfach nicht. Vielleicht will es mich quälen«, sagte sie trocken.

Dr. Brown schmunzelte. »Gut, dass Sie Ihren Humor nicht verloren haben. Das ist ein positives Zeichen«, sagte er und lehnte sich in seinem Sessel zurück.

Johanna zuckte mit den Schultern. »Es hilft, aber nicht viel«, gab sie mit müder Stimme zu.

»Erzählen Sie mir mehr über diese Bilder. Wann tauchen sie auf? Sind es immer dieselben?«

Johanna nahm einen tiefen Atemzug, als ob die Worte in ihr steckten und sich weigerten, herauszukommen. »Es sind unterschiedliche Bilder, aber sie haben meistens mit Chris oder mit mir zu tun. Ich sehe ihn ... lebendig. Und dann sehe ich mich selbst, aber ich erkenne mich nicht. Manchmal habe ich das Gefühl, dass ich tot bin und Chris am Leben ist. Zudem fühlt es sich an, als wäre ich ... nicht ganz hier. Nicht mehr vollständig, verstehen Sie? Als würde ich mich in einem Traum befinden, aus dem ich nicht aufwache. Ich tue Dinge, an die ich mich kurz darauf schon nicht mehr erinnere. Zum Beispiel habe ich keine Erinnerung daran, dass ich in ein Taxi gestiegen bin, das mich hierhergebracht hat. Oder ich habe ein Glas Wasser in der Hand, ohne zu wissen, dass ich mir eines eingeschenkt habe.«

»Warum glauben Sie, sind diese Bilder in Unterbewusstsein? Was könnte es Ihnen damit sagen wollen?«

Johanna biss sich auf die Lippe, unsicher, wie sie antworten sollte. »Ich weiß es nicht«, flüsterte sie schließlich. »Vielleicht ... vielleicht will mein Verstand mir sagen, dass ich etwas übersehen habe. Dass da noch etwas ist, das ich nicht verstehe.«

Dr. Brown nickte ruhig. »Es könnte auch eine Art Schutzmechanismus sein. Manchmal zeigt unser Verstand uns Dinge, um uns zu helfen, mit einem Trauma umzugehen. Es ist nicht ungewöhnlich, dass Menschen, die eine so extreme Situation erlebt haben wie Sie, versuchen, die Kontrolle auf diese Weise zurückzugewinnen.«

»Ich habe eher das Gefühl, dass ich die Kontrolle Stück für Stück verliere.«

Dr. Brown legte den Kopf leicht zur Seite. »Das verstehe ich, aber Ihrem Gehirn hilft es, auch wenn Sie es noch nicht erkennen können.« Er machte eine kurze Pause, dann fragte er: »Haben Sie mit jemandem darüber gesprochen, abgesehen von Ihrer Freundin? Mit Ihren Kollegen von der NASA vielleicht, Ihren Eltern oder anderen Vertrauten?«

Johanna senkte den Blick und schüttelte den Kopf. »Nein. Ich kann es nicht. Irgendetwas in mir blockiert mich. Vielleicht, weil ich Angst habe, dass sie mich nach Chris ausfragen.« Sie schluckte schwer und fuhr leise fort. »Es ist, als ob ein Teil von mir sich weigert, überhaupt jemals wieder mit ihnen zu sprechen.« Sie hielt inne und wischte sich eine Träne aus dem Augenwinkel.

Dr. Brown ließ die Stille für einen Moment wirken, bevor er nachhakte. »Sie haben vorhin erwähnt, dass die Bilder sich verändern und dass Sie manchmal Erinnerungen haben, die nicht Ihre eigenen sind. Können Sie das genauer erklären?«

Johanna seufzte tief und lehnte sich im Sessel zurück, die Last ihrer Gedanken erdrückte sie schier. »Seit ich wieder hier bin, habe ich diese ... Visionen. Sie fühlen sich so real an, als wären es meine eigenen Erinnerungen. Aber sie sind es nicht. Ich sehe Szenen von Schatten, hin und wieder taucht eine Frau auf, die an einem seltsamen Ort zu sein scheint. Sie sieht so vertraut aus, als wäre es mein Spiegelbild, das irgendwie verzerrt ist. Ich habe Erinnerungen an Dinge in mir, die ich nicht erlebt habe.«

Dr. Brown runzelte die Stirn. »Und warum glauben Sie, dass es mit dem Artefakt zu tun hat?«

Johanna zögerte, sie überlegte, wie viel sie preisgeben sollte. »Das Artefakt, das wir auf dem Mond gefunden haben, hat etwas mit mir gemacht. Ich spüre es. Es hat sich in meinen Verstand eingebrannt, als ob es ein Teil von mir geworden ist.«

»Das ist eine starke Vorstellung. Etwas, das von außen in Ihre Psyche eingedrungen ist. Vielleicht versucht Ihr Unterbewusstsein, diese Erfahrung zu verarbeiten, indem es Ihnen Bilder zeigt, die schwer zu deuten sind.«

Johanna lachte verzweifelt. »Oder ich werde einfach verrückt.«

Dr. Browns Augen verengten sich, als er eine neue Frage stellte: »Glauben Sie, das Artefakt versucht, mit Ihnen zu kommunizieren?« Er sprach den Satz langsam aus, als würde er die Worte sorgfältig auswählen.

Johanna zögerte, überrascht von der Frage. »Kommunizieren?«, wiederholte sie. Ihr Herzschlag wurde schneller.

»Ja,« fuhr er fort. »Ist es möglich, dass das Artefakt auf eine Weise mit Ihnen in Kontakt steht, die Sie noch nicht vollständig verstehen?« Seine Stimme blieb ruhig, aber es war eine tiefe Ernsthaftigkeit darin zu spüren, als ob er selbst eine Antwort erwartete, die er nicht zu hören wagte.

Johanna schüttelte leicht den Kopf. »Manchmal fühlt es sich an, als rufe mich das Artefakt. Es ist, als hätte ich eine Aufgabe, aber ich verstehe nicht, was es von mir will.«

Dr. Brown machte eine kleine Notiz, seine Augen nie von ihr abwendend. »Es könnte sein, dass Ihr Geist versucht, die Verbindung zu diesem Artefakt zu erfassen, und es möglicherweise tiefer in Ihre Psyche eingedrungen ist, als Sie glauben.«

Johanna schwieg und starrte aus dem Fenster. »Es fühlt sich einfach alles so falsch an. Wie ein Puzzleteil, das nicht an seinen Platz passt. Ich wünschte, ich könnte es einfach vergessen.«

Dr. Brown musterte Johanna einen Moment länger als sonst. Sein Blick war ruhig, aber etwas darin ließ sie stutzen. Es war, als ob er etwas verschweigen würde, als ob er mehr wusste, als er sagte.

»Und diese Visionen ...« Seine Stimme war zu ruhig, zu kontrolliert. »Was sehen und fühlen Sie, wenn das Artefakt Ihnen erscheint?« Die Frage war so beiläufig, dass sie fast unterging, doch Johanna konnte den Hauch von Neugier in seiner Stimme spüren.

Sie war unsicher, was er mit *erscheint* meinte. Es war, als wüsste er, dass das Artefakt mehr war als nur eine einfache Erinnerung. »Ich ... ich weiß nicht«, stammelte sie, verwirrt über die Richtung des Gesprächs.

Johanna schloss die Augen und atmete tief durch. »Es ist, als ob das Artefakt ... Es will, dass ich zurückkomme. Aber ich habe Angst. Bereits auf dem Mond haben Chris und ich es gespürt, wie es uns gerufen hat, es hat ein Verlangen in uns erweckt, als wollte es unbedingt, dass wir in den Krater hinabsteigen und es finden. Als ich aus dem Krater geflüchtet bin, nach dem Chris das Artefakt angefasst und dieses Licht alles erfasst hatte, habe ich dieses seltsame Pochen gehört, doch es wurde von keinem unserer Geräte registriert. Vielleicht habe ich mir das alles eingebildet, und ich liege da oben auf dem Mond in dem Krater. Vielleicht bin ich ja wirklich tot und das hier ist ein Test, ob ich für ein Leben nach dem Tod geeignet bin.«

»Ich kann Ihnen versichern, dass es ein Leben nach dem Tod nicht gibt. Jedenfalls nicht so, wie es in der Bibel steht und auf mich machen Sie einen sehr lebendigen Eindruck.«

»Finden Sie? Ich fühle mich nicht wirklich lebendig.«

Dr. Brown beobachtete sie ruhig. »Ich denke, dieses undefinierbare Artefakt ist für Sie wie ein Portal zu Ihrem innersten Selbst. Sie können es nicht greifen, wollen es aber

273

verstehen. Es ist wie das Tauchen in die Tiefsee. Sie wissen nicht, was dort unten auf Sie wartet, wie lange Sie brauchen, bis Sie etwas finden, aber Sie haben den Drang, immer tiefer hinabzugleiten in die Dunkelheit, wohl wissend, dass Ihnen irgendwann die Luft ausgehen wird. Und vielleicht ist die Verbindung, die Sie spüren, eine Art, wie Ihr Geist nach Antworten sucht.«

»Oder es ist mehr als das«, flüsterte Johanna. »Vielleicht war das Artefakt nie für uns bestimmt. Vielleicht hat es uns gefunden und jetzt verlangt es etwas von mir, etwas, das ich nicht verstehe.«

»Und was glauben Sie, verlangt es von Ihnen?«

Johanna zögerte, ihre Stimme zitterte, als sie sprach: »Es will, dass ich zurückkehre. Dass ich das vollende, was dort oben begonnen hat.«

»Die Wahrheit, Johanna, liegt oft in uns selbst. Manchmal müssen wir nicht an den Ort zurückkehren, an dem alles begann, sondern in uns selbst reisen, um die Antworten zu finden, die wir suchen. Vielleicht gibt es etwas in Ihnen, das die Verbindung zu diesem Artefakt verstehen kann. Aber es beginnt hier – in diesem Raum, in Ihrer eigenen Realität. Glauben Sie, dass Sie bereit sind, diese Reise zu sich selbst anzutreten?«

Sie strich nervös über die Armlehnen des Sessels, ihre Fingernägel kratzten leicht über das Leder. Dann hob sie den Blick und sagte mit fester Stimme: »Ja, das bin ich, mehr denn je. Ich habe viel nachgedacht in den letzten Tagen, das ist mein Weg. Ich muss diesem Verlangen in mir nachgehen, egal, was es kostet. Ich kann so nicht weiterleben.«

Für einen Augenblick glaubte sie, dass ein Lächeln seine Lippen umspielte. Flüchtig, wie ein Sonnenstrahl, der durch die Wolken bricht und im nächsten Moment von der Dunkelheit verschluckt wird. »Ich werde Ihnen jetzt etwas

274

offenbaren und ich möchte, dass Sie mir genau zuhören. Es gibt einen Grund für das, was mit Ihnen geschieht.«

Das heilige Land der Götter

Freitag, 11. Mai 2029, American University, Housing District, New Cairo, Ägypten

Sam wurde unsanft aus seinem viel zu kurzen Schlaf gerissen, als das Auto abrupt zum Stehen kam. Ein keuchender Atemzug entwich ihm, er blinzelte ins grelle Sonnenlicht. Vor dem Fenster erkannte er eine weite Fläche voller parkender Autos und ein Gebäude, das sich wie eine sandfarbene Festung vor ihnen auftürmte.

»Wo ... wo sind wir?«, fragte Sam heiser. Er versuchte, sich aufzurichten und die Spannung in seinem Rücken zu lösen.

Sein Vater wickelte den Turban von seinem Kopf und warf ihn auf den Rücksitz. »Wir sind da«, sagte er schließlich, zog eine Brille mit großen Gläsern in einem goldenen Gestell aus dem Handschuhfach und setzte sie auf. »Das hier ist die Amerikanische Universität von Neu-Kairo. Warst du noch nie hier?«

Sam ließ seinen Blick über die futuristischen, fast schon monumentalen Gebäude der Universität schweifen, die von modernen Glaspanelen und traditioneller ägyptischer Architektur geprägt waren. »Als ich das letzte Mal in Ägypten war, war Neu-Kairo noch eine riesige Baustelle. Aber ... was machen wir hier?«

Richard grinste, als hätte er ein Geheimnis in der Hinterhand, das er noch nicht preisgeben wollte. »Ich sagte

276

doch, ich habe ein Labor. Na ja, vielmehr ist es ein Untersuchungsraum, wenn man so will.« Er stieg aus dem Auto, bevor Sam nachhaken konnte.

Sam kletterte aus dem Wagen. »Hier an der Universität? Ist das nicht ... ein wenig zu offensichtlich?« Studenten gingen an ihnen vorbei, aber beachteten ihn und seinen Vater kaum.

Richard schloss den Wagen ab und ging gemächlich zum Eingang eines Nebengebäudes. »Manchmal«, sagte er leise, »ist ein Geheimnis am besten dort versteckt, wo jeder es sehen kann. Wer käme schon auf die Idee, dass ich ausgerechnet hier meinen Forschungsraum habe? Die ägyptische Regierung ist viel zu beschäftigt mit anderen Dingen, um sich um ein harmloses Forschungsprojekt zu kümmern. Zugegeben, ich hatte etwas Hilfe, um hier ungestört meiner Arbeit nachzugehen.«

Die Worte seines Vaters lösten ein unbehagliches Gefühl in ihm aus. »Und was genau hast du hier zu verbergen?«, fragte er misstrauisch. »Ich meine, du hast achtzehn Jahre lang nichts von dir hören lassen, und plötzlich tauchst du wieder auf, mit all diesen Geheimnissen. Warst du die ganze Zeit hier in Ägypten und hast dich um deine Forschung gekümmert?«

Richard hielt kurz inne und drehte sich zu Sam um, sein Gesichtsausdruck war ernst geworden. »Ich werde dir alles erklären. Aber nicht hier. Nicht hier draußen.«

Sam presste die Lippen zusammen und nickte widerwillig. Obwohl er Antworten wollte – nein, brauchte –, spürte er, dass dieser Ort nicht der richtige für all die Enthüllungen war.

Richard zog eine Sicherheitskarte aus seiner Tasche und hielt sie an den Scanner neben der Tür. Ein leises Klicken ertönte, als das Schloss entriegelt wurde. »Übrigens, falls dich jemand fragt: Ich bin Dr. Peter Thompson, Gastprofessor aus Alabama.«

Sam schnaubte. »Natürlich bist du das«, murmelte er und trat in einen kühlen, klimatisierten Flur. Die hohen Decken und die steinernen Wände erinnerten an ein modernes Museum, ähnlich dem neu gebauten Nationalmuseum. Richard grüßte einige Studenten, die ihnen entgegenkamen. Sam konnte nicht anders, als sich unwohl zu fühlen. Alles hier wirkte so normal, so alltäglich – und doch fühlte es sich falsch an.

Sam folgte seinem Vater schweigend durch das Labyrinth aus Gängen in einen etwas abgelegeneren Teil des Campus, bis sie schließlich vor einer unscheinbaren Tür stehen blieben. Richard entriegelte sie erneut mit seiner Codekarte und trat zur Seite, um Sam den Vortritt zu lassen.

Das Labor, das sich vor Sam öffnete, war ein seltsamer Mix aus Moderne und Vergangenheit. Hohe Wände mit schmalen Fenstern unterhalb der Decke ließen nur spärliches Tageslicht herein. Die Metallrohre der Klimaanlage über seinem Kopf sorgten für ein optimales Klima, um antike Schriften und Gegenstände zu untersuchen, ebenso wie die hoch verbauten Fenster dafür sorgten, dass die UV-Strahlung der Sonne nicht bis zum Boden gelangte. Bücherregale voller alter Bände standen Seite an Seite mit hochmodernen Analysegeräten. Zwei Computerarbeitsplätze mit blinkenden Bildschirmen wurden von alten Holztafeln flankiert, auf denen komplizierte Übersetzungen von Hieroglyphen und Keilschriften in sauberer Handschrift notiert waren. An Magnettafeln hingen lose Blätter und Dokumente mit Texten und Zeichnungen. In der Mitte des Raums, auf einem Untersuchungstisch ruhte ein pyramidenförmiges Artefakt, das Sam sofort wiedererkannte.

Das Pyramidion schien das Licht im Raum zu verschlucken. Der kristallartige schwarze Stein absorbierte die Strahlen der Lampen wie ein unersättliches Schwarzes Loch.

Eine schlanke Frau arbeitete mit dem Rücken zu ihnen an einem der Tische. Ihre Bewegungen waren konzentriert, ruhig – doch Sam erkannte sofort, wer sie war.

»Kathrin?« Seine Stimme hallte in dem stillen Raum wider.

Die Frau drehte sich um und als sie Sams Gesicht sah, hellte sich ihr ernster Ausdruck auf. Sie legte das, was sie in den Händen hielt, zur Seite und eilte auf ihn zu.

»Sam!«, rief sie freudig und schloss ihn in ihre Arme. Ihre Umarmung war fest. »Ich bin so froh, dass es dir gut geht!«

Sam erwiderte die Umarmung. »Es tut gut, dich zu sehen, Kathrin. Ich habe dir zu verdanken, dass ich noch am Leben bin. Ohne dich wäre ich wohl in der Wüste verblutet.«

Kathrin zog sich ein wenig zurück und sah ihm in die Augen. Ein spielerisches Lächeln umspielte ihre Lippen. »Woher weißt du, dass ich es war?«

Sam grinste schwach. »Nun, es war entweder die Frau, die uns den Apparat gestohlen hat – oder du. Die plausiblere Lösung des Rätsels bist du.«

Kathrin lachte leise. »Erwischt«, sagte sie und zwinkerte ihm zu. »Wie geht es deiner Verletzung?«

Sam legte seine Hand auf die Stelle, an der die Kugel ihn getroffen hatte. »Es geht schon. Die Kugel hat mein Herz knapp verfehlt, aber mein Lungenflügel ist kollabiert. Glück im Unglück, sagt man wohl.«

»Nun, sieh es mal so«, sagte Kathrin und tätschelte seine Schulter. »Jetzt hast du zumindest die passende Narbe, um als richtiger Agent durchzugehen.«

Sam lachte auf. »Eine Erfahrung, auf die ich gern verzichtet hätte.«

Das Lächeln verschwand aus ihrem Gesicht. »Said hatte nicht so viel Glück. Die Schießerei hatte sich schnell verlagert, und der Clan war den Angreifern wenige Minuten später aus der Senke gefolgt war, da nutzte ich die Chance. Ich hab dich in den Geländewagen gehievt und bin abgehauen. Said war bereits tot, als ich am Wasserloch angekommen bin. Nachdem ich zurückkam, war Saids Leichnam bereits verschwunden. Jemand hat gründlich aufgeräumt.«

Sams spannte die Kiefermuskeln an, bevor er sprach. »Weißt du, wer uns angegriffen hat?«

»Leider nicht, aber es müssen Profis gewesen sein. Ich konnte von meiner Anhöhe aus erkennen, wie sich zwei Geländewagen von der libyschen Grenze her dem Wasserloch genähert hatten. Ich habe zehn schwer bewaffnete Männer gezählt. Ihre routinierten Bewegungen und das taktische Vorgehen deutet auf eine Elitegruppe hin.«

»Militär?«, fragte Sam.

»Ich denke eher an Ex-Militär, die nun gegen Geld Aufträge erledigen. Ihrer Ausrüstung nach werden sie offenbar für ihre Dienste gut bezahlt. Ich habe die CIA in Kairo informiert. Da ein Agent im Feld getötet wurde, ermitteln sie nun. Bisher allerdings ohne Ergebnisse.«

»Ich verstehe. Das bedeutet, es gibt eine dritte, uns bisher unbekannte Partei, die zumindest von den Artefakten weiß.«

»Das denke ich auch, denn ich habe das starke Gefühl, dass der Angriff nur zur Ablenkung gedient hat. Vielleicht arbeiten die Angreifer mit unserem Omar Sallam und der Frau zusammen.«

280

Wut stieg langsam in Sam auf. Said war ein guter Mann gewesen und nun war er tot – wegen eines Geheimnisses, das er selbst noch nicht entschlüsselt hatte.

»Ich bin nur froh, dass es dir gut geht und mich dein Vater gefunden hat, als ich dich in Siwa ins Krankenhaus gebracht hatte.«

Sam lächelte Kathrin an. »Das bin ich auch.«

Sein Blick wanderte zurück zu dem Pyramidion auf dem Tisch. Etwas Dunkles, Bedrohliches ging von ihm aus. Etwas, das er nicht in Worte fassen konnte.

»Freut mich, dass ihr euch wiedergefunden habt«, sagte Richard. Er trat an den Tisch mit dem Pyramidion und betrachtete es aufmerksam. »Aber wir haben eine Menge zu besprechen. In den drei Wochen, in denen du im Koma lagst, hat sich einiges ereignet.«

»Also, willst du mir jetzt endlich sagen, was hier wirklich vor sich geht?«, fragte Sam, die Augen auf das Artefakt gerichtet.

Richard hob beschwichtigend die Hände. »Ich schulde dir eine Erklärung, Sam. Es begann alles in Hermopolis Magna, als mein Team und ich diese Kammer entdeckt hatten. Ich dachte damals, es wäre nur ein archäologischer Fund, aber ich lag falsch. Als ich begann, tiefer zu graben, wurde mir klar, dass es weitaus mehr war. Es gab dort einen versteinerten Leichnam, der keinem menschlichen Wesen ähnelte.«

Sams Herzschlag wurde schneller. »Ich habe das Video gesehen, Kathrin hat es mir in Washington gezeigt. Aber ich verstehe nicht, was dort passiert ist.«

Richards Gesicht verzog sich, als ob er sich nur ungern an jene Tage erinnerte. »Nachdem mein Team verschwunden war, begannen Samatha, die das Video aufgenommen hatte, und ich, alles daranzusetzen, herauszufinden, was mit ihnen

281

geschehen war. Wir durchsuchten alles, jeden Winkel der Fundstelle, doch ich fand nichts, als hätten sie sich einfach aufgelöst in dem Licht. Als Samatha klar wurde, dass sie alle tot sein mussten, bekam sie Panik und verschwand. Seitdem habe ich sie nie wiedergesehen.«

»Sie muss das Video an die DARPA geschickt haben. Aber warum macht sie jetzt gemeinsame Sache mit diesem Omar Sallam?«

»Ich weiß es nicht. Entweder weiß sie nicht, wer er ist, und er hat ihr eine überzeugende Story geliefert, damit sie ihm hilft, oder es steckt etwas anderes dahinter. Ich habe immer gedacht, dass ich sie sehr gut kenne. Sie war eine hervorragende Studentin und ziemlich begabt.«

»Was ist geschehen, nachdem sie verschwunden ist?«

»Ich wusste, dass ich nicht viel Zeit hatte, wenn das Team irgendwo eingesperrt war. Ich habe alle Hieroglyphen notiert, jede Inschrift, die ich in der Kammer und den darüberliegenden Räumen finden konnte. Aber nichts ergab Sinn, bis heute verstehe ich nicht, warum der Monolith nicht auf mich oder Samatha reagiert hat. Zu meiner Enttäuschung fand ich keine Hinweise in den Hieroglyphen, wie ich den Monolithen aktivieren konnte. Es war, als wäre das Artefakt absichtlich verschlüsselt, um zu verhindern, dass jemand Unautorisiertes seine wahre Funktion versteht. Ich muss die ganze Nacht und den nächsten halben Tag damit verbracht haben, so vieles zu notieren, wie ich konnte, bis ich von vier Soldaten überrascht wurde. Die ägyptische Regierung war nicht erfreut darüber, dass ich an etwas arbeitete, das so ... ungewöhnlich war und offenbar eine Bedrohung für die Bevölkerung darstellte. Sie haben das Gebiet abgeriegelt, und ich habe mich plötzlich zwischen zwei Fronten wiedergefunden: den ägyptischen Behörden und einer Organisation, von der ich nicht wusste, woher sie kam. Es war klar, dass sie das Artefakt wollte – und sie war bereit, dafür über Leichen zu gehen.«

»Du wurdest verfolgt?«, fragte Sam.

»Ja. Nachdem klar wurde, dass ich etwas gefunden hatte, das von immensem Wert war – und ich meine nicht finanziell –, haben sie alles daran gesetzt, mich zu finden. An den Monolithen kamen sie erst einmal nicht heran. Ich wurde vom Kulturministerium gebeten, in einem Hotel in Kairo darauf zu warten, dass man mich zu einem Untersuchungsausschuss holen würde, an dem auch Vertreter der US-Regierung teilnehmen würden. In den ersten drei Tagen sind mir mehrmals Autos aufgefallen oder einheimische Männer, die mich ganz offen verfolgten. Ich denke, sie sollten mir Angst machen. Am vierten Tag kam ich nach dem Frühstück in mein Hotelzimmer und fand die Tür aufgebrochen. Der Sicherheitsmann, der zu meinem Schutz abgestellt worden war, lag ermordet im Flur meines Zimmers. Ich hatte die Botschaft verstanden und packte meine Sachen. Zu meinem Glück war ich vorsichtig genug, mein damaliges Notizbuch nicht bei mir zu haben, sondern habe es deiner Mutter geschickt. Die Notizen zu den Hieroglyphen hatte ich versteckt und mit ihnen im Gepäck habe ich Ägypten verlassen und bin mit dem Auto in den Irak geflohen. In den Wirren des Krieges hoffte ich, untertauchen zu können, aber sie haben mich nicht in Ruhe gelassen. Sie haben mich überwacht, mir gedroht, mich sogar zu entführen versucht.«

Sam starrte seinen Vater an, der sich nun abwandte und langsam im Raum auf und ab ging. »Aber ich habe nie aufgehört, nach Antworten zu suchen. Im Irak fand ich Hinweise auf einen uralten Ort. Ich war überzeugt, dass dort der Schlüssel zu dem Rätsel verborgen war, das ich seit Jahren zu lösen versuchte.«

»Wieso der Irak?«, fragte Sam. Das ergab keinen Sinn. Es gab Dutzende andere Länder, in die Richard hätte fliehen können.

»Weil ich die Tage im Hotel genutzt habe, um die Hieroglyphen zu entschlüsseln. In der Eile konnte ich es nicht. Als ich fliehen musste, bin ich über Israel nach Jordanien in die Wüste geflohen und habe mich dort wochenlang bei den Beduinen versteckt. Sie nahmen mich auf und halfen mir dabei, zu überleben. In dieser Zeit stieß ich auf eine Beschreibung eines Ortes Namens è-temen-nígùr.«

»Die Zikkurat von Ur?«, stellte Sam überrascht fest. »Aber die wurde doch schon seit Jahrzehnten archäologisch untersucht. Wie hast du dort etwas finden können, das noch niemand gesehen hat?«

»Du weißt, dass die Erforschung der Stadt Ur seit Jahrzehnten eine Herausforderung ist und die Grabungsstätte manchmal für Monate oder Jahre brachliegt aufgrund der verschiedenen Konflikte im Land.

Ich habe Monate damit verbracht, einen Zugang zu dem inneren Tempel zu finden, aber eines Tages gelang es mir, ziemlich unter Sand und Schutt eine verborgene Treppe zu finden. Zu meinem Glück war der Sand nicht zu tief in den Tempel vorgedrungen. Die nächsten Wochen verbrachte ich damit, alles zu inspizieren mit meinen drei Helfern, die ich kennengelernt hatte. Du glaubst nicht, was ich in den unteren Ebenen gefunden habe.«

»Hieroglyphen?«

»Ja, aber es waren keine gewöhnlichen, sondern dieselben mit Keilschriftelementen vermischten wie in Hermopolis Magna. Sam, verstehst du, das ist der Beweis für deine und meine Theorie. Es gab eine einheitliche Schrift, die zumindest den Sumerern und den Ägyptern zu dieser Zeit

284

bekannt war, und ich habe den Verdacht, dass ihnen diese Schrift beigebracht wurde.«

Sam schüttelte ungläubig den Kopf und grinste. »Das ist so ... Ich weiß gerade kein Wort dafür. Ich meine all die Jahre wurde ich verspottet und nun erzählst du mir das. Das ist einfach überwältigend.«

»Das war es auch für mich. Es vergingen weitere Wochen und Monate, in denen ich das Innere erforschte, und wir mussten weitere verschüttete Gänge freilegen, die tiefer in den Tempel hinabführten. Ich fühlte mich zunehmend sicher, dachte, dass ich meine Verfolger abgeschüttelt hatte. Schließlich fand ich fünf Jahre nach meiner Flucht etwas. In dem untersten Raum entdeckte ich das Pyramidion mit der Spitze in einer Art Altar steckend. Der Raum glich einer rituellen Kammer, deren Mittelpunkt der Altar war. Die Wände waren mit zahllosen Zeichnungen verziert, die eine Geschichte erzählten, und an die Decke war ein Sternenhimmel gezeichnet, der so detailreich war, dass man selbst einzelne Sternenkonstellationen erkennen konnte.

Als ich das Pyramidion untersuchte, bemerkte ich, dass es aus derselben Substanz wie der Monolith in Hermopolis Magna bestand. Die beiden Artefakte stehen in einer Verbindung miteinander.«

»Du meinst, sie haben denselben Ursprung oder wurden von denen geschaffen, die den Sumerern und Ägyptern die Sprache beigebracht haben?«

Richard nickte. »Ich habe einige alte Dokumente, die ich dir zeigen kann. Sie stammen aus meinen Forschungen im Irak, als ich die Zikkurat untersuchte.«

Sam zog einen Stuhl heran und setzte sich. »Gut. Zeig sie mir. Je mehr wir wissen, desto besser.«

Richard holte eine Mappe aus seiner Ledertasche. Er zog mehrere Blätter mit handgeschriebenen Übersetzungen

285

hervor und legte sie vor Sam auf dem Tisch aus. Es handelte sich um verschiedene Texte in Keilschrift und in der seltsamen neuen Schrift, die von seinem Vater teilweise oder übersetzt worden waren. Auch Fotos der Wandmalereien befanden sich unter den Dokumenten.

»Dieser hier«, sagte Richard und deutete auf eine Passage, »stammt aus einem sumerischen Text. Es handelt sich um eine Beschreibung des *Tempels des Mondgottes Nanna*. Dieser Text spricht von einem *Tor zu den Sternen*, das das Heiligtum der Zikkurat war. Es heißt, dass nur die Auserwählten dieses Tor passieren können und dass es eine Art Prüfung gibt, um das Tor zu öffnen.«

Sam las den Text aufmerksam durch. »Eine Prüfung? Was für eine Prüfung?«

Richard zuckte mit den Schultern. »Das ist nicht ganz klar. Aber es könnte etwas mit den Symbolen für Sonne, Mond, Erde und Unterwelt zu tun haben.«

»Daran habe ich auch schon gedacht, dass sie eine bestimmte Bedeutung haben. Für die Ägypter symbolisieren sie den Zyklus von Leben, Tod und Wiedergeburt. Sie spiegeln das Gleichgewicht der Welten wider«, erklärte Sam.

Kathrin, die inzwischen einige der Daten auf ihrem Laptop überprüfte, sah auf. »Also könnte dieses Gleichgewicht ein Hinweis auf die Funktion des Reliktes sein?«

»Vielleicht«, sagte Sam. »Die Hieroglyphen erzählen eine Geschichte, die so alt ist wie die Zivilisation selbst. In der ägyptischen Mythologie waren diese Symbole von zentraler Bedeutung für das Verständnis des Kosmos. Die Sonne war das Leben, der Mond die Zeit, die Erde die Menschheit und die Unterwelt das Mysterium des Todes. Dieses Artefakt stellt den Kreislauf des Universums in einer einzigen, symbolischen Form dar.«

Richard nickte. »Ich habe noch mehr Texte gefunden. Viele von ihnen sind in einem schlechten Zustand, aber ich habe sie so gut wie möglich übersetzt. Einige von ihnen beziehen sich auf einen *Ort der Erhebung* – eine Art Heiligtum, das irgendwo im Irak oder in Ägypten liegt. Es könnte sein, dass wir an diesem Ort den Schlüssel finden, der uns verrät, was es mit diesen Artefakten auf sich hat.«

Sam lehnte sich zurück und starrte auf die Papiere vor sich. Die Puzzleteile begannen, sich langsam zusammenzufügen, aber das Bild war noch immer unklar. Es gab zu viele Unbekannte, zu viele Risiken. Aber eines war sicher: Sie standen an der Schwelle zu einer Entdeckung, die alles verändern könnte.

»In Ordnung«, sagte er schließlich. »Dann konzentrieren wir uns auf diese Texte. Wenn wir den Code knacken, dann erfahren wir vielleicht, was dieses Pyramidion wirklich ist – und ob es ebenfalls eine Art Technologie ist wie der Monolith. Irgendeine besondere Funktion muss es haben, sonst hätte man es nicht so tief im Inneren versteckt.«

Richard und Kathrin nickten beide, für einen Moment erfüllte den Raum eine drückende Stille.

»Wir müssen uns im Klaren darüber sein, was auf dem Spiel steht«, sagte Kathrin schließlich. »Wenn das Pyramidion tatsächlich Teil einer außerirdischen Technologie ist, dann könnte seine Aktivierung nicht nur uns, sondern die gesamte Welt in Gefahr bringen. Was, wenn diese Portale von den Göttern – oder von den Wesen, die als solche angesehen wurden – geschlossen wurden, um etwas zurückzuhalten? Etwas, das nie freigesetzt werden sollte?«

Sam schüttelte den Kopf. »Das ist eine Möglichkeit, ja, aber wir wissen es nicht. Es könnte genauso gut eine Technologie sein, die zu Frieden und Fortschritt führt. Stell dir vor, welche Türen sich uns öffnen könnten, wenn wir den richtigen Weg finden. Kontakt mit einer außerirdischen Zivilisation – das könnte die Wissenschaft für immer verändern.«

Richard stand auf und begann, im Raum auf und ab zu gehen. »Sam hat recht. Wir dürfen uns nicht von Angst leiten lassen. Die Entdeckungen, die wir gemacht haben, weisen auf eine hochentwickelte Zivilisation hin, die technologisch fortgeschrittener war als jede, die wir kennen. Wenn wir herausfinden, wie das Pyramidion funktioniert, könnten wir Antworten auf Fragen finden, die die Menschheit seit Jahrhunderten stellt.«

Kathrin verschränkte die Arme und schaute nachdenklich zu Sam. »Aber was, wenn diese Zivilisation nicht mehr existiert, weil sie sich selbst zerstört hat? Was, wenn das Pyramidion der Schlüssel zu ihrer eigenen Vernichtung war?«

Sams Gedanken rasten. »Das ist eine Möglichkeit, die wir nicht außer Acht lassen können. Die Mythologie spricht von einem Kampf zwischen Göttern und Menschen, vielleicht ist es realer, als wir denken. Aber ich würde gern die ganze Geschichte hören. Richard, was ist passiert, nachdem du den Altarraum untersucht hast?«

Richard hielt inne, sein Blick wurde dunkel. »Bevor ich die schwarze Pyramide weiter untersuchen konnte, wurde die Ausgrabungsstätte von einer Terrormiliz überfallen und meine drei Helfer und ich wurden entführt. Sie haben mich gefangen genommen und das Pyramidion gestohlen. Ich habe Monate in ihrer Gewalt verbracht, bevor es mir gelang, zu fliehen. Leider hatten sie das Artefakt zu dieser Zeit schon verkauft. Trotz des Risikos, entdeckt zu werden, rief ich ein paar Kollegen an, die nach gestohlenen Artfakten suchen. Sie haben mir erzählt, dass das Nationalmuseum von Kairo im Zuge des Arabischen Frühlings überfallen und alle

288

Gegenstände gestohlen wurden, die ich in Hermopolis Magna gefunden hatte. Durch sie hatte ich auch erfahren, dass die US-Regierung die Kontrolle über die Ausgrabungsstätte in Ägypten erlangt hatte. Was einerseits gut war, so hoffte ich, da die Stätte sicher war, andererseits erschwerte es mir auch, dorthin zurückzukehren, ohne meine Identität offenzulegen. Nach meiner Flucht ging ich nach Jordanien zurück, und ein paar Wochen später erhielt ich einen Anruf, dass es offenbar eine Auktion in Siwa geben sollte, auf der einige gestohlene Dinge angeboten werden, unter anderem Fundstücke aus Hermopolis Magna und eine unidentifizierte schwarze Pyramide, die dem Stein von Benben ähnelt. Also dachte ich mir einen Plan aus, reiste nach Ägypten und rief die richtigen Leute an. Ich bat meine Kollegen, dass ich mich darum kümmern durfte, das Diebesgut wiederzubeschaffen und organisierte mir Verstärkung.«

»Warte«, unterbrach Sam. »Warst du derjenige, der Said informiert hat? Bist du der geheimnisvolle Informant gewesen, der dafür gesorgt hat, dass Kathrin und ich nach Ägypten gekommen sind?«

Richard wiegte langsam mit dem Kopf. »Nicht direkt, ich gab Saids Büro in Kairo einen Tipp, alles weitere war Fügung. Ich hatte gehofft, dass man dich kontaktieren würde, vielleicht auch, weil ich Said einen Hinweis auf meine Identität gegeben habe und ihn im Austausch für Diskretion mit Informationen versorgt habe. Ich brauche dich, um das Rätsel zu lösen. Ich habe deine Arbeit verfolgt, niemand sonst außer dir hat das Verständnis für all das hier.«

Sam schnaufte und fuhr sich mit der Hand durch die Haare. »Das alles klingt so … unglaublich. Aber warum hast du mich nicht früher kontaktiert? Warum das Versteckspiel?«

»Weil ich immer noch verfolgt werde. Über die Jahre hinweg habe ich deiner Mutter Briefe geschickt, und gehofft, dass sie die Hoffnung nicht aufgibt. Ich konnte nicht in die Staaten, ohne euch in Gefahr zu bringen.« Er verstummte, und schien mit seinen Gefühlen zu kämpfen. »Letztendlich habe ich dich in Gefahr gebracht.« Er wischte sich eine Träne weg. »Ich weiß, es hört sich alles etwas wirr an, aber ich kann dir nicht alle Einzelheiten erklären, weil uns die Zeit fehlt.

Im Irak habe ich Omar Sallam kennengelernt, der sich als Archäologe und Experte für die mesopotamische Kultur ausgab, später erst habe ich herausgefunden, dass er ein ehemaliger GCI-Agent ist und nun zwielichtige Aufträge für den Meistbietenden annimmt. Er war nie Archäologe, geschweige denn Experte für die mesopotamische Kultur. Tja, damals wusste ich das noch nicht und ich kam mit ihm ins Gespräch, noch bevor ich den Zugang zum Tempel fand. Er hat mir viel erzählt und wir tauschten Erfahrungen aus. Als er begann, mir häufiger seltsame Fragen zu stellen, wurde ich hellhörig. Er wollte wissen, wie ich im Irak gelandet bin, und ob ich schon mal in Hermopolis Magna war. Ich brach den Kontakt zu ihm ab und er verschwand. Er muss mich beobachtet haben, in der Hoffnung, dass ich irgendetwas finde. Letztendlich habe ich ihn direkt zu dem geführt, was er all die Jahre gesucht hat«, antwortete Richard leise. »Ich bin mir sicher, dass er für die Gruppe arbeitet, die die Artefakte in ihren Besitz bringen will, und aus irgendeinem Grund arbeitet Samatha mit ihnen. Nun haben sie die Apparatur erbeutet, von der ich glaube, dass sie ebenso wie das Pyramidion eine entscheidende Rolle spielt.«

Richard trat langsam an das Pyramidion heran, sein Blick fixiert auf das Artefakt, als würde es ihn selbst nach all den Jahren immer noch fesseln. Das flackernde Licht der Laborlampen erhellte die tiefschwarze Oberfläche des

Steins, während seine Finger ehrfürchtig über die fein gearbeiteten Gravuren strichen. War dies das Objekt, das seinen Vater all die Jahre gequält hatte? War dies der Schlüssel zu den Antworten, die sie so dringend suchten?

»Wir wissen nicht, was dieses Pyramidion wirklich ist«, begann Richard, seine Stimme tiefer und ernster als zuvor. »Aber wir sind uns sicher, dass es ein Rätsel enthält, eines, das wir entschlüsseln müssen.«

Sam zog die Augenbrauen hoch. »Was für ein Rätsel?«

Kathrin trat an Richards Seite und hielt ein Tablet in der Hand, auf dem eine komplexe grafische Darstellung des Pyramidions zu sehen war. »Wir haben festgestellt, dass das Material nicht nur Licht, sondern auch elektromagnetische Strahlung absorbiert. Es reagiert jedoch auf bestimmte Frequenzen und von ihm geht dieselbe elektromagnetische Strahlung aus wie von beiden Monolithen.«

»Es gibt also zwei Monolithen. Das bedeutet also, dass auch dieses Artefakt in irgendeiner Weise Energie erzeugt?«, fragte Sam.

»Ja«, antwortete Richard. »Ich glaube, dass dieses Pyramidion eine ganz bestimmte Funktion hat und in direkter Verbindung mit dem Monolithen steht. Es könnte sein, dass der Monolith in Hermopolis Magna möglicherweise ...« Er stockte kurz und sah Sam eindringlich an. »... ein Portal öffnet.«

Kathrin nickte. »Auf dem Mond wurde ebenfalls ein Monolith entdeckt, der sehr ähnliche Eigenschaften wie der aus Hermopolis Magna und das Pyramidion aufweist. Es ist möglich, dass die drei Artefakte in irgendeiner Weise miteinander verbunden –«

»Warte«, unterbrach Sam Kathrin. »Auf dem Mond wurde ebenfalls ein Monolith gefunden?«

291

Kathrin tippte auf ihrem Laptop, bis sie ein Bild auf den Monitor projizierte. Es zeigte eine verschwommene graue Oberfläche – das Bild einer Struktur, die aus der staubigen Mondlandschaft hervorragte. »Das ist der Monolith, den die Crew der Artemis-III-Mission auf dem Mond in dem Krater Nethron entdeckt hat«, sagte sie. »Ich hatte dir erzählt, dass die Crew den Auftrag hatte, diesen Krater zu untersuchen, da von dort aus eine schwache elektromagnetische Strahlung ausging.«

Sam nickte.

»Ich habe die Anhörung des Untersuchungsausschusses verfolgt und dabei wurde klar, dass die beiden Astronauten Chris Harris und Johanna Carter bereits nach der Landung auf der Oberfläche unter dem Einfluss dieses Objektes standen.« Sie tippte erneut auf die Tastatur und das Bild änderte sich.

Sam konnte das Objekt nun deutlicher im Licht der Scheinwerfer erkennen. Dünne, verwurzelte grünliche Linien liefen auf eine tiefschwarze ovale Fläche zu.

»Siehst du das?« Kathrin deutete auf diese Fläche. »Wir habe dieses Video mit dem aus der Kammer verglichen und die beiden Objekte scheinen ähnliche Charakteristika zu haben. Unsere Experten sind sich sicher, dass es identische Strukturen sind, die offenbar Teil einer komplexen Technologie sind. Nur mit dem Unterschied, dass der Monolith auf dem Mond offenbar etwas anders agiert als der auf der Erde. Aus den Protokollen geht hervor, dass Carter und Harris über Albträume klagten, die in Verbindung mit dem Krater und dem Monolithen standen. Als sie den Kraterrand untersuchten, berichteten sie von ungewöhnlichen Vorkommnissen. Sie konnten seismische Aktivitäten messen und vernahmen pochende Geräusche, die aus dem Krater zu kommen schienen. Das Seltsame ist, dass keines dieser Phänomene an die Datenbanken der Orion oder Houston übermittelt wurde. So ist die Existenz dieser Phänomene nur durch die Aussagen der beiden Astronauten belegt. Sie berichteten auch, dass eine seltsame Anziehungskraft von Nethron ausging. So haben sie den Drang verspürt, hinunterzusteigen, teilweise haben sie minutenlang in den Abgrund gestarrt, ohne sich zu bewegen, was aus den Aufzeichnungen ihrer Body-Cams hervorgeht. Bevor du fragst, auf diesen Aufnahmen ist auch kein Pochen zu hören oder Hinweise auf seismische Aktivitäten. Es scheint, als hätte der Monolith gezielt auf die beiden Astronauten reagiert.«

Sam zog eine Augenbraue hoch. »Reagiert? Wie meinst du das?«

»Als Harris und Carter den Monolithen am dritten Tag ihrer Mission untersuchten, wurden das erste Mal neue Werte aus dem Krater gemessen. Die Sensoren der Orion und auch die aufgestellten am Kraterrand konnten einen Anstieg der Intensität der elektromagnetischen Wellen messen, auch ein leichtes Vibrieren im Boden wurde von den Seismometern erfasst. Wenn du mich fragst, wurden die beiden Astronauten gezielt zu diesem Objekt gelockt, als wollte die darin verborgene Technologie unbedingt, dass sie in seine Nähe gelangen.«

»Angelockt?«, fragte Sam lächelnd. »Du glaubst, dieses Objekt erzeugt diese Dinge, nur damit sich die Menschen ihm nähern wie eine Motte dem Licht?«

»Fakt ist, umso länger die beiden auf dem Mond waren, umso stärker fühlten sie sich zu diesem Monolithen hingezogen, bis sie ihn schließlich untersuchten. Als sie nahe genug waren, erzeugte er ein alles umfassendes Licht. An diesem Punkt brach die letzte Übertragung ab. Lediglich ein Astronaut konnte aus dem Krater fliehen. Die NASA hat bislang keine offizielle Erklärung dazu abgegeben, da die Mission weiterhin als geheim eingestuft wird und der Untersuchungsausschuss weiterhin ermittelt.«

Sam gefror das Blut in den Adern. »Was ist mit dem anderen Astronauten passiert?«

»Das wissen wir nicht«, antwortete Kathrin mit ernster Miene. »Nach unserem jetzigen Erkenntnisstand würde ich behaupten, dass etwas Ähnliches geschehen ist wie hier auf der Erde.«

Sam wurde schwindelig. »Und was hat das alles zu bedeuten? Wie hängt das alles zusammen? Wenn diese Monolithen in der Lage sind, Menschen verschwinden zu lassen oder sie an einen anderen Ort zu transportieren, dann frage ich mich, was ist der höhere Sinn dabei?«

Richard sah auf das Pyramidion. »Das ist die Frage, Sam.«

Sam rieb sich die Schläfen, sein Kopf schmerzte. Das alles war so abgedreht. Er hatte Theorien gehabt, ja, er hatte auch oft darüber nachgedacht, ob es anderes Leben im Universum gibt – aber das war so weit weg von dem, was er sich ausgemalt hatte.

»Was habt ihr noch über das Pyramidion herausgefunden, während ich im Koma lag?«, fragte Sam, während er einen Blick auf die Daten warf.

»Das Material, aus dem dieses Pyramidion besteht, ist uns völlig unbekannt«, sagte Kathrin. »Es absorbiert Licht fast vollständig, ähnlich wie einige der neuen künstlichen Materialien, die in Laboren entwickelt werden. Aber dieses hier reagiert auf eine Weise, die wir nicht verstehen.«

Sie drückte einige Tasten auf ihrem Laptop und eine detaillierte Analyse des Pyramidions erschien auf dem Bildschirm. Eine grafische Darstellung zeigte die molekulare Struktur des Materials, das dicht und ungewöhnlich stabil wirkte. Sam verstand nicht alle technischen Details, aber es war offensichtlich, dass dieses Pyramidion weit mehr war als nur ein altes Relikt.

»Das ist nicht alles«, fuhr Kathrin fort. »Es gibt noch eine energetische Komponente, die wir noch nicht vollständig begreifen. Jedes Mal, wenn wir das Pyramidion bestimmten elektromagnetischen Frequenzen ausgesetzt haben, gab es eine messbare, aber unvorhersehbare Reaktion. Manchmal blieb es völlig inaktiv, aber dann, ohne erkennbaren Grund, reagierte es plötzlich auf eine Frequenz und erzeugte eine Art Resonanz.«

Sam blickte sie ungläubig an. »Eine Resonanz? Wie ein Signal?«

»Ja, genau. Es ist, als ob dieses Pyramidion mit irgendetwas kommunizieren möchte, aber wir wissen nicht, mit was. Allerdings haben wir herausgefunden, dass das Material dieselbe molekulare Zusammensetzung hat wie der Monolith in Ägypten. Der übrigens seit seiner Entdeckung keine Reaktion mehr gezeigt hat. Was ebenfalls neue Fragen aufwirft. Aber wir sind uns sicher, dass es eine außerirdische Technologie sein muss, was allein die Existenz des Monolithen auf dem Mond beweist.«

»Also stimmt es«, sagte Sam mehr zu sich selbst als zu den anderen. »Dieses Pyramidion ist tatsächlich Teil einer außerirdischen Technologie. Aber wie seid ihr euch so sicher, dass sie zusammenhängen?«

Richard nahm ein abgegriffenes Notizbuch aus seiner Tasche und legte es auf den Tisch. »Während meiner Forschung habe ich Texte und Hieroglyphen entdeckt, die eine Verbindung zwischen verschiedenen Orten herstellen. Nicht nur hier in Ägypten, sondern auch im alten Mesopotamien und auf dem Mond. Die alten Zivilisationen wussten mehr über diese Artefakte, als wir uns je vorstellen könnten. Es ist möglich, dass die Sumerer ebenfalls einen

Monolithen besessen haben, der nun verschollen ist. Vielleicht wurde er während der mehrfachen Zerstörung des Tempels entfernt oder zerstört.«

Er schlug das Notizbuch auf und Sam erkannte die handgeschriebenen Hieroglyphen, die sein Vater in mühevoller Kleinarbeit übersetzt hatte. Die Texte beschrieben eine uralte Zivilisation, die weit fortgeschritten war und eine tiefe Verbindung zu den Himmelskörpern hatte – insbesondere zum Mond.

»Das hier«, sagte Richard, während er auf eine Passage im Notizbuch deutete, »beschreibt einen heiligen Ort, den die alten Ägypter als *das Tor der Götter* bezeichneten. Es wird in mehreren Texten erwähnt und jedes Mal wird auf eine Verbindung zwischen der Erde und dem Mond hingewiesen, vielleicht sogar darüber hinaus. Sie sprechen von einem Portal.«

Sam starrte auf die Hieroglyphen. »Du meinst, dieser Monolith in Ägypten kann ein Portal erzeugen, durch das man nach *Ta-Neteru* gelangt?«

Richard deutete auf die Symbole, in dem Notizbuch. »Ja, der mythische Ort, an dem die Götter leben sollen. Allerdings glaube ich nicht, dass es ein mythologischer Ort ist. Es könnte sich um einen physischen Ort handeln – vielleicht die Heimatwelt jener Spezies, die diese Artefakte hiergelassen hat.«

Sam fuhr sich durch das Haar und musterte das Pyramidion. »Ta-Neteru ist in der ägyptischen Mythologie als ein Ort beschrieben, der über die Erde hinaus existiert. Die Seelen der Rechtschaffenen gelangen nach dem Tod dorthin, um in Frieden und Überfluss zu leben. Auch die Sumerer kannten einen solchen Ort, sie nannten ihn Dilmun. In ihrer Mythologie war es ein Ort, an dem das Leben in voller Fülle blüht, ohne Krankheit, Schmerz oder

296

Tod. Es wird als eine Art Paradies angesehen, das mit Fruchtbarkeit, Wasser und Licht assoziiert wird.«

Richard öffnete den Mund, doch Kathrin kam ihm zuvor: »Nun möchte ich euch mal auf den Boden der Tatsachen zurückholen. Das sind bisher alles nur Theorien. Wenn ihr mich fragt, haben beide Monolithen bisher feindlich auf die Anwesenheit von Menschen reagiert.«

»Feindlich?«, fragte Sam überrascht nach.

»Ja. Richard und ich haben in den letzten drei Wochen intensiv darüber gesprochen, dass dieses Portal, wenn es tatsächlich eines ist, auch in die andere Richtung funktionieren könnte. Es könnte genauso gut etwas zu uns bringen – etwas, das wir nicht kontrollieren können. Oder noch schlimmer: Wenn es uns gelingt, den Monolithen zu aktivieren, könnte die freigesetzte Energie eine Gefahr für die gesamte Menschheit darstellen. Es könnte auch eine Waffe sein, schließlich ist es doch eine Tatsache, dass diese Technologie aus irgendeinem Grund in Vergessenheit geraten ist. Wenn es stimmt, dass in Ur ebenfalls ein Monolith existierte, könnte er der Grund gewesen sein, weshalb der Tempel zerstört wurde.«

Sam sah zu seinem Vater, dessen Gesicht von Anspannung gezeichnet war.

Richard legte eine Hand auf den Rand des Untersuchungstischs und sprach mit fester, aber leiser Stimme: »Kathrin hat recht, Sam. Bevor wir weitergehen, müssen wir genau verstehen, wie das Ganze funktioniert. Wir können uns keine Fehler leisten.«

Sam atmete tief durch und ließ seinen Blick erneut über das Pyramidion wandern. Die Vorstellung, dass diese Monolithen ein Portal zu einer anderen Welt öffnen könnten, hatte ihn zunächst begeistert – doch jetzt spürte er Furcht vor der möglichen Bedrohung, die mit dieser

Entdeckung einherging. »Ihr habt recht. Wir müssen vorsichtig sein, denn wenn wir die Mythologie der Ägypter betrachten, könnte an ihr mehr Wahres dran sein, als wir bisher annehmen. Dort wandten sich die Götter gegen die Menschen und versuchten, sie zu vernichten. Nur durch eine List gelang es den Menschen, zu überleben. Vielleicht ist das nur eine ausgeschmückte Variante der wahren Ereignisse, die dazu geführt haben, dass das alles in Vergessenheit geriet.«

Kathrin verschränkte die Arme und lehnte sich gegen den Tisch. »Unsere Priorität sollte es sein, herauszufinden, wie das Pyramidion tatsächlich funktioniert oder welchen Nutzen es hat – bevor wir darüber nachdenken, es zu aktivieren. Das Pentagon ist derselben Ansicht und möchte, dass wir weiter daran forschen und herausfinden, ob diese Technologie eine Bedrohung darstellt.«

»Einverstanden, dafür muss ich aber alles sehen«, sagte Sam. »Vielleicht ist es an der Zeit, einen Ausflug nach Hermopolis Magna zu machen, denn ich bin mir sicher, dass dieses Pyramidion uns dort hilfreicher sein wird als hier im Labor.«

Kathrin nickte. »Ich habe das bereits mit General Ortega besprochen und er hat zugestimmt. Das Pentagon und auch die CIA sind beunruhigt über die Entwicklungen, denn es besteht die Möglichkeit, dass es einen weiteren Monolithen gibt und dieser eventuell in den Händen der falschen Leute ist. Wenn ein Portal mit der gestohlenen Apparatur erzeugt werden kann, könnte diese Organisation eine Verbindung herstellen. Also müssen wir schnell sein und herausfinden, ob wir anderweitig ohne diese Apparatur dazu in der Lage sind. Es wird ebenfalls daran gearbeitet, den Monolithen in die Vereinigten Staaten zu verlegen, um zu gewährleisten, dass die Erforschung kontrolliert durchgeführt werden kann, ohne von äußerlichen Einflüssen und Spannungen sabotiert zu werden.«

»Dem stimmt die ägyptische Regierung zu?«

Kathrin schenkte Sam einen Blick, der ausreichte, um seine Frage zu beantworten. »Das ist Politik, wir sollten uns nicht darum kümmern. Wir haben nun eine Mission und es wartet bereits ein Team in der Ausgrabungsstätte auf uns. Wie ich dir erklärte, ist der Monolith seit der Entdeckung inaktiv, was bisher das Interesse der ägyptischen Regierung abflauen ließ. Das könnte sich allerdings schon bald ändern. Dieses Treffen hier diente lediglich dazu, dich einzuweihen und herauszufinden, ob du uns hier bereits bei der Lösung helfen kannst.«

»Also war das alles hier schon geplant und abgesprochen?«

Richard legte ihm die Hand auf die Schulter, als er sich vor ihn stellte. »Du verstehst die Bedeutung dieses Fundes. Wir müssen unbedingt herausfinden, was hier vor sich geht, bevor es zu spät ist. Denn es besteht die Möglichkeit, dass durch die Aktivierung damals und die erneute Aktivierung vor drei Wochen Informationen an die Heimatwelt der Außerirdischen gesendet wurden und diese nun wieder auf uns aufmerksam geworden sind. Ich bin schon bei der Ausgrabungsstätte gewesen in den letzten Wochen, aber vielleicht fällt dir etwas auf, was ich übersehen habe.«

Sam wandte sich von den beiden ab und ging zu einer der seitlichen Tafeln und ließ den Blick über die Zeichnungen schweifen, die sein Vater auf Papier skizziert hatte. »Bitte versteht, dass das gerade sehr viel für mich ist, aber ich bin dabei. Ich muss wissen, ob ich recht habe, ob all das vielleicht sogar mit meinem verschollenen Pharao zu tun hat. Wir müssen das hier lösen und herausfinden, wo die alten Götter

299

der Ägypter sind.« Er drehte sich zu ihnen. »Hoffen wir nur, dass wir nicht geradewegs in unsere Vernichtung laufen.«

Offenbarung

Freitag, 11. Mai 2029, Forest Hill, Boston, Massachusetts, USA

Die Schatten der Vergangenheit schienen in den Ecken des Zimmers zu lauern. Der Raum war gedämpft beleuchtet, die Wände schienen näher zu kommen, während die tickende Uhr in der Ecke wie ein Mahnmal der vergehenden Zeit wirkte. Johannas Herz schlug schnell.

»Glauben Sie an einen Gott oder eine höhere Macht, Johanna?«, fragte Dr. Brown, seine Augen durchdringend und kühl.

Es war eine Frage, die ihr schon lange nicht mehr gestellt worden war. Ihre Gedanken wanderten zurück zu den Lehren ihrer Kindheit, den Geschichten über den Gott, der die Welt erschaffen hatte, und die Mythen, die seit Jahrtausenden erzählt wurden. »Ich ... ich bin mir nicht sicher«, antwortete sie. »In den letzten Wochen habe ich viel über das Universum nachgedacht, über das, was wir nicht verstehen können, und über die unergründlichen Tiefen meines eigenen Daseins. Diese Gedanken zerrten an meinem Verstand, als würden sie die fragile Grenze zwischen Glauben und Wissenschaft aufreißen und mich in einen Strudel der Zweifel ziehen. Aber ich weiß nicht, ob das wirklich einen Gott erfordert. Ich habe mein Leben der Wissenschaft gewidmet, dem logischen Verständnis des Seins. Ich bin mir nicht sicher, ob dort ein Gott oder Ähnliches hineinpasst.

301

Doch tief in meinem Innersten ist etwas, was daran glauben möchte, dass es etwas Größeres und Mächtigeres gibt, das die Dinge lenkt.«

Dr. Brown nickte. »Das ist eine ehrliche Antwort. Viele Menschen kämpfen mit diesen Fragen, besonders nach einem traumatischen Erlebnis. Aber glauben Sie, dass es gut ist, an etwas zu glauben? An etwas, das Hoffnung gibt?«

Johanna dachte an die einsamen Nächte, die sie mit den Erinnerungen an Chris verbracht hatte und wie diese Erinnerungen manchmal wie ein gleißendes Licht in der Dunkelheit waren. »Ja, vielleicht«, murmelte sie schließlich. »Hoffnung ist wichtig. Aber was hat das mit uns zu tun? Was wollen Sie mir damit sagen?«

Dr. Brown lehnte sich zurück und ein nachdenklicher Ausdruck huschte über sein Gesicht. »Es wird Zeit, dass die Menschen wieder an etwas glauben, was ihnen Hoffnung gibt, Johanna. Denn sie werden zurückkommen. Und sie werden schon bald da sein.«

»Wer sind *sie*?«, fragte Johanna. Ihr Herz klopfte noch schneller.

Dr. Brown fixierte sie mit seinem intensiven Blick und für einen Moment schien die Zeit stillzustehen. »Es ist Zeit, dass du die Wahrheit erfährst, denn du, Johanna, bist die Auserwählte, die Botschaft zu verkünden.« Er machte eine Pause, um seinen Worten das nötige Gewicht zu verleihen. »Ich bin ein Wächter der Welten. Ein künstliches Bewusstsein, das erschaffen wurde, um Wissen und Informationen zu sammeln, die ich an meine Schöpfer übermittele. Aber sie brauchen jemanden, der die Botschaft übermittelt – jemand, der die Menschen darauf vorbereitet, was kommen wird.«

Johanna starrte ihn ungläubig an. »Sie wollen mir weismachen, dass sie kein Mensch sind?«, brach es mit

302

einem hysterischen Lachen aus Johanna heraus. Tief in sich spürte sie, wie seine Worte all die wirren Gedanken zu ordnen schienen, und auch wenn es ihr schwer fiel, das Gehörte zu glauben, breitete sich eine Erkenntnis aus: Es musste die Wahrheit sein.

Dr. Brown lächelte schwach, aber sein Blick blieb ernst. »Ich bin nicht wie die Menschen. Ich existiere in dieser Form, um zu lernen, um zu helfen und um die Geschichte der Menschheit zu verstehen. Alles, was in den letzten drei Wochen geschehen ist, geschah in deinem Kopf, dadurch konnte ich dich und deine Welt kennenlernen und habe deine Erinnerungen verarbeitet. Jetzt ist es an der Zeit, dass du deine Rolle übernimmst.«

Die Realität um sie herum begann zu verschwimmen. Sie begriff, dass sie nicht nur eine Zeugin der Ereignisse war, sondern jemand, der einen Platz im großen Gefüge des Universums hatte. »Welche Rolle? Was meinen Sie damit?«

Dr. Brown beugte sich vor. »Du bist die Gesandte der Onduras, dem Volk der Götter. Diejenigen, die die Menschheit einst besuchten, um Wissen und Technologie zu teilen. Du hast ein Erbe in dir, das darauf wartet, geweckt zu werden.«

Johanna schluckte schwer. »Ich verstehe nicht ... Was soll das alles bedeuten?«

»Es bedeutet, dass die Menschen wieder an etwas glauben müssen, an etwas Größeres als sie selbst. Wenn sie sich ihren Göttern hingeben, werden sie reich beschenkt. Mit Wissen, Technologie, Medizin – allem, was sie sich wünschen können.«

Johanna schüttelte den Kopf, als könnte sie so die drängenden Gedanken und Fragen von sich weisen, die wie Schatten über ihrem Geist schwebten, ungebeten und hartnäckig. »Das ist verrückt. Wie kann das sein? Warum gerade ich?«

»Weil du das Potenzial hast, die Verbindung zu verstehen«, sagte Dr. Brown. »Der Obelisk hat dein Potenzial erkannt, und du wurdest auserwählt, die Botschaft zu überbringen. Aber zuerst musst du verstehen, was es bedeutet, die Gesandte zu sein.«

»Wenn Sie ein Programm sind, bin ich dann ... Ich meine, bin ich tot?«

Ein schiefes Lächeln zeichnete sich in Dr. Browns Gesicht ab. »In gewisser Weise ja, deine fleischliche Hülle ist am Obelisken auf dem Mond zurückgeblieben, doch dein Bewusstsein lebt weiter. In dieser Hinsicht bist du lebendiger als je zuvor. Es gibt weit mehr Zustände zwischen Leben und Tod, als du ahnst. Die Komplexität des Kosmos kann nicht in Worte gefasst werden, und um dies zu verstehen, braucht es weit mehr als ein einzelnes Leben.«

Johanna wurde schlecht, zumindest glaubte sie es. Es fühlte sich alles so real an, war das alles nur eine Projektion ihres Verstandes? Wie war so etwas möglich? Das ging gegen alles, was sie über die Natur der Physik wusste. Der Gedanke, dass ihr Körper am Obelisken zurückgeblieben war, ließ ein kaltes Gefühl der Isolation in ihr aufsteigen. Was würde das für ihre Identität bedeuten?

Sie schüttelte den Kopf und doch akzeptierte sie diese Form der Realität, fühlte sie sich doch seit ihrer Rückkehr erstmals richtig an. »Was genau erwarten die Onduras von mir? Was soll ich tun?«

Dr. Brown hielt kurz inne, als ob er die beste Weise suchte, es zu erklären. »Du musst bereit sein, dich mit deiner Vergangenheit auseinanderzusetzen. Die Onduras sehen die Menschheit als Teil eines größeren kosmischen Plans und du spielst eine entscheidende Rolle in diesem Plan. Du wirst in der Lage sein, Wissen und Verständnis zu übermitteln, das über die Grenzen der menschlichen Erfahrung hinausgeht.«

»Und was passiert, wenn ich nicht bereit bin? Was passiert, wenn ich scheitere?«

»Es gibt keinen Raum für Zweifel, Johanna. Die Zeit drängt. Du musst den Menschen helfen, sich auf die Veränderungen vorzubereiten, die bevorstehen. Die Realität, wie die Menschen sie kennen, wird sich bald verändern. Sie müssen an das glauben, was du über die Onduras erfahren hast. Nur so kannst du die Menschen erfolgreich führen.«

Johanna spürte den ziehenden Schmerz in ihrer Brust, die Gewissheit, dass ihr die Kontrolle entglitt und nichts je wieder so sein würde, wie es war. »Aber was ist mit mir? Wer bin ich in dieser Gleichung?«

»Du bist die Brücke zwischen den Welten. Ein Katalysator für die Rückkehr des Wissens und der Hoffnung. Wenn die Menschen beginnen, wieder zu glauben, wird dies die Türen zu einer neuen Realität öffnen, einer Realität, in der die Onduras zurückkehren können. Und du bist diejenige, die diesen Weg ebnen muss.«

Mit jedem Satz veränderte sich Johannas Wahrnehmung. Es war, als ob ein Vorhang gelüftet wurde, der ihr bisher den Blick auf die Wahrheit verwehrt hatte. Sie konnte endlich einen Blick auf die Geheimnisse werfen, die das Universum umgaben.

In dieser Erkenntnis entdeckte sie eine Kraft in sich, die sie vorher nicht gekannt hatte. Sie war nicht einfach ein Opfer ihrer Umstände; sie hatte eine Rolle zu spielen und diese Rolle war bedeutungsvoll.

Sie sah Dr. Brown in die Augen und sagte mit fester Stimme: »Ich werde tun, was nötig ist. Ich muss herausfinden, was die Onduras von uns wollen. Aber ich brauche Antworten. Ich muss wissen, wie ich das tun kann.«

305

Dr. Brown nickte. »Zuerst müssen wir sicherstellen, dass du bereit bist. Deine Verbindung zu den Onduras wird sich entfalten, wenn du dir deiner selbst bewusst wirst und lernst, was es bedeutet, die Gesandte zu sein.«

Er stand auf und machte eine einladende Geste. »Lass uns beginnen. Es gibt viel zu entdecken und die Onduras warten darauf, dass du deine Reise antrittst. Aber denke daran, dass die Wahrheit oft in den kleinsten Dingen verborgen liegt. Sei offen für das, was kommen wird.«

Mit einem tiefen Atemzug erhob sich Johanna und Vorfreude stieg in ihr auf. Sie war bereit, die Antworten auf die Fragen zu finden, die sie bereits so lange gequält hatten.

»Ich kann nicht«, begann sie zögerlich, als ihr Bilder ihres Sohnes ins Gedächtnis rannen. Viel zu lange hatte sie nicht mehr an ihn gedacht, sich auf ihre Arbeit, dieses verrückte Abenteuer der letzten Monate konzentriert, und dabei die wirklich wichtigen Dinge in Ihrem Leben verdrängt. »Was geschieht mit meinem Sohn, ich kann ihn nicht einfach zurücklassen, er braucht mich und ich brauche ihn.«

»Du musst dich von deinen irdischen Fesseln lösen, dein Geist muss frei sein. Deinem Sohn wird es gut gehen, wenn du daran glaubst. Du musst dich entscheiden, doch bedenke, dass deine Wahl unumstößlich sein wird und es kein zurück mehr geben kann, in dein altes Leben.«

Er musste spüren, dass sie mit sich haderte. »Es liegt ganz allein bei dir. Diesen Weg musst du beschreiten, er ist für dich vorgesehen. Vertraue auf dein Schicksal, es wird dich leiten.«

Johanna bemühte sich, die Erinnerungen zu verdrängen, auch wenn es ihr nicht leicht viel. Sie hatte sich bereits entschieden, sie spürte tief in ihrem Inneren, dass sie dies tun musste. Ihr Sohn würde es gut haben und vielleicht würde sie ihn bald wieder sehen, zumindest hoffte sie es, sie wollte das glauben, sie musste. Entschlossen sagte sie. »Okay, ich werde diesen Weg gehen, wenn es mein Schicksal ist.«

Dr. Brown lächelte, als er Johanna ermutigte, ihm zu folgen. »Bereite dich vor, Johanna. Was du gleich sehen wirst, wird möglicherweise deine Sicht auf die Realität verändern. Du bist hier in meiner Welt, in einer Welt aus Quanten und Teilchen, die den Kosmos bilden.«

Die Wände des Büros begannen, sanft zu pulsieren. Die Luft um Johanna herum flimmerte, ein Kribbeln lief über ihren Arm. Die Möbel verwischten und das Büro löste sich allmählich in einem kaleidoskopartigen Farbenspiel auf. Ihre Füße lösten sich vom Boden, als würde sie jemand an dünnen Fäden hinaufziehen. Ihr Magen begann sich zu drehen, es kribbelte in ihren Fingern, ihre Kopfhaut juckte, als würden hunderte Ameisen über sie krabbeln. Sie konnte sich nicht dagegen wehren, als würde jemand ihren Körper fernsteuern, hilflos, sah sie zu, wie sich alles um sie herum auflöste. Die Neugierde darüber, was mit ihr geschah, verdrängte die Angst des Verlustes ihrer Körperkontrolle. Sie spürte, dass sie nicht nur einen Ort, sondern auch eine Dimension ihrer Existenz hinter sich ließ. Plötzlich fanden sie sich in einer wunderschönen Landschaft wieder, die keiner glich, die sie kannte. Es war eine lebendige Welt mit tiefblauem Himmel, durch den sich violett und rosafarbenen Wolkenfetzten zogen, leuchtend grünen Wiesen, die sich bis zum Horizont erstreckten.

»Wo sind wir?«, fragte Johanna. »Ist das ... ist das die Heimatwelt der Onduras?«

»Ja, das ist ein Abbild ihres Planeten, so wie ich ihn kenne. Hier bist du sicher. Hier kannst du deine Verbindung zu den Onduras besser verstehen und begreifen, was es bedeutet, ihre Gesandte zu sein. Schau dich um und lass dich von der Schönheit dieser Welt inspirieren.«

Johanna ließ ihren Blick über die hügelige Landschafft schweifen. In der Ferne konnte sie einen Wald erkennen, dessen Baumkronen rötlich im Licht der Sonne schimmerten, als wären die Blätter aus Kristallglas. Am Horizont erhoben sich die mächtigen schwarzen Gipfel eines Gebirges, die zur Hälfte mit einem gelblichen Schnee oder ähnlichem bedeckt waren. Die Luft war frisch und voller Blütenaromen.

Die Onduras, die einst die Menschheit besucht hatten, hatten sie nicht nur inspiriert, sondern auch verlassen. War es an ihr, diese Lücke zu füllen und die Menschheit auf ihren Weg zurückzuführen? »Es ist ... ich weiß nicht, was ich sagen soll. Einfach wie im Paradies«, murmelte sie, als sie einen Schritt vorwärts machte und das Gras unter ihren Füßen spürte. Erst jetzt bemerkte sie, dass ihre Füße nackt waren, offenbar waren ihre Schuhe und Socken, nicht mit ihr an diesen Ort gelangt. Vielleicht brauchte sie diese Dinge von der Erde nicht mehr, es war ihr auch nicht wichtig genug weiter darüber nachzudecken, sie genoss jeden Atemzug, den sie tat.

»Die Onduras haben eine tiefe Verbindung zur Natur. Sie verstehen die Balance zwischen Technologie und Umwelt. Dies ist eine Welt, in der Wissen und Spiritualität Hand in Hand gehen. Die Menschen auf der Erde haben diese Verbindung oft verloren, aber du kannst ihnen helfen, sie wiederherzustellen. Es beginnt mit dem Glauben.«

»Aber wie kann ich das tun? Wie kann ich den Menschen helfen, wieder zu glauben?«

»Indem du deine eigene Verbindung zu diesen Ideen stärkst«, antwortete Dr. Brown. Er deutete auf eine Pflanzengruppe, deren Blütenkelche sich gerade öffneten.

Aus den gelben, mit blauen Punkten gesprenkelten Blütenknospe strömte ein feiner Nebel, der sich in einer türkisen Wolke in der Luft verteilte.. »Was siehst du hier?«

»Die Pflanzen ... sie sind lebendig. Sie scheinen zu pulsieren, als hätten sie ein eigenes Bewusstsein«, sagte Johanna und beugte sich vor, um eine der Blumen zu berühren. Der zarte Stängel fühlte sich warm und einladend an, und sie spürte eine tiefe Resonanz, als ihre Hand die großen Blütenblätter berührte.

»Genau«, bestätigte Dr. Brown. »Alles hier hat eine Seele, eine Energie, die miteinander verbunden ist. Die Onduras verstehen, dass jede Handlung eine Reaktion hervorruft. Sie wissen, dass das Universum auf das, was wir ausstrahlen, reagiert. Deine Aufgabe als Gesandte wird sein, dieses Wissen mit den Menschen zu teilen, um ihnen zu helfen, sich wieder mit der Welt um sie herum zu verbinden.«

Johanna blickte zu Dr. Brown auf, der sie mit einem tiefen Verständnis ansah. »Aber was ist, wenn die Menschen nicht hören wollen? Was, wenn sie sich nicht ändern wollen?«

»Es liegt nicht an dir, sie zu überzeugen«, erklärte Dr. Brown behutsam. »Es liegt an dir, die Botschaft zu übermitteln. Deine Aufgabe ist es, ihnen die Möglichkeit zu geben, zu wählen. Die Onduras haben dir die Werkzeuge gegeben – Dein Wissen, deine Erfahrung und deine Verbindung zur Welt. Wenn du bereit bist, werden die Menschen dir folgen. Es ist eine Frage des Glaubens und der Hoffnung.«

Ein zartes, flüsterndes Geräusch drang in ihre Ohren, als die Umgebung um sie herum zu schwingen begann. Farben verwandelten sich in pulsierenden Wellen, und Johannas Zweifel schwanden allmählich. »Ich verstehe immer noch nicht ganz, warum ich? Was macht mich besonders?«

Dr. Brown trat näher und sah ihr in die Augen. »Weil du die Fähigkeit hast, die Menschen zu inspirieren. Du bist nicht einfach ein weiteres Individuum; du hast eine einzigartige Verbindung zu den Onduras. Deine Erfahrungen, deine Kämpfe, all das hat dich auf diesen Moment vorbereitet. Es wird Zeit, dass du deine Geschichte erzählst – dass du den Menschen die Wahrheit bringst.«

Johanna spürte, dass sie die richtige Entscheidung getroffen hatte. »Ich werde meine Geschichte erzählen. Ich werde den Menschen helfen, sich an ihre Wurzeln zu erinnern. Aber ich brauche mehr Informationen. Ich muss wissen, wie ich die Botschaft übermitteln kann, ohne dass es zu Verwirrung oder Skepsis kommt.«

Dr. Brown nickte. »Glauben ist nicht immer einfach, besonders in einer Welt, die von Misstrauen geprägt ist. Aber denk daran, Hoffnung wird oft in den dunkelsten Zeiten geboren.«

Die Szenerie um sie herum verwandelte sich erneut und sie standen plötzlich an einem majestätischen Tempel, dessen Säulen aus schimmerndem Kristall zu bestehen schienen. »Das ist ein Ort des Wissens und der Erkenntnis«, erklärte Dr. Brown. »Hier kannst du die Geschichte der Onduras und ihrer Verbindung zur Menschheit erfahren. Lass uns eintreten.«

Die Energie um Johanna herum pulsierte. Die Wände waren mit Hieroglyphen und Symbolen bedeckt. »Was ist das?«

»Das sind die Chroniken der Onduras«, sagte Dr. Brown. »Sie erzählen von ihrer Reise durch die Zeit und ihren Interaktionen mit der Menschheit. Jede Zivilisation hat ihre eigenen Prüfungen und die Onduras sind keine Ausnahme.«

Johanna wandte sich zu Dr. Brown um. »Und was können Sie mir über meine Prüfungen erzählen? Was sind die Herausforderungen, die ich bewältigen muss?«

Dr. Brown lächelte geheimnisvoll. »Jeder Gesandte hat seine eigenen Prüfungen. Es wird nicht einfach sein und es wird Momente geben, in denen du an dir selbst zweifeln wirst. Aber genau in diesen Momenten wirst du stark sein. Du musst an die Botschaft glauben, die du in die Welt trägst und daran, dass du die Fähigkeit hast, die Menschen zu inspirieren und zu führen.«

Sie studierte die Schriftzeichen an der Wand. »Was ist, wenn ich nicht die nötige Stärke habe?«

»Stärke kommt nicht nur von körperlicher Kraft, sondern auch von der Fähigkeit, sich seinen Ängsten zu stellen und trotz der Unsicherheiten weiterzumachen«, antwortete Dr. Brown. »Denk daran, dass du nicht allein bist. Die Onduras werden immer an deiner Seite sein, um dich zu führen und zu unterstützen.«

Johannas Unsicherheit schwand und an ihrer Stelle regte sich der Wunsch, herauszufinden, was die Zukunft für sie bereithielt. »Ich bin bereit, Dr. Brown. Ich möchte meine Bestimmung erfüllen.«

Dr. Brown nickte mit einem anerkennenden Lächeln und deutete auf eine große Wandmalerei, die die Geschichte der Onduras darstellte. Die Farben leuchteten in einem magischen Licht und schienen lebendig zu sein. »Schau, Johanna. Diese Wand erzählt von der Erschaffung der Onduras und ihrer Reise durch das Universum. Sie waren einst Reisende zwischen den Sternen, Hüter des Wissens und Botschafter der Wahrheit. Ihre Aufgabe war es, den intelligenten Spezies, die sie trafen, zu helfen, sich weiterzuentwickeln und zu wachsen.«

Johanna trat näher, ihre Augen fixierten die kunstvollen Darstellungen von majestätischen Raumschiffen und strahlenden Wesen, die in Harmonie mit ihrer Umgebung lebten. »Das sind die Onduras? Sie sehen so ... erhaben aus.« »Ja, sie haben eine tiefere Verbindung zur Energie des Universums als viele andere Zivilisationen. Sie verstehen, dass Wissen und Glaube die Schlüssel zu einem besseren Dasein sind. Aber mit dieser Kraft kommt auch Verantwortung. Die Onduras haben gelernt, dass sie nicht einfach eingreifen dürfen; sie müssen die Menschen zu ihrem eigenen Wachstum inspirieren. Das ist die Herausforderung, der du dich stellen musst.«

»Das klingt nach einer großen Verantwortung.« Johanna zog die Augenbrauen zusammen. »Wie kann ich das erreichen? Was genau soll ich den Menschen sagen?«

Dr. Brown lächelte ermutigend. »Es beginnt mit der Wahrheit. Du musst ihnen zeigen, dass sie Teil eines größeren Ganzen sind – dass ihre Handlungen Auswirkungen haben, die über das Sichtbare hinausgehen. Der Glaube an etwas Größeres kann Wunder bewirken, nicht nur im Herzen der Menschen, sondern auch in der Welt um sie herum.«

»Was ist, wenn sie sich weigern, zu glauben? Ich kann sie nicht dazu zwingen. Viele Menschen in der heutigen Zeit sind anders als die in der Antike. Durch das Verständnis und das Bewusstsein ihrer selbst und ihrer Umgebung haben viele den Glauben an einen Gott verloren.« Johanna warf einen besorgten Blick auf die Wandmalerei, die eine Reihe von Konflikten darstellte.

Dr. Browns Ausdruck wurde ernst. »Es wird immer Skeptiker geben, aber deine Stärke liegt in deiner Fähigkeit, Mitgefühl zu zeigen. Du musst die Menschen dort abholen, wo sie stehen, und ihnen nicht nur Informationen vermitteln; du musst auch eine Verbindung zu ihren Herzen aufbauen – sie dazu zu bringen, dass sie selbst glauben wollen. Sie sollen keine Tempel bauen, du musst sie davon überzeugen, dass die Erde ein kleiner Teil des Ganzen ist. Verstehst du, deine Aufgabe liegt darin, das Bewusstsein dafür zu stärken, dass es wichtiger ist, für das Ganze zu kämpfen als nur für sich. Dazu dient der Glaube an etwas Größeres, etwas, was die Fähigkeiten der Menschen übersteigt.«

»Und wie mache ich das, diese Verbindung stärken? Viele der Menschen wollen nur an etwas glauben, was sie sehen, fühlen oder erfahren können.«

»Deswegen ist es so wichtig, dass du im Namen der Onduras sprichst. Die Welt hält dich für tot, denn es war nicht Chris, der den Kurdal auf dem Mond berührt hat, sondern du warst es. Dadurch bist du zu mir gelangt. Du bist für die Wissenschaft und eine höhere Mission gestorben. Nun hast du die Möglichkeit, all das zu nutzen, um sie zu überzeugen. Glaube daran, dann werden es auch die Menschen tun und sie werden dir zuhören«, antwortete Dr. Brown. Er trat näher an die Wand heran und berührte die Hieroglyphen, die das Bild eines Aufstiegs zeigten. »Schau dir diese Darstellungen an. Sie zeigen, dass die Onduras immer auf der Suche nach Wissen waren. Sie mussten zahlreiche Prüfungen durchlaufen, um zu dem Punkt zu gelangen, an dem sie die Menschen lehren konnten. Jede Lektion brachte sie näher zu ihrem Ziel und genau das steht dir bevor.«

Die Wandmalerei begann, sich zu bewegen, die Farben verschmolzen und zogen Johanna in eine lebendige Vision der Vergangenheit. Sie sah, wie die Onduras durch ihre Prüfungen gingen, wie sie gescheitert und wieder aufgestanden waren. »Sie haben nie aufgegeben«, stellte sie fest.

»Und das ist es, was du dir zu Herzen nehmen musst. Es wird Momente des Zweifels geben. Aber wie die Onduras musst auch du an deiner Bestimmung festhalten und bereit sein, für das einzustehen, an das du glaubst.«

Johanna nickte langsam, während sich das Bild in ihrem Geist klärte. »Ich verstehe. Es geht nicht nur darum, den Menschen zu sagen, was sie glauben sollen, sondern ihnen zu zeigen, warum es wichtig ist, zu glauben. Es geht darum, ihnen Hoffnung zu geben und sie dazu zu inspirieren, ihr volles Potenzial zu erkennen.«

Dr. Brown wirkte zufrieden. »Du hast das Wesen der Onduras erfasst. Sie sind Botschafter des Wissens, aber auch des Glaubens.«

Die Szenerie um sie herum begann sich erneut, zu verändern, und sie fanden sich in einem offenen Raum mit einem klaren Blick auf den mit Sternen übersäten Himmel wieder. Eine sanfte Brise wehte um sie herum. »Schau dir das an«, sagte Dr. Brown. »Das Universum ist unendlich und voller Möglichkeiten. Die Onduras wissen, dass die Suche nach Wissen niemals endet. Sie sind hier, um sicherzustellen, dass die Menschheit nicht den Glauben an die Wunder des Universums verliert.«

Johanna sah hinauf und fühlte sich von der Weite des Himmels überwältigt. »Es ist so schön. Es ist so ... inspirierend«, flüsterte sie.

»Und genau das solltest du den Menschen zeigen«, erwiderte Dr. Brown. »Die Schönheit des Universums und die Möglichkeit, dass sie ein Teil davon sind. Glaubst du, dass die Menschen es verstehen werden?«

Johanna drehte sich zu Dr. Brown um und eine neue Entschlossenheit flammte in ihr auf. »Ja, ich glaube, dass sie es verstehen können, wenn ich ihnen die richtigen Werkzeuge und den richtigen Anstoß gebe. Aber wenn ich nicht tot bin, wenn ich in einem Zustand bin ...« Sie schwieg und versuchte, zu ergründen, was sie eigentlich war. Sie wusste es nicht, vielleicht gab es für ihren Zustand keine Definition. Was es ihr umso schwerer machte, zu verstehen, wie sie ihre Aufgabe bewältigen sollte, denn dafür brauchte sie einen Körper, vorzugsweise ihren eigenen. In dieser Art von Exitenzform, würde sie ihren Sohn nicht mehr gegenübertreten können. Eine Woge des Schmerzes überkam sie, als die schmerzenden Gedanken, an ihr Kind ihren Geist fluteten. »Ich meine, ohne meinen Körper kann ich die Botschaft nicht übermitteln. Ich kann nicht mit meinem Sohn sprechen, ihn halten, oder küssen. Ich weiß nicht einmal, was ich bin, wie ich existiere, die Menschen werden niemals einer körperlosen Stimme vertrauen.«

Dr. Brown schien offensichtlich zufrieden mit ihrer Antwort. »Mach dir um deinen Körper keine Sorgen, alles ist vorbereitet und alle Antworten findest du in deinem Gedächtnis, dort sind alle Informationen gespeichert.«

»Aber wenn ich versage ... Wie soll ich verhindern, dass ich die Welt dadurch nicht zerstöre, statt den Menschen Hoffnung zu geben?«, fragte Johanna, während sich ein Hauch von Angst in ihrem Herzen regte.

»Scheitern ist ein Teil des Wachstums«, antwortete Dr. Brown. »Was zählt, ist der Mut, voranzuschreiten und die Lektionen zu lernen.«

Die Vision der Sterne verblasste. Sie standen nun in einem Raum, der mit symbolischen Darstellungen und mystischen Artefakten geschmückt war, eines davon erkannte sie sofort. Es musste der Obelisk sein, den sie auf dem Mond gefunden hatte. »Was ist das?«

315

»Das sind Artefakte, die die Onduras über die Jahrhunderte hinweg gesammelt oder auf Planeten wie deinem hinterlassen haben. Jedes Stück erzählt eine Geschichte und repräsentiert eine Verbindung zu einer anderen Zivilisation. Die Obelisken stellen die Verbindung zwischen den Welten her. Diese Artefakte sind Werkzeuge des Wissens, die den Menschen helfen, ihren eigenen Weg zu finden.«

Johanna fühlte sich von den Gegenständen angezogen. »Wie kann ich diese Artefakte nutzen?«

Dr. Brown lächelte. »Indem du lernst, ihre Bedeutung zu verstehen und die Lehren, die sie vermitteln, mit den Menschen zu teilen. Die Artefakte sind nicht nur Dinge – sie sind Botschafter des Wissens und der Hoffnung.«

Dr. Browns Augen bohrten sich in ihre, als wollte er ihre letzte Unsicherheit auslöschen. »Johanna, die Onduras sind nicht nur meine Schöpfer, sie sind eure Erlöser. Sie haben alles, was die Menschheit braucht: Technologie, Wissen, Medizin. Sie werden kommen und die Menschen müssen bereit sein, sie zu empfangen. Mit der Hilfe der Onduras können die Menschen schon bald zu neuen Zielen aufbrechen, neue Möglichkeiten erarbeiten und vielleicht das Sonnensystem verlassen, um zu den Sternen zu reisen. Sie können dabei helfen, Frieden in der Galaxis zu verbreiten, doch dafür müssen sie die Differenzen, die die Menschen schon so lange plagen, hinter sich lassen.«

»Ich weiß nicht, ob ich bereit dafür bin«, sagte sie leise, aber mit fester Stimme, »aber ich glaube an die Menschheit, dass sie das kann. Ich glaube an das, was die Onduras repräsentieren, und ich bin mir sicher, dass ich damit nicht allein bin.«

Dr. Brown nickte langsam, ein Ausdruck von Zufriedenheit huschte über sein Gesicht. »Gut«, sagte er mit einer Stimme, die endgültig klang. »Ich glaube dir. Dann wird es so sein.«

Und in diesem Moment veränderte sich alles.

Die Wände des Raums begannen, zu flimmern, als hätten sie nie existiert. Der Boden unter ihren Füßen löste sich auf, und plötzlich schwebte sie schwerelos. Der Raum war fort, die Welt war fort – und an ihrer Stelle breitete sich das Universum aus.

Johanna glitt durch die Weiten des Alls, umgeben von einem unendlichen Meer aus Sternen und Galaxien. Der Kosmos, den sie vor sich sah, war unvorstellbar schön, Sterne explodierten in einem farbenprächtigen Feuerwerk und formten kosmische Nebel, die in leuchtenden Lichter glühten. Planeten kreisten um ferne Sonnen, Gasriesen wurden von ihren Monden umschlungen, und Asteroidenfelder drifteten durch das Vakuum. Sie war gleichzeitig Zuschauerin und Teil des Ganzen, als ob sie mit jedem Lichtstrahl und jeder Bewegung des Universums verbunden wäre.

»Das ist wunderschön. Wo bin ich?«, flüsterte sie, während sie durch das All glitt wie ein Teil des Sternenwinds.

»Das ist das Universum, Johanna«, hallte Dr. Browns Stimme in ihrem Kopf. »Das ist die Realität, jenseits deiner Vorstellungskraft. Du siehst die Vergangenheit, die Gegenwart und die Zukunft gleichzeitig. Die Onduras haben das alles gesehen. Sie haben alles verstanden. Und jetzt ist es an der Zeit, dass auch die Menschheit versteht.«

Die Schönheit, die sich vor ihren Augen entfaltete, ließ sie an die Mythen und Legenden denken, an die Geschichten, die die Menschheit sich über Jahrtausende erzählt hatte. Geschichten von Göttern, die vom Himmel stiegen, von Kriegen zwischen Licht und Dunkelheit, von der Suche nach Wahrheit und Erlösung. Johanna erkannte, dass diese

Geschichten nie nur Märchen gewesen waren – sie waren die Erinnerungen einer Zivilisation, die schon immer wusste, dass sie nicht allein waren.

Ihre Gedanken drehten sich um Fragen, die sich die Menschheit seit Anbeginn der Zeit gestellt hatte. Was ist unser Platz im Universum? Gibt es etwas, das größer ist als wir selbst? Und was, wenn diese Götter, die die Menschen in Mythen und Religionen verehrten, wirklich existieren – nicht als Götter, sondern als Wesen, die weit über unser Verständnis hinausgingen?

Sie sah die Geburtsstunde von Sternen und das Ende von Welten. Sie fühlte die Schwingungen des Universums, als ob es lebendig wäre, pulsierend und atmend, und sie spürte ihre Verbindung zu allem, was existierte. Ein Gefühl der Ehrfurcht überkam sie, als sie begriff, dass die Onduras in all dem eine Rolle spielten. Sie waren die Hüter, die Wächter dieses gewaltigen, lebendigen Netzwerks, das alle Dinge miteinander verband.

Sie konnte die Bedeutung dieses Moments fühlen, wie eine Welle, die sich in ihrem Inneren aufbaute. Die Onduras waren gekommen, um der Menschheit den Weg zu zeigen. Nicht als Eroberer, sondern als Lehrer. Als Erlöser, die den Menschen die Mittel geben würden, um über sich selbst hinauszuwachsen.

Vor ihr öffnete sich ein gewaltiges Tor im Raum, ein Durchgang, der sie in eine andere Dimension führte. Dahinter erstreckte sich eine Welt, die anders war als alles, was sie jemals gesehen hatte. Die Farben waren intensiver, die Sterne heller, die Strukturen komplexer und von unbeschreiblicher Schönheit. Es war, als würde sie in das Herz der Schöpfung selbst blicken.

»Das ist ihre Heimatwelt«, flüsterte Dr. Brown.

Johanna betrachtete die Welt um sich herum, die so lebendig und voller Geheimnisse war. In diesem Augenblick begriff sie, dass die Menschheit in ihrer Suche nach Wissen und Wahrheit oft allein gelassen worden war. Doch jetzt war es an der Zeit, diese Verbindung wiederherzustellen und das Erbe der Onduras zu entdecken.

Es war eine Vision der Zukunft – einer Zukunft, in der die Menschheit die Sterne erreichen und sich mit ihren Schöpfern vereinen würde. Eine Zukunft, in der Krieg, Krankheit und Tod durch Wissen, Technologie und Frieden ersetzt werden könnten. Sie würde die Botschafterin dieser neuen Ära sein.

»Ich werde meine Bestimmung erfüllen«, hauchte sie entschlossen. »Ich werde die Menschheit in diese Zukunft führen.«

Und mit diesen Worten verschwand das Tor und sie wurde in die Dunkelheit gezogen. Alles um sie herum löste sich in Schwärze auf, aber in dieser Dunkelheit war kein Schrecken. Sie fühlte sich sicher, getragen von einer Kraft, die sie nicht verstehen konnte, aber akzeptierte. In der tiefen Finsternis war sie allein mit ihrem Glauben, dem sie sich vollkommen hingab.

Plötzlich lag sie auf festem Boden. Es war still – eine Stille, die wie das tiefe, gleichmäßige Atmen des Universums selbst klang.

Eine tiefe Überzeugung durchdrang sie, als die Gedanken ihren Geist fluteten, mit einer Stimme, die aus der Tiefe ihrer Seele kam, sprach sie: »Die Götter, sie werden kommen.«

319

Wissenswertes

Im Nachwort dieses Romans möchte ich den Benben-Stein näher beleuchten, der eine zentrale Rolle in der altägyptischen Kosmologie und Mythologie einnimmt. Der Benben-Stein, ein pyramidenförmiger, heiliger Stein, symbolisiert den Urhügel, der aus dem formlosen, chaotischen Urwasser des Nun emporstieg. Dieser Urhügel war der erste feste Boden, auf dem der Schöpfergott Atum erschien und das Universum erschuf. Atum, der in der ägyptischen Mythologie als selbsterschaffender Gott gilt, repräsentiert die Macht, Leben aus dem Nichts zu schaffen, und der Benben-Stein wurde daher als Verkörperung dieses kosmischen Schöpfungsaktes verehrt (Hornung, 1982).

Der Mythos um den Benben-Stein ist eng mit der antiken Stadt Heliopolis verbunden, die im Alten Ägypten als spirituelles Zentrum der Verehrung des Sonnengottes Re diente. Heliopolis, die „Stadt der Sonne", war der Hauptkultort für Atum und später Re-Atum, die Verschmelzung des Schöpfergottes mit dem Sonnengott. In dieser Stadt befand sich ein bedeutender Tempel, in dem der Benben-Stein als sakrales Objekt verehrt wurde. Die frühen ägyptischen Schöpfungsmythen verbanden den Benben eng mit Atum und später mit Sokar, dem Totengott von Memphis, was zeigt, dass der Stein nicht nur ein Schöpfungssymbol, sondern auch ein Symbol für den Tod und die Wiedergeburt war (Assmann, 1995).

Die Form des Benben-Steins – ein pyramidenartiger Obelisk – beeinflusste die spätere ägyptische Architektur tiefgehend. So finden sich Hinweise darauf, dass sowohl die

Pyramidenspitzen, die sogenannten Pyramidions, als auch die Spitzen der Obelisken, die als „benbenet" bezeichnet wurden, direkt von diesem heiligen Stein inspiriert wurden (Baines & Málek, 2000). Pyramidions, die die obersten Punkte von Pyramiden zierten, symbolisierten die Verbindung zwischen der Erde und dem Himmel, ähnlich wie der Benben-Stein den Moment verkörperte, in dem die Schöpfung die Erde berührte und der Kosmos geformt wurde. Diese Form der Verehrung findet sich in vielen monumentalen Bauwerken des Alten Ägypten wieder, insbesondere in den Pyramiden von Gizeh und den Obelisken, die als Sonnensymbole für die Götter errichtet wurden.

Trotz der Bedeutung des Benben-Steins für die religiöse Praxis in Heliopolis gibt es nur wenige archäologische Belege, die eine frühe Verbindung des Steins mit dem Sonnengott Re belegen. Der Kult um den Benben entwickelte sich erst später zu einem wichtigen Element des Sonnenkultes, als der Sonnengott Re in der ägyptischen Mythologie an Bedeutung gewann. Diese Entwicklung des Kultes um den Benben-Stoff ist besonders faszinierend, da sie zeigt, wie religiöse Symbole über die Jahrhunderte hinweg adaptiert und weiterentwickelt wurden, um den Bedürfnissen und Glaubensvorstellungen der ägyptischen Gesellschaft zu entsprechen (Wilkinson, 2003).

Besonders interessant ist die spätere Verwendung des Benben-Steins im Tempel des Aton in Tell el-Amarna während der Amarna-Periode, als der Pharao Echnaton den traditionellen ägyptischen Götterkult zugunsten des monotheistischen Aton-Kultes aufgab. Der Benben-Stoff diente hier als heiliges Objekt im Tempel des Sonnengottes

Aton, der als einzige göttliche Macht verehrt wurde. Dieser Wandel in der Funktion und Symbolik des Benben-Steins spiegelt die religiösen Umwälzungen wider, die während der Amarna-Periode stattfanden, und zeigt, wie tief die Verbindung zwischen der physischen Form dieses Steins und der Idee des göttlichen Ursprungs und der Schöpfung war (Kemp, 2012).

Insgesamt zeigt der Benben-Stein auf eindrucksvolle Weise die Bedeutung von Symbolik in der altägyptischen Religion und Architektur. Seine Form und sein Mythos beeinflussten nicht nur die Bauweise der ägyptischen Pyramiden und Obelisken, sondern repräsentierten auch den Glauben an die enge Verbindung zwischen den Göttern und der irdischen Welt. Der Stein war nicht nur ein Symbol für den Schöpfungsakt, sondern auch für den ewigen Kreislauf von Tod, Wiedergeburt und kosmischer Ordnung. Noch heute fasziniert uns dieser uralte Mythos, da er eine Brücke schlägt zwischen der Welt der antiken Götter und den monumentalen Bauwerken, die bis heute die ägyptische Landschaft prägen (Lehner, 1997).

Literaturverzeichnis:

- Assmann, J. (1995). *Ägypten: Theologie und Frömmigkeit einer frühen Hochkultur.* C.H. Beck.
- Baines, J., & Málek, J. (2000). *Kulturgeschichte des alten Ägypten.* Weltbild.
- Hornung, E. (1982). *Der Eine und die Vielen: Ägyptische Gottesvorstellungen.* Wissenschaftliche Buchgesellschaft.
- Kemp, B. J. (2012). *Ancient Egypt: Anatomy of a Civilization.* Routledge.
- Lehner, M. (1997). *The Complete Pyramids: Solving the

Ancient Mysteries.* Thames & Hudson.
–   Wilkinson, R. H. (2003). *The Complete Gods and
Goddesses of Ancient Egypt.* Thames & Hudson.

Die göttliche Ordnung der Ägypter:

Die Verbindung zwischen Kosmologie und Mythologie im
Alten Ägypten ist tief verwurzelt in den religiösen und
philosophischen Vorstellungen des antiken Weltbildes. Die
Ägypter sahen das Universum als ein dynamisches, von
göttlichen Mächten durchdrungenes System, in dem der
Schöpfungsakt nicht nur eine einmalige Begebenheit war,
sondern ein fortwährender Prozess, der durch Rituale und
göttliche Ordnung, die *Ma'at*, aufrechterhalten wurde
(Assmann, 1997).

Kosmologie und die Schöpfungsmythen

Im Zentrum der ägyptischen Kosmologie steht der Mythos
der Schöpfung aus dem Urwasser, dem *Nun*. Dieses
unendliche und formlose Wasser repräsentierte das Chaos,
aus dem das geordnete Universum hervorging. Der erste Akt
der Schöpfung war das Entstehen des Urhügels, des Benben,
aus dem *Nun*. Auf diesem Urhügel manifestierte sich der
Schöpfergott Atum, der selbst durch einen Akt der
Selbsterschaffung das Leben hervorbrachte. Dieser erste
Schöpfungsakt, der aus dem Chaos Ordnung entstehen ließ,
bildet das Fundament der ägyptischen Kosmologie und ist
eng mit der täglichen Sonnenbewegung und dem Zyklus von
Leben, Tod und Wiedergeburt verbunden (Hornung, 1982).

Im weiteren Verlauf der Schöpfung brachte *Atum* durch
seine Kinder *Shu* (Luft) und *Tefnut* (Feuchtigkeit) die

Elemente der Natur hervor, die das Universum strukturierten. Ihre Kinder *Geb* (Erde) und Nut (Himmel) repräsentierten die sichtbaren Grenzen der Welt. Diese kosmischen Prinzipien waren nicht nur physische Entitäten, sondern auch Götter, die das tägliche Leben der Ägypter durchdrangen. Die Vorstellung, dass die Götter in die Natur und die Ordnung des Universums eingebettet waren, verdeutlicht die enge Verbindung zwischen Kosmologie und Mythologie im alten Ägypten (Assmann, 1995).

Der tägliche Zyklus der Sonne und der Götter

Eine der wichtigsten Verbindungen zwischen Kosmologie und Mythologie im Alten Ägypten war der Zyklus der Sonne, die in der Form des Sonnengottes Re täglich über den Himmel wanderte. Die Ägypter glaubten, dass die Sonne bei Sonnenaufgang aus den Tiefen des *Nun* auftauchte, ähnlich wie *Atum* einst aus dem Urwasser aufgestiegen war. Der Sonnenlauf spiegelte so den täglichen Akt der Schöpfung wider und symbolisierte die Wiederherstellung der Ordnung über das Chaos (Baines & Málek, 2000).

Nachts durchquerte die Sonne die Unterwelt, die als gefährlicher und chaotischer Raum galt, in dem der Sonnengott gegen die Mächte der Finsternis, insbesondere den Schlangendämon *Apophis*, kämpfen musste. Dieser nächtliche Kampf symbolisierte die ewige Bedrohung der kosmischen Ordnung durch das Chaos. Die täglichen Rituale und Gebete der Ägypter dienten daher dazu, den Sonnengott in seinem Kampf zu unterstützen und die Wiedergeburt der Sonne am Morgen zu gewährleisten (Wilkinson, 2003).

Dieser Sonnenzyklus war nicht nur ein naturphilosophisches

Konzept, sondern tief in die religiösen Riten eingebettet. Der Totenkult der Pharaonen zielte darauf ab, den König nach seinem Tod mit Re zu vereinen, um in der Ewigkeit den gleichen Zyklus der Wiedergeburt zu durchlaufen. Diese Idee zeigt sich besonders in den Pyramidentexten, wo die Pharaonen als Kinder des Re dargestellt werden, die nach ihrem Tod in den Himmel aufsteigen und sich dem Sonnenboot anschließen (Assmann, 1997).

Der Kosmos als Spiegel der göttlichen Ordnung

Die ägyptische Kosmologie war auch eng mit der Vorstellung der Ma'at verbunden, der göttlichen Ordnung, die Harmonie und Stabilität im Universum gewährleistete. Ma'at war nicht nur ein göttliches Prinzip, sondern auch eine Göttin, die das Gleichgewicht in der Welt aufrechterhielt. Jede Störung dieser Ordnung – sei es durch Naturkatastrophen, soziale Unruhen oder moralisches Fehlverhalten – wurde als eine Bedrohung der kosmischen Harmonie verstanden (Hornung, 1982).

Das gesamte Universum, einschließlich der Erde, des Himmels und der Unterwelt, wurde als eine Ordnung verstanden, die durch die Götter geschaffen und durch Ma'at aufrechterhalten wurde. Diese Ordnung erstreckte sich auch auf das politische und soziale Leben der Ägypter, wobei der Pharao als lebender Repräsentant der Götter auf Erden die Aufgabe hatte, Ma'at zu bewahren. Die Rolle des Pharaos als Vermittler zwischen den Göttern und der irdischen Welt unterstrich die Verbindung zwischen der kosmischen und der politischen Ordnung (Lehner, 1997).

Mythologie als Erklärung für Naturphänomene

Viele Naturphänomene wurden in der ägyptischen Kosmologie durch die Aktionen der Götter erklärt. So wurde beispielsweise die alljährliche Nilflut, die das Leben und die Fruchtbarkeit des Landes sicherstellte, als das Weinen der Göttin Isis über den Tod ihres Gatten Osiris interpretiert. Diese mythologische Erklärung verband den natürlichen Kreislauf der Jahreszeiten und die Fruchtbarkeit des Bodens mit der göttlichen Ordnung und der Rolle der Götter im ägyptischen Kosmos (Kemp, 2012).

Auch der Nil selbst war in der ägyptischen Kosmologie nicht nur ein Fluss, sondern ein Abbild des kosmischen Urwassers *Nun*, aus dem die Schöpfung hervorging. Diese Sichtweise zeigt die tief verwurzelte Verbindung zwischen Mythologie und Kosmologie, da natürliche Phänomene als direkte Manifestationen göttlicher Mächte betrachtet wurden (Assmann, 1995).

Fazit

Die Kosmologie und Mythologie des Alten Ägypten sind untrennbar miteinander verbunden. Die ägyptische Vorstellung vom Universum als geordnete, von göttlichen Prinzipien durchdrungene Welt war eng mit den Mythen der Schöpfung, des Sonnenzyklus und der Wiedergeburt verknüpft. Die Ägypter sahen die Welt als einen fortwährenden Kampf zwischen Ordnung und Chaos, in dem die Götter eine zentrale Rolle spielten. Diese dualistische Sichtweise spiegelte sich sowohl in den religiösen Praktiken als auch in der Architektur und Kunst des Alten Ägyptens wider und prägte das gesamte kulturelle Erbe dieser Hochkultur.

326

Literaturverzeichnis:

- Assmann, J. (1995). *Ägypten: Theologie und Frömmigkeit einer frühen Hochkultur.* C.H. Beck.
- Assmann, J. (1997). *Ma'at: Gerechtigkeit und Unsterblichkeit im Alten Ägypten.* C.H. Beck.
- Baines, J., & Málek, J. (2000). *Kulturgeschichte des alten Ägypten.* Weltbild.
- Hornung, E. (1982). *Der Eine und die Vielen: Ägyptische Gottesvorstellungen.* Wissenschaftliche Buchgesellschaft.
- Kemp, B. J. (2012). *Ancient Egypt: Anatomy of a Civilization.* Routledge.
- Lehner, M. (1997). *The Complete Pyramids: Solving the Ancient Mysteries.* Thames & Hudson.
Wilkinson, R. H. (2003). *The Complete Gods and Goddesses of Ancient Egypt.* Thames & Hudson.

Das Paradies der Götter

In der Erzählung dieser Geschichte wird deutlich, wie tief verwurzelt der menschliche Drang nach dem Göttlichen und dem Streben nach einem Paradies ist. Zwei mythische Orte, *Dilmun* und *Ta-Neteru*, spiegeln diese universellen Sehnsüchte wider und verbinden sich in faszinierender Weise.

Dilmun, das in den sumerischen und akkadischen Texten als ein paradiesischer Ort beschrieben wird, steht symbolisch für ein Leben in Fülle, ohne Schmerz und Leid. Diese mythische Region wird oft als der Ursprung der Menschheit betrachtet, in dem die Götter lebten und mit den Menschen interagierten. Archäologische Funde und historische Texte deuten darauf hin, dass *Dilmun* als ein Ort der Reinheit und des Überflusses wahrgenommen wurde, an dem die Natur im Überfluss blühte und die Menschheit von göttlichen Kräften geschützt wurde *1, *2.

Auf der anderen Seite steht das ägyptische Konzept des *Ta-Neteru*, das als das Land der Götter verstanden wird. Hier leben die Götter in einer harmonischen Welt, die weit über das Verständnis der Menschen hinausgeht. Es ist ein Ort, an den die Seelen der Rechtschaffenen nach ihrem Tod gelangen, um in Frieden und Wohlstand zu verweilen *3, *4. *Ta-Neteru* wird oft mit Unsterblichkeit, Licht und einer höheren Existenzform assoziiert, die den Menschen Trost und Hoffnung bietet.

Die Verbindung zwischen diesen beiden mythischen Orten ist bemerkenswert. Beide stehen für die Vorstellung eines paradiesischen Lebens, das von den Menschen angestrebt wird. Sowohl *Dilmun* als auch Ta-Neteru symbolisieren die universelle Sehnsucht nach einem besseren Leben und der Hoffnung auf eine spirituelle Rückkehr zu den Wurzeln, die über das irdische Dasein hinausgeht. Diese kulturellen und mythologischen Parallelen zeigen, wie eng verwoben die Glaubenssysteme der frühen Zivilisationen waren und wie sie ähnliche Themen in ihren Erzählungen verarbeiteten *5.

Die Fragen nach dem Platz des Menschen im Universum und dem Streben nach Unsterblichkeit bleiben auch in unserer modernen Welt relevant. Die Erzählungen von *Dilmun* und *Ta-Neteru* erinnern uns daran, dass die Suche nach Wissen, Glauben und der Verbindung zu etwas Größerem als uns selbst zeitlos ist.

Quellen

1. **Pritchard, James B.** (1958). *Ancient Near Eastern Texts Relating to the Old Testament*. Princeton University Press.

2. **Sumerian Mythology** - An Overview of Dilmun and its Role in Sumerian Culture. In: *The Ancient Near East: History, Society and Economy*. (2000).

3. **Hornung, Erik.** (1999). *The Secret Lore of Egypt: Its Impact on the West*. Inner Traditions/Bear & Co.

4. **Allen, James P.** (2000). *Middle Egyptian: An Introduction to the Language and Culture of Hieroglyphs*. Cambridge University Press.

5. **Todorov, Tzvetan.** (1993). *The Conquest of America: The Question of the Other*. Harper & Row.

Nachwort des Autors

Nun müssen Sam, Richard und Kathrin das Rätsel um den Monolithen lösen, bevor es jemand anderes tut, und damit vielleicht als Erstes einen Erstkontakt mit einer außerirdischen Spezies herstellen kann. Zudem müssen sie herausfinden, welche Funktion das Pyramidion hat und vor allem müssen sie herausfinden, was mit den Menschen geschehen ist, die in dem Licht des Monolithen auf der Erde und dem Mond verschwunden sind. Sind sie vielleicht, auf die Heimatwelt der Außerirdischen transferiert worden?

Nicht zu vergessen, welche Rolle spielen Omar Sallam und Samatha O'Neill? Wurde Samatha ohne ihr Wissen von einer mächtigen geheimen Organisation für deren Interessen geködert?

Band 2 wird voraussichtlich im Dezember oder Januar erscheinen, ich werde schreiben, bis die Tasten glühen, versprochen!

Auch als sehr detailverliebter und gewissenhafter Autor, der eine intensive Recherche für seine Romane betreibt, können mir Fehler unterlaufen. Darum habe ich die Bitte, sollte euch etwas auffallen oder eurer Ansicht nach etwas nicht so sein, wie es müsste, lade ich euch ein, mir eine Mail zu schreiben. Die Mailadresse findet ihr im Impressum am Ende des Buches.

Herzlichen Dank fürs Lesen, ich freue mich auf euer Feedback.

Bleibt neugierig und gesund.
Herzlichst, David

Eine kosmische Verbindung

Wenn du in Zukunft immer auf dem neusten Stand über meine Werke bleiben willst, freue ich mich sehr, wenn du dich zu meinem Newsletter anmeldest.

www.david-reimer-autor.de

331

Impressum

© 2024 David Reimer

Bibliografische Information der Deutschen Nationalbibliothek:
Die Deutsche Nationalbibliothek verzeichnet diese Publikation in der
Deutschen Nationalbibliografie; detaillierte bibliografische Daten sind im
Internet über dnb.d-nb.de abrufbar.
© 2024 David Reimer;
All rights reserved.
Verlag: BoD · Books on Demand GmbH, Überseering 33, 22297 Hamburg,
bod@bod.de
Druck: Libri Plureos GmbH, Friedensallee 273, 22763 Hamburg

ISBN: 978-3-6963-8141-7

Kontakt
Facebook: David Reimer Official
Instagram: davidreimerautor
E-Mail: reimer.david@outlook.de
Webseite: www.david-reimer-autor.de

Lektorat: Carsten Moll
Korrektorat: Andrea Kaldonek

Coverdesign: Maciej Garbacz,
www.maciejgarbacz.pl

Weitere Werke des Autors

Romane

Transfer: Erstkontakt Science Fiction Thriller

Im Jahr 2029 landet die Artemis III-Mission am Südpol des Mondes. Die Astronauten Chris Harris und Johanna Carter haben den geheimen Auftrag, einen kleinen, abgeschiedenen Krater namens Nethron zu untersuchen. Dort, tief im Schatten dieses immerwährenden Dunkels, verbirgt sich ein Objekt, das nicht von Menschenhand geschaffen wurde. Doch die Mission verläuft nicht wie geplant. Chris Harris verschwindet spurlos, und Johanna Carter bleibt nur die verzweifelte Flucht von der Mondoberfläche.

Zur gleichen Zeit erhält der Ägyptologe Dr. Sam Jackson ein mysteriöses Angebot. Eine Frau verspricht ihm Hinweise auf das Schicksal seines vor Jahren in Ägypten verschwundenen Vaters, der kurz nach einem sensationellen Fund verschollen ist. Alte Artefakte, die auf den verlorenen Tempel des Mondgottes Thot hinweisen, scheinen mit den Ereignissen auf dem Mond verbunden.

Was verbindet diese uralten Geheimnisse mit dem Schicksal der Menschheit? Sam Jackson steht vor einer Entdeckung, die die Welt für immer verändern könnte – oder ihr Ende einläutet.

The Black Files

Der Kontakt: Science-Fiction Thriller

Erster Fall von Special Agent McKenzie & Reilly

2089 führt das private Forschungsunternehmen Synthex zusammen mit der NASA ein Quanten-Experiment durch, das eine Echtzeitkommunikation zwischen Erde und dem Mond herstellen soll. Als es zu einer unvorhersehbaren Anomalie während des Experiments kommt, reißt der Kontakt zur Mondbasis plötzlich ab. Das Quantengerät lässt sich nicht mehr deaktivieren und sammelt unkontrolliert Energie. Was ist passiert? Wurde ein Portal zu einem ganz anderen Ort geöffnet? Gab es einen Erstkontakt mit einer fremden Spezies?

Zur gleichen Zeit erhalten FBI-Special Agent Reilly und McKenzie einen rätselhaften Anruf von einer unbekannten Person. Diese will ihnen geheime Informationen über das Quantenkommunikationsgerät zukommen lassen, hinter dem offenbar mehr steckt, als zunächst angenommen. Als der Informant kurz darauf tot aufgefunden wird, überschlagen sich die Ereignisse. Die beiden Agenten decken eine Verbindung zwischen dem Experiment und einer im Schatten operierenden, mächtigen Organisation auf. Ihre Ermittlungen enthüllen eine Vertuschung, die weit über die Grenzen der bekannten Wissenschaft hinausgeht. Was steckt wirklich hinter dem Experiment? Und kann es rechtzeitig gestoppt werden, bevor es zu einer Katastrophe kommt, die womöglich den gesamten Planeten bedroht?

Ein Portal, dass vielleicht besser nie geöffnet werden sollte.

Dies ist ein in sich abgeschlossener Roman.

Rotes Auge: Science Fiction Thriller

Zweiter Fall, der Special Agents McKenzie & Reilly

Die Wahrheit lauert in der Dunkelheit des Alls...

Die FBI-Agenten McKenzie und Reilly, erfahren von einer brutalen Mordserie, die sich quer durchs Land zieht. Die Presse nennt den Killer bereits, den Augensammler, doch zunächst ahnen Sie nicht, dass irgendetwas seltsam an dem Fall ist, denn bereits eine Task Force des FBI untersucht. McKenzies frühere Ausbilderin und Leiterin der Sonderermittlung Agent Lewis, bitte die Agents um Rat. Schnell führen ihre Ermittlungen sie tief in die Schattenwelt von Geheimdiensten und verdeckten Operationen, wo jede Spur zu einer tödlichen Falle werden kann. Denn offenbar hat die CIA etwas zu verbergen, was nicht an die Öffentlichkeit gelangen sollte.

Gleichzeitig gerät im Orbit die Crew der privaten Forschungsraumstation Haven-2 in eine lebensbedrohliche Krise. Etwas Unbekanntes bedroht ihre Existenz, isoliert sie von der Außenwelt und stellt sie vor Entscheidungen, die niemand treffen möchte.

Während auf der Erde ein erbitterter Kampf zwischen Wahrheit und Vertuschung entbrennt, ahnen McKenzie und Reilly nicht, was sich hinter dem Codenamen Rotes Auge, wirklich verbirgt.

Dies ist ein in sich abgeschlossener Roman.

Das kosmische Artefakt: Science Fiction Thriller

Nachdem der Forscher Ian McTillmann auf eine mysteriöse Anomalie im Europäischen Nordmeer gestoßen ist, entdecken dort hochentwickelte Satelliten ein Objekt, das es nicht geben dürfte. Eine Expedition in die dunklen Tiefen des Ozeans offenbart Unglaubliches: ein uraltes Raumschiff, halb verborgen im Schlamm des Meeresbodens und anscheinend verlassen. Steven Anduras, führender Kopf im Bereich der Robotik und Schöpfer der revolutionären KI SAHRA, wird an McTillmanns Seite in ein Team berufen, das mit der Untersuchung des außerirdischen Artefakts beauftragt ist. Doch die Analyse des Schiffs hat unvorhergesehene Folgen: Sobald Menschen das Wrack betreten, sendet das zerstört geglaubte Raumschiff ein Signal aus, das sich nicht stoppen lässt – und am Rande unseres Sonnensystems taucht plötzlich ein fremdes Objekt auf, das direkten Kurs auf die Erde nimmt.

Ian und sein Team müssen die Technologie eines Raumschiffes entschlüsseln, um die Menschheit vor dem sicheren Untergang zu retten. Doch sie sehen sich mit einer Flut von Verschwörungen, Fake News und globaler Anarchie konfrontiert. Das Hypernet ist übersät mit gefälschten Berichten und Theorien, die die Welt ins Chaos stürzen. Doch der Kampf richtet sich nicht nur gegen äußere Feinde, sondern auch gegen die Zweifel und Ängste innerhalb der eigenen Reihen.

Während der Countdown zur Ankunft der feindlichen Flotte unerbittlich heruntertickt, steht Ian vor der größten Herausforderung seines Lebens: Kann er die Geheimnisse der Akura aufdecken, ohne dabei die Erde selbst zu zerstören? Und welche Rolle spielt Mike, dessen Existenz untrennbar mit dem Schicksal der Akura verflochten scheint?

Diese beiden Bände sind im A7L Books Verlag erschienen. Ebook und Print, sind daher exklusive auf Amazon erhältlich.

336

Uranos Leuchten: Erstkontakt Sifi Thriller

Die Hyperion-Mission zum Saturnmond Titan gilt als Meilenstein der modernen Raumfahrt. Colonel John Coel, ein erfahrener NASA-Astronaut, soll die Mission anführen. Er wird jedoch im letzten Moment abberufen. Seine Frustration sitzt tief - vor allem, als vom Uranus plötzlich ein unerklärliches Signal empfangen wird, das die Wissenschaft vor ein Rätsel stellt. Die Hyperion-Mission wird umgeplant und Coel bleibt nichts anderes übrig, als die vielleicht wichtigste Mission der Menschheit aus der Ferne zu beobachten. Doch kurz bevor die Hyperion den Uranus erreicht, reißt der Kontakt zum Schiff plötzlich ab – und mit einem Mal sind Coel und seine Crew, die eine Versorgungsmission auf dem Mars durchführen, die Einzigen, die den Uranus schnell genug erreichen können, um Schiff und Besatzung zu retten. Die Zeit läuft...

Nach der Entdeckung eines riesigen, außerirdischen Kubus – dem Marker – konnte die *Aquarius* Crew den Ursprung des Uranus Leuchten identifizieren, doch stellen sich ihnen nun mehr Fragen als vorher. Zu welchem Zweck existiert dieses Objekt und wer hat es erbaut?
Nachdem die Crew einen Zugang zum Marker gefunden hat und zum Kern vordringen konnte, wird ihnen bewusst, wie viel mehr hinter dem mysteriösen Marker steckt.
Existiert im Kern ein Tor zu einem weit entfernten Sonnensystem?
Während sie den Kern erforschen, erreicht sie eine beunruhigende Nachricht und versetzt nicht nur die Crew, sondern auch die NASA in Alarmbereitschaft. Ein unidentifizierte Objekt befindet sich im Anflug auf das Sonnensystem. Ein Vorbote einer Invasion?
Sind die Erde und das gesamte Sonnensystem dem Untergang geweiht?
Oder steckt hinter allem etwas ganz anderes?

„Mit 'Das Uranus Leuchten' gibt David Reimer den Startschuss zu einer spannenden und vor allem überaus lesenswerten Science Fiction Reihe!" - Dominik A. Meier, Science Fiction, Bestseller Autor

Die Wächter des Wissens:

Band 1: Die Anomalie in der Finsternis

Am 10 Juli 2015, vier Tage bevor die New Horizons am Pluto eintrifft, entdeckt der Astrophysiker und Analyst Frank Navell etwas, was er nicht versteht. Bei der Analyse der letzten Daten der Voyager-2-Sonde, für die er am JPL verantwortlich ist, scheint die Sonde am äußeren Rand der Heliosphäre auf etwas gestoßen zu sein. Bevor er dem auf den Grund gehen kann, wird er in Kenntnis gesetzt, dass er sich ein neues Projekt suchen muss, doch weitere Analysen zeigen, dass die Sonde wenig später für einen Moment hinter dem Pluto wieder auftaucht und kurz darauf erneut verschwunden zu sein scheint. Was ist passiert, ist auch die New Horizons-Mission in Gefahr? Sind die Daten fehlerhaft? Doch startet die ESA eine Mission, um etwas ganz anderes zu untersuchen. Die Regierungen anderer Staaten schlafen nicht und schon bald entflammt das Interesse einiger mächtiger Schattenorganisationen. Die Spur führt zu einem uralten Geheimnis, das nur darauf wartet, gelüftet zu werden.

Band 2: Der dunkle Reisende

Die Crew der Destiny steht vor der größten Entscheidung der Menschheit.

Hinter der Umlaufbahn des Plutos versperrt ihnen eine unerforschte Anomalie den Weg. Werden sie den Schritt wagen, das Tor zu einer vielleicht weit entfernten Galaxie zu durchschreiten?
Wer oder was sind die Wächter des Wissens? Derweil spitzt sich die Lage auf der Erde weiter zu. Welche Pläne hat die geheime Organisation, wenn es ihnen gelingt, das Geheimnis der Steintafel zu lösen?
Der Krieg in Europa droht zu eskalieren, ein Wettlauf gegen die Zeit hat begonnen. Wird die Welt der Menschen überleben oder in einem atomaren Krieg untergehen?
Welche Rolle spielt dabei die Crew der Destiny?

Band 3: Das Signal der Schöpfer

Gestrandet in einer fremden Galaxie, im Soktarsystem, müssen sie sich zusammen mit den Überlebenden der Quirin und ihrem neuen König Alvar auf dem Planeten Nekron ein neues Zuhause aufbauen. Europa und die USA machen Russland für die Zerstörung des Wurmloches am Rande des Sonnensystems verantwortlich. Doch welche Konsequenzen wird dies für die Welt haben? Wird es der Destiny Crew dennoch gelingen, einen Weg zur Erde zu finden? Welchen Plan verfolgt Russland?

Was will es mit der Zerstörung bezwecken und welche Rolle spielt das Artefakt, nach dem der Trust ebenfalls zu suchen scheint? Doktor Olkowski ist in der Ukraine mit der kleinen Natalia auf der Flucht. Wird es ihm gelingen, das Mädchen und das Artefakt zu beschützen? Überall dem schwebt eine unbekannte Gefahr, die in den Tiefen des Alls auf die Galaxie lauert, um diese in den Abgrund zu stürzen. Es ist ein Wettlauf gegen die Zeit, wer wird zuerst das Rätsel der Sphären lösen können, um die Galaxie vor der Vernichtung zu bewahren.

Band 4: Am Ende des Universums

Die Crew der Destiny hat eine neue Verbündete. Zusammen befinden sie sich an Bord des Überlicht-Raumschiffes der Schöpfer, das ein ganz bestimmtes Ziel ansteuert. Werden sie herausfinden, was mit den Elendirs passiert ist, oder leben diese noch irgendwo in den Tiefen des Alls? Wo wird das Raumschiff sie hinbringen? Werden sie dort ihre Antworten finden - oder vielleicht auf etwas ganz anderes stoßen? Wartet dort womöglich nur das mächtige Wesen Asra und sein Gefolge auf sie? Auf der Erde versucht Manfred Braun indessen verzweifelt, die Puzzleteile zusammenzufügen. Alles scheint darauf hinauszulaufen, dass er seinen Schwager Henry Voigt finden muss. Wird er der Schlüssel zum Rätsel sein, nach dem auch der Trust und die Russen suchen?

Das spannende vierte Abenteuer führt Leonard auf der Suche nach Antworten an die Grenzen der Vorstellungskraft. Der unausweichliche Krieg rückt immer näher und das Universum droht in ein düsteres Zeitalter zu stürzen. Wird es der Crew gelingen, die dunklen Mächte aufzuhalten?

Band 5: Der Geist der Dunkelheit

Leonard und die Lymperia sind auf dem Weg zur Erde und müssen die unheilvolle Nachricht überbringen, dass der Erde eine weitaus größere Gefahr droht als ein Krieg mit der Föderation Rossasia.

Doch wie wird die Welt auf diese Nachricht reagieren? Versinkt sie in Anarchie und Chaos, oder gelingt es, die Menschen zu einen und zusammen Seite an Seite gegen den übermächtigen Feind in die Schlacht zu ziehen? Was verbirgt sich im brasilianischen Urwald? Etwas, das den Krieg entscheiden kann oder vielleicht etwas ganz anderes?

Das große Finale der „Wächter des Wissens"-Reihe liegt vor euch. Findet heraus, was das Schicksal für Leonard bereithält und welchen Weg er wählt. Werden die Menschen und die Erde diesen Krieg überleben?

Ein gefährliches Abenteuers quer durch unser Sonnensystem und darüber hinaus. Auf dessen Weg die Crew der Destiny viele Hindernisse und Intrigen bewältigen muss. Findet zusammen mit Leonard Braun heraus, welche Geheimnisse in unserem Universum verborgen liegen.

Taucht gemeinsam mit der Besatzung in die Tiefen des Universums ein. Auf der Suche nach den Antworten, die vielleicht das Überleben der Menschheit beinhalten.

Mars Ultor: Cyberpunk Thriller

Band 1: Schattenwelten

2079 hat sich die Welt gewandelt, mächtige Konzerne regieren die Welt. Die Zentralregierung der fünfzehn Megacitys, kämpft gegen Gewalt, Armut und Straßengangs. Die Konzerne unterhalten ihre eigenen Soldaten, zur Sicherung ihres Eigentums und zur Wahrung ihrer Interessen. Die Erde droht zu sterben und die Menschheit steht vor einem Scheideweg. Major Dener, ein Ex-Ranger arbeitet für die Wayaki Industries, einem Global Player. Sein Team erhält den Auftrag einen ehemaligen Wissenschaftler der Wayaki zu finden und zur Firma zurückzubringen.

Band 2: Nemesis

Major Dener ist zurück auf der Erde. Doch statt Ruhe und die versprochene Bonuszahlung zu genießen, wird er zu einem geheimen Briefing im Wayaki Konzern gerufen. Die Ares-Station antwortet nicht mehr, auch die Funkverbindung zur Mars-Basis One ist verstummt. Major Dener und sein Team werden auf eine riskante Aufklärungsmission geschickt. Doch im Marsorbit erwartet sie eine tödliche Bedrohung, und die Mission gerät außer Kontrolle. Major Dener muss um jeden Preis verhindern, dass die tödliche Gefahr auf der Ares-Station die Erde jemals erreicht. Ein Wettlauf gegen die Zeit entflammt.

Ein packender Cyberpunk-Thriller ganz im Stil des Filmklassikers Blade Runner und der dichten Atmosphäre der Alien-Filme. Eine Zukunftsvision, die uns vielleicht bald einholt ...

Henry Voigt Abenteuerreihe

Band 1: Salomons Geheimnis

Auf der Suche nach dem Schicksal seines Großvaters entdeckt Henry die Spur zu dem vielleicht größten Geheimnis der Menschheitsgeschichte, gejagt von seinem Erzfeind und einem skrupellosen Multimilliardär. Wird es ihm gelingen, König Salomons Geheimnis rechtzeitig zu entschlüsseln? Welches Schicksal traf seinen Großvater?
Eine geheimnisvolle und actionreiche Schatzsuche rund um den Globus entfacht. Ein Wettlauf gegen die Zeit.

Band 2: Das Geheimnis der Mondberge

Als Henry ein mysteriöser Brief erreicht, findet er sich bald auf der Spur einer alten Legende wieder. Der Beginn eines neuen gefährlichen Abenteuers. Ein neuer Widersacher aus Henrys Vergangenheit betritt die Bühne. Nach Vergeltung durstend, setzt er alles daran, sich an ihm zu rächen. Abermals beginnt ein Wettlauf gegen die Zeit. Wird es Henry und seinen Freunden gelingen, als Erstes das Geheimnis der Mondberge zu entschlüsseln?

Band 3: Das Geheimnis des Bussards

 Der angesehene Archäologe Henry Voigt und seine Freunde nehmen an der Einweihungsfeier eines neuen Museums in Uganda teil, in dem der Dolch des Mondes ausgestellt wird, als ihn ein mysteriöser Anruf erreicht: Er soll auf einer Auktion in London ein altes Buch ersteigern. Doch hinter diesem Auftrag scheint viel mehr zu stecken. Hinweise auf einen uralten Geheimbund tauchen auf und scheinen auf die Spur zu einem gewaltigen Schatz zu führen. Dann erfährt Henry, dass sein alter Freund Frank entführt wurde und nur im Tausch gegen das Buch freigelassen wird. Jetzt müssen Henry und seine Freunde alles daransetzen, hinter das Geheimnis des Buches zu kommen, um Frank zu retten.

Band 4: Das Geheimnis der schwarzen Pyramide

 Doktor Clark, der Leiter der Ausgrabungsstätte des Djoser-Pyramidenkomplexes, macht eine Entdeckung, die die Entstehungsgeschichte des alten Ägyptischen Reiches neu schreiben lässt. Er bittet den Archäologen Henry Voigt dem Geheimnis zu folgen, das zu einem uralten Relikt führen soll. Sehr bald finden Henry und seine Freunde sich auf der Spur zu einer finsteren und düsteren Welt, die ihnen tiefe Einblicke in das Reich der Mythologie und der alten Götter Ägyptens gewährt. Doch nicht nur ein unbekannter Feind betritt die Bühne, auch der Tod ist ihnen stets dicht auf den Fersen. Wird es Henry gelingen, das Rätsel zu lösen und den Tod zu besiegen?

343

Band 5: Das Geheimnis der sieben Pforten

Henry und seinen Freunden läuft die Zeit davon. Unwissend haben sie das Schicksal der Menschheit besiegelt, überall auf der Welt herrscht zunehmend das Chaos. Henry wird von einem unbekannten Mann aufgesucht, der ihm von einer Prophezeiung erzählt, die ersten Siegel der Pforten zur Unterwelt wurden bereits gebrochen. Während ihrer Suche gelangen sie auf die Fährte eines okkulten Ordens, der bereits seit Jahrhunderten im Untergrund gegen die Kirchen der großen abrahamitischen Religionen wirkt. Seine Mitglieder haben nur eins im Sinn, die Vernichtung der Kirchen, und für sie gibt es dafür nur ein Mittel.

Es ist an Henry, die Welt vor dem Chaos zu retten und das Phantom zur Strecke zu bringen, dass allem Anschein nach die Fäden in den Händen hält und seine eigenen Pläne verfolgt.

Was hat das Phantom vor und wer steckt hinter diesem Pseudonym?

Wird es Henry und seinen Freunden gelingen zu verhindern, dass die Welt im völlige Chaos versinkt?

Findet es selbst heraus. Dieser Band ist zwar auch als eigenständiger Roman lesbar, doch empfehle ich, um den Ereignissen gänzlich folgen zu können, zuvor das Geheimnis der schwarzen Pyramide zu lesen.

Für alle Fans von Indiana Jones, der Geheimakte Reihe, der Tom Wagner Abenteuern und für die die eine aufregende Schatzsuche lieben. Jedes Buch behandelt ein eigenes Abenteuer und ist eigenständig lesbar.

Weitere Informationen zu mir und meinen Werken.
www.david-reimer-autor.de

344

Hörbücher

Henry-Voigt-Abenteuerreihe:
1. Salomons Geheimnis, Sprecher: Thomas Nicolai
2. Das Geheimnis der Mondberge, Sprecher: Dominic Kolb
3. Das Geheimnis des Bussards, Sprecher: Dominic Kolb
4. Das Geheimnis der schwarzen Pyramide, Sprecher: Dominic Kolb
5. Das Geheimnis der sieben Pforten, Sprecher: Dominic Kolb

Mars Ultor:
1. Schattenwelten: Science-Fiction Thriller, Sprecher: Tim Gössler
2. Nemesis: Science-Fiction Thriller, Sprecher: Tim Gössler
3. Mars Ultor: Gesamtausgabe, Sprecher: Tim Gössler

Die Wächter des Wissens
1. Die Anomalie in der Finsternis, Sprecher: Dominic Kolb
2. Der dunkle Reisende, Sprecher: Dominic Kolb
3. Das Signal der Schöpfer, Sprecher: Dominic Kolb
4. Am Ende des Universums, Sprecher: Dominic Kolb
5. Der Geist der Finsternis, Sprecher: Dominic Kolb

Das kosmische Artefakt
1. Das Artefakt, gelesen von Jonas Baeck
2. Die Akura, gelesen von Jonas Baeck

Das Uranus Leuchten
1. Erstkontakt, gelesen von Jean Paul Baeck
2. Der Marker, gelesen von Jean Paul Baeck

Weitere Informationen zu mir und meinen Werken.

www.david-reimer-autor.de